Perdere Peso

2 Libri in 1: Dieta Cheto e Dieta Risveglio Metabolico. La Guida Completa per Dimagrire Velocemente Senza Patire la Fame.
Unisci le Due Migliori Diete per Raggiungere il tuo Peso Forma

SOFIA MANCINI

Nota Legale

[illegible]

Disclaimer

[illegible]

BURN
FAT

SOMMARIO

LIBRO II - DIETA RISVEGLIA METABOLISMO

Dieta Chetogenica

Riattiva il Tuo Metabolismo! L'Unico Metodo Triangolare per Bruciare Grassi in Eccesso Senza Sentirti Veramente a Dieta. 200 Ricette Chetogeniche + Diario Alimentare di 4 Settimane

INTRODUZIONE

Uno dei dilemmi riguardanti, al giorno d'oggi, la ricerca di un regime alimentare che offra la duplice soluzione di ottenere un dimagrimento costante e sicuro e, di mantenere un buono stato di salute (se non migliorarne direttamente alcune condizioni più critiche), ha fatto sì che ritornasse di moda la cosiddetta "dieta chetogenica".
Già sperimentata all'inizio del secolo scorso per il dimagrimento e la cura di alcune malattie, come l'epilessia infantile, è ritornata in *auge,* grazie proprio al fatto di offrire questa duplice soluzione.
Sarà la ricerca di questa doppia soluzione che unisca, da un lato, il dimagrimento e il benessere fisico con la prevenzione e la cura di molte malattie dall'altro, l'argomento principale di questa trattazione.
Il motivo per cui questa dieta è riapparsa ed è tornata così popolare quindi, è dovuto non solo al fatto che effettivamente funziona, e quindi, permetta di ottenere risultati tangibili a livello di forma fisica, ma anche perché fornisce ottimi benefici per la salute stessa.
In questo libro ci impegneremo, infatti, a fornire tutte le informazioni e gli strumenti necessari per comprendere e utilizzare al meglio la dieta chetogenica.
Sarò l'obiettivo principale di questa trattazione illustrarvi, in sintesi, una prima parte puramente teorica in cui vi verranno spiegate non solo quali sono le basi della dieta chetogenica, quale sia il suo effettivo funzionamento (la chetosi), i motivi per cui è ritornata ad avere successo, i pro e i contro e dei consigli pratici e dei trucchi che vi consentiranno di approcciarvi ad essa al meglio.
L'altra parte del libro ci permetterà di passare dalla pure teoria alla pratica.
Vi verrà mostrato quindi, come costruire questo tipo di dieta, quali cibi si possono mangiare e quali no, tutte le ricette sperimentabili associate a questo regime alimentare, seguiti da un piano alimentare di 4 settimane, ed infine un FAQ dove vengono chiariti brevemente alcuni dubbi riguardanti la dieta chetogenica.

PARTE PRIMA

CAPITOLO 1 - LE BASI DELLA DIETA CHETOGENICA

La dieta chetogenica nel dettaglio

È sicuramente di vitale importanza capire nel dettaglio di cosa si sta esattamente parlando quando si fa menzione della dieta chetogenica.
Quando parliamo di dieta chetogenica ci riferiamo, innanzitutto, ad una dieta *low carb* (letteralmente a basso contenuto di carboidrati).
Ciò significa che stiamo parlando di uno di quei regimi alimentari che, grazie alla riduzione più o meno drastica dei carboidrati in favore di altri macronutrienti, permette di perdere peso e, di conseguenza, il grasso corporeo più velocemente ed in maniera più sicura.
Questa riduzione più o meno drastica dei carboidrati, nella pratica, permette un diverso processo metabolico, che andrà ad utilizzare i corpi chetonici.
Questi corpi chetonici faranno in modo che il nostro corpo produca l'energia necessaria per la sopravvivenza non più dal glucosio ma bensì dai grassi.
La dieta chetogenica è, quindi, una strategia nutrizionale che permette al nostro organismo di andare a cercare delle fonti di energia alternative a quelle fornite dall'eccesso di carboidrati.
Essa, in pratica, mette l'organismo di fronte all'obbligo di produrre autonomamente il glucosio necessario alla sopravvivenza e ad aumentare il consumo energetico dei grassi contenuti nel tessuto adiposo.
Questo processo, chiamato chetosi, verrà spiegato più nel dettaglio, nel capitolo successivo.
Tornando al discorso su cosa sia la dieta chetogenica, si era accennata la sua appartenenza alle diete *low carb:* ma è giusto affermare che essa rappresenta una netta differenziazione rispetto ad altri regimi alimentari che sfruttano la riduzione degli zuccheri.
La ragione di questa affermazione risiede nel fatto che, a differenza di altri regimi alimentari con riduzione di zuccheri in cui molti pazienti hanno ripreso peso, molti studi

hanno dimostrato invece che la dieta chetogenica sia molto più efficace non solo nella perdita di peso ma anche nel mantenere costanti nel tempo i risultati ottenuti.
Sperimentata, come già accennato nell'introduzione, all'inizio del secolo scorso, e precisamente negli anni 20, non solo per la perdita di peso ma anche per la cura di alcune malattie, come l'epilessia infantile, è tornata molto di moda e sta riscuotendo molto successo grazie, innanzitutto, come motivo più ovvio e scontato, al fatto che permette davvero di perdere peso.
Tutto questo va collegato a tutti i benefici, a livello di salute che permette di conseguire (dei benefici se ne riparlerà nel capitolo specifico).

Come funziona questa dieta?

Il meccanismo di funzionamento della dieta chetogenica si basa sulla riduzione delle calorie e dell'assunzione di carboidrati che, in associazione ad un giusto livello di proteine e un elevato contenuto percentuale di grassi, dovrebbe migliorare la lipolisi e l'ossidazione lipidica cellulare. Migliorando questi processi, infatti, si andrà ad attaccare il consumo totale di grassi ottimizzando il dimagrimento.
Ciò fa sì che il corpo aumenti notevolmente la combustione dei grassi, il ché aiuta quindi a ridurre al minimo le sacche di grasso in eccesso presenti nell'organismo.
Questo approccio "brucia grassi" non solo consentirà l'effettiva perdita di peso, ma può anche respingere le voglie (di zuccheri si intende) durante il giorno ed evitare crolli di energia.
Avverrà quindi, la produzione di corpi chetonici che hanno, come funzione principale quella di moderare lo stimolo dell'appetito, quindi, di conseguenza, il dimagrimento generale.
Alla base della dieta chetogenica si pongono quindi i chetoni e la chetosi.
Nella pratica, come fonte di energia alternativa, il corpo crea chetoni, una molecola di carburante, mentre il corpo sta esaurendo lo zucchero nel sangue.
Per spiegarlo parole più povere, ciò che avviene nel nostro organismo, grazie alla dieta chetogenica è che esso, privandosi quasi completamente del glucosio come fonte energetica primaria, sarà costretto a trovare una fonte di energia alternativa a cui fare riferimento.
Per comprendere ancora più nel dettaglio questo processo, e il processo di chetosi in particolare, si rimanda al capitolo 2.

Perché la dieta chetogenica è così famosa e funzionale?

A cosa deve il suo successo questa dieta?
Per dare una risposta a questa domanda, dobbiamo affermare che, la dieta chetogenica è, in sostanza, una delle poche diete scientificamente testate, utilizzata e sperimentata su migliaia di pazienti non solo per i suoi effetti terapeutici ma a maggior ragione per il suo potentissimo effetto collaterale: la perdita rapida e definitiva del grasso in eccesso.
Ed è proprio questa la ragione per cui è così famosa e funzionale.

Come spiegato all'inizio di questo capitolo, anche se la dieta chetogenica è un regime dietetico perfettamente associabile ad altri che sfruttano la quasi assenza degli zuccheri per dimagrire, e che quindi provocano un effetto dimagrante anch'essi, è solamente con questa dieta che si può ottenere la costanza di perdita di peso nel tempo.
Ed è proprio da questa sostanziale differenza che questa dieta trae tutto il suo successo e la "celebrità".
In pratica, la dieta chetogenica può garantire risultati rilevanti dove altri metodi spesso falliscono dopo.
Non è solo una dieta funzionale al suo scopo, cioè al dimagrimento rapido e sicuro, ma è anche una dieta famosa per far sì che i risultati durino nel tempo.
Ma, e c'è un ma, la dieta chetogenica rimane comunque un regime alimentare abbastanza particolare che va utilizzato con le dovute precauzioni.
Questo significa che, come in ogni percorso di dimagrimento che si voglia intraprendere, necessita di alcuni accorgimenti medici e sanitari prima che si possa iniziare.
Detto questo, questa dieta è anche piuttosto famosa, non solo nella perdita di peso ma anche come aiuto valido in ambito clinico (ad esempio contro l'epilessia non responsiva ai farmaci, l'obesità grave associata a certe patologie metaboliche ecc).
Essa è funzionale non solo a livello curativo per il trattamento dell'obesità e del diabete mellito, ma addirittura *a livello sperimentale* nel campo dello sport e dell'anti-*aging* o come panacea di molte malattie (disturbo bipolare, Alzheimer, ipertensione arteriosa, ecc...).
Non solo: essa è anche abbastanza famosa nel campo del fitness (come aiuto alla definizione della massa muscolare) e della cultura estetica in generale.
Un altro motivo per cui questa dieta è così funzionale e famosa è sicuramente la disciplina che essa porta con sé.
Ciò significa che questa dieta deve la sua riuscita e la sua efficacia proprio al fatto che, volente o nolente, educa ad uno stile di vita che impone regole e comportamenti mirati che vanno seguiti alla lettera.
Non è una dieta che permette minimamente di sgarrare, perciò è richiesta una volontà ferrea ed una disciplina che non tutti, effettivamente, riescono ad avere.
Perciò, nel seguirla, è importantissimo rimanere determinati e con l'obiettivo di perdere peso ben prefissato.
La dieta chetogenica permette, in sostanza, di ricondizionare il proprio stile di vita e la propria prospettiva verso la disciplina alimentare in maniera abbastanza rilevante.
Dopo aver posto le basi sulla comprensione della dieta chetogenica e del suo successo, vi verrà spiegato, nel capitolo successivo, il meccanismo che si pone alla base di questa dieta, e cioè la chetosi.

CAPITOLO 2 - LA CHETOSI

Il funzionamento della chetosi

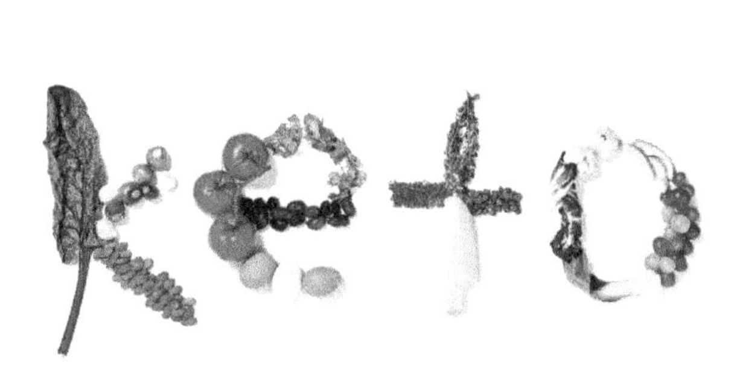

La dieta chetogenica prende il nome dal processo principale che è alla base del suo funzionamento stesso, cioè la produzione di corpi chetonici (la cosiddetta chetosi).
Prima di spiegare come funziona esattamente il processo base della dieta chetogenica è necessario fare una piccola premessa.
Questa piccola premessa riguarda come funziona il nostro metabolismo in condizioni normali.
Il nostro organismo, per il suo metabolismo e la sua funzionalità, ha due principali fonti di calore che sono rappresentate da un lato dal Glucosio, che rappresenta la fonte primaria di energia e gli Acidi grassi liberi (FFA), dall'altro.
In misura nettamente minore ci sono i chetoni prodotti da FFA (depositi di grasso sotto forma di trigliceridi).
Di solito quest'ultimi sono suddivisi in glicerolo e acidi grassi a catena lunga.
In condizioni normali, quindi, il nostro organismo sfrutta le molecole di glucosio come fonte principale di energia.
Se si pensa, per esempio, che il cervello umano è l'organo che ha più bisognoso di energia per funzionare, esso richiederà parecchie molecole di glucosio per il suo funzionamento quotidiano.
Si stima che il nostro cervello consumi, infatti, ogni giorno circa il 20% dell'energia richiesta per il funzionamento dell'intero organismo, nonostante rappresenti solo il 2% dell'intero organismo.
Ma è nel fegato che inizia la scomposizione metabolica dei macronutrienti.
Ora cosa avviene, invece, quando decidiamo di seguire questo regime alimentare?
Avverrà che si assumeranno pochi carboidrati, e quindi, poche molecole di glucosio.
Quando si assumono pochi carboidrati o quando si va in deficit calorico, o nei casi di digiuno prolungato, di conseguenza il nostro fegato, per compensare la mancanza di glucosio, inizia a scomporre i grassi per produrre chetoni.
In questo modo, la chetosi, che è quindi il processo in cui avviene la produzione di corpi chetonici da parte del fegato, ottempererà all'assenza del glucosio, e quindi sostituirà l'energia principale del nostro organismo.
E lo fa in maniera molto rapida e funzionale.
Durante la chetosi, infatti, il fegato riesce a produrre un'enorme quantità di chetoni ad una velocità molto accelerata.

I composti organici che prendono parte a questo processo vengono appunto chiamati chetoni e vengono rilasciati quando il nostro corpo, durante il metabolismo, rilascia acidi grassi.
I chetoni, quindi, agiscono al posto del glucosio, con lo scopo di mantenere attive le nostre cellule e in funzione i nostri muscoli.
Questi chetoni servono come fonte di carburante per tutto il nostro organismo e in modo particolare vengono usati anche come fonte energetica alternativa dal nostro cervello, che come abbiamo spiegato sopra, richiede ingenti quantità di energie.
La chetosi ha quindi completamente scardinato la credenza secondo la quale il cervello avrebbe bisogno solo ed esclusivamente dei carboidrati per poter funzionare.
Dunque, anche durante la chetosi il cervello riesce a funzionare in assenza di glucosio in quanto va a trarre proprio dalle proteine la minima quantità di glucosio necessaria.
Questo avviene mediante il processo di gluconeogenesi.
Qui occorre fare un appunto, che verrà ripreso quando si parlerà di falsi miti e, ancora, di errori da evitare quando si segue il regime chetogenico.
Proprio per evitare che il corpo si trovi nuovamente in *surplus* di glucosio, è necessario non eccedere con le proteine.
La dieta chetogenica è, infatti, una dieta basata sulla maggiore assunzione dei grassi.
Tornando al discorso della chetosi, abbiamo appurato, sin da adesso, che esse aiuta il nostro corpo a sopravvivere e a funzionare bene anche con scarse quantità di cibo.
Ma cosa succede durante il processo di chetosi, nella pratica?
In primo luogo, viene ridotto l'apporto di glucosio nell'organismo derivante dal consumo di cibi contenenti carboidrati.
In secondo luogo, la riduzione dei carboidrati costringe l'organismo a trovare una fonte alternativa di energia e cioè i grassi.
In terzo luogo, data l'assenza di glucosio, il nostro organismo inizia a bruciare i grassi per produrre i cosiddetti corpi chetonici;
In quarto e ultimo luogo nel momento in cui, i chetoni (o corpi chetonici) riescono a raggiungere nel sangue un certo livello, si ottiene quello stato di chetosi dove, appunto, si provocherà la perdita di peso.
Ricapitolando, ciò che "provoca" la dieta chetogenica nel nostro organismo è la produzione autonoma di glucosio, e quindi per poter sopravvivere, il nostro organismo deve andare a cercare il glucosio nel tessuto adiposo, aumentando il consumo energetico dei grassi.
Questa, ovviamente, rappresenterà la causa principale del dimagrimento.

Cosa succede al nostro corpo quando ci approcciamo alla dieta chetogenica?

Una delle conseguenze principali della chetosi, come abbiamo detto sin ora, è la produzione dei cosiddetti corpi chetonici.
L'induzione alla chetosi, inoltre, crea uno stato biochimico per il quale, consumato tutto lo zucchero precedentemente a disposizione, si iniziano a cercare le scorte di grasso.

Ma, prima di andare in chetosi, come si comportano i corpi chetonici in condizioni normali nell'organismo?
Solitamente questi corpi chetonici vengono prodotti in quantità minime e vengono smaltiti facilmente tramite le urine e la ventilazione polmonare.
Cosa avviene, invece, ai corpi chetonici in condizione di chetosi?
Oltre a smaltire i grassi, la chetosi impone una condizione, nel nostro corpo, che si può osare definire anche "tossica", nel senso che porta l'organismo a comportarsi in maniera "non normale".
In questa condizione, in sostanza, l'organismo provvede allo smaltimento di questi corpi chetonici per via renale.
Avendo spiegato questo, è veramente importante capire cosa succede al nostro organismo quando decidiamo di intraprendere questo percorso alimentare.
Abbiamo capito sino adesso che la conseguenza principale della dieta chetogenica è la chetosi. Ma cosa succede quando siamo in chetosi? E soprattutto come si fa a comprendere se questo regime stia effettivamente funzionando?
Per capire se stia effettivamente funzionando, è importantissimo verificare i segnali che ci manda il nostro corpo. Sembra un concetto un po' contorto, ma non lo è, perché iniziare una dieta chetogenica induce il corpo a mandare alcuni segnali che ci fanno capire se stia effettivamente funzionando o no.
E per comprendere questo, il corpo manda questi segnali che sono diretta conseguenza del processo principale innescato da questa dieta, e cioè la chetosi.
Detto questo, uno dei segnali indicatori e al tempo stesso conseguenza della dieta stessa, è la perdita di peso.
Ma c'è da dire che chi inizia il percorso chetogenico può notare un'immediata perdita di peso dovuta alla perdita di liquidi, e quindi alla diminuzione della ritenzione idrica.
L'effettiva perdita di grasso potrebbe avvenire dopo qualche tempo.
Questo, dipende sempre da altri fattori, come l'età, il metabolismo basale, etc.
Altro avvenimento e segnale importante è l'aumento della diuresi.
L'assenza di zuccheri ed il necessario smaltimento dei corpi chetonici in eccesso, ci porta ad un aumento della minzione.
Altri sintomi abbastanza comuni sono la bocca asciutta e, correlato all'aumento della diuresi, un continuo bisogno di bere.
Questo è sicuramente dovuto al fatto, come già detto sopra, che si ha una perdita di liquidi in eccesso.
C'è da menzionare, di contro, anche l'insorgere di problemi intestinali dovuti al cambio repentino del regime alimentare, come ad esempio la stitichezza, per la mancanza di fibre.
Un altro sintomo tangibile che merita menzione, è la comparsa di crampi e spasmi muscolari.
Come conseguenza della perdita di liquidi e, se questa non viene compensata adeguatamente con l'assunzione di elettroliti, potrebbero manifestarsi crampi muscolari.
Gli elettroliti includono calcio, magnesio, potassio e sodio, che possono essere assunti anche tramite integratori.

L'aumento di assunzione di proteine a discapito degli zuccheri, inoltre, potrebbe portare anche ad una riduzione dell'appetito e un forte senso di stanchezza.
Altri segnali potrebbero essere mal di testa, senso di debolezza e mancanza di concentrazione.
Questi segnali di debolezza e stanchezza potrebbero essere associati alla cosiddetta Keto flu, una simil influenza dovuta proprio alle carenze nutritive di questa dieta.
Di questo argomento se ne riparlerà nello specifico, quando si parlerà degli svantaggi di questa
Questa serie di sintomi elencati, sono tutti dei possibili processi che possono avvenire quando decidiamo di approcciarci a questa dieta.
Questi stessi sintomi, ricapitolando, sono quindi utili anche a comprendere se ci stiamo approcciando bene alla dieta chetogenica.

CAPITOLO 3 - PRO E CONTRO DELLA DIETA CHETOGENICA

I vantaggi della dieta chetogenica

Dopo aver spiegato come funziona il processo di chetosi e le conseguenze che avvengono nel nostro organismo quando decidiamo di fare la dieta chetogenica, è importante adesso mostrarvi quali sono i pro e i contro, in modo tale da avere, quando si passerà direttamente alla parte pratica, un quadro generale pressoché completo.
Nello specifico, in questo paragrafo, si elencheranno, brevemente, tutti i vantaggi collegati alla dieta chetogenica:

1. Perdita di peso e accelerazione del metabolismo: questi due vantaggi sono fortemente correlati. Questo perché, come già detto in precedenza, il vantaggio principale di questa dieta, così come il suo più importante traguardo, è la perdita costante del peso corporeo. La chetosi, inoltre, fungerà come una sorta di regolatore del metabolismo e, grazie alla produzione di chetoni a sfavore delle molecole di glucosio, permetterà un'accelerazione costante del metabolismo e quindi la perdita di peso.
2. Vantaggi nella cura del diabete e del disinsunilismo: grazie al ridotto apporto di carboidrati e quindi dell'assenza di picchi di glicemia o di insulina, la dieta chetogenica è un alleato assolutamente valido nella prevenzione e nella cura del diabete (associato alle terapie mediche) o delle patologie connesse alla disfunzione del livello di insulina nel sangue. La dieta chetogenica è efficace soprattutto nel prevenire il diabete, ed è di fondamentale importanza nel controllare il pre-diabete, migliorando il controllo del glucosio e abbassando la necessità di farmaci. Riguardo all'insulina, una delle prime intenzioni di una dieta chetogenica è proprio quella di aiutare a bilanciare i livelli di insulina migliorando nel contempo la combustione dei grassi. I livelli di insulina sono notevolmente ridotti e questo promuove non solo una rapida perdita di peso, ma anche altri benefici terapeutici come il trattamento e la prevenzione della resistenza all'insulina.
3. Controllo dell'appetito: collegando al vantaggio menzionato sopra, non avendo più picchi insulinici, diminuisce anche il senso di fame e aumenta quello di sazietà e di conseguenza si avrà un maggior controllo sulla fame nervosa.
4. Miglioramento dell'esofagite: sempre grazie alla riduzione degli zuccheri e l'assenza di prodotti industriali super lavorati, la dieta chetogenica permette una riduzione del reflusso gastro-esofageo e, di conseguenza, apporta un miglioramento delle condizioni dello stomaco e dell'esofago.
5. Prevenzione del cancro e trattamento delle malattie mentali: per quanto riguarda la prima, la prevenzione del cancro, la dieta chetogenica rimane utile solo nella teoria. È risaputo che le fonte principale di nutrimento delle cellule cancerose sia proprio il glucosio. Poiché la dieta chetogenica è molto povera di carboidrati, si può dire che queste cellule non troveranno molto nutrimento. Ovviamente ulteriori studi empirici vanno fatti per confermare questa teoria. Per quanto riguarda il trattamento delle

malattie mentali, invece, ne è stata provata l'efficacia nel trattamento di malattie come l'Epilessia o l'Alzheimer. Questo perché, per quanto riguarda la seconda, grazie al fatto che i chetoni, in particolare, dopo essere diventati immuni all'insulina, sono una grande fonte di energia alternativa per il cervello. I corpi chetonici forniscono anche substrati (colesterolo) che aiutano a riparare i neuroni e le membrane indebolite. Tutti questi processi tendono a migliorare la memoria e la cognizione nelle persone malate di Alzheimer. Per quanto riguarda l'epilessia, invece, già nel secolo scorso questa dieta fu usata come protocollo per la cura dell'epilessia infantile per poi essere stata surclassata dai farmaci. Paradossalmente, oggi, è stata provata l'efficacia di questo regime alimentare nell'epilessia proprio per le persone (bambini in modo particolare) resistenti ai farmaci curanti.

6. Vantaggi a livello fisico ed estetico: la dieta chetogenica si è dimostrata molto utile nella definizione muscolare (perché permette di perdere grasso e mantenere la massa magra) e nelle prestazioni sportive di alto livello. A livello estetico, oltre al tanto agognato peso forma, questa dieta, è stato dimostrato, apporta vantaggi anche a livello di effetti antietà.

Gli svantaggi della dieta chetogenica

Se si vuole avere un quadro completo sulla dieta chetogenica, prima di iniziare a seguirla in pratica, è giusto, oltre ad aver menzionato tutti i possibili vantaggi apportati da essa, illustrare i possibili svantaggi (o effetti collaterali) riconducibili a questa dieta. Anche in questo paragrafo verranno illustrati, brevemente e in sintesi, tutti gli svantaggi:

1. Mancanza di nutrienti necessari: la mancanza di alcuni cereali molto ricchi di nutrienti (come i legumi) o di altri elementi ricchi di elettroliti, porterà conseguentemente a delle carenze nutrizionali. La soluzione a questo problema potrebbe essere rappresentata dall'assunzione di alcuni integratori specifici.
2. Presenza di alcuni sintomi di malessere: questi sintomi di malessere possono essere rappresentati dalla comparsa di mal di testa, crampi, senso di fatica e stanchezza, irritabilità a costipazione
3. Molti di questi sintomi sono associati alla cosiddetta "*Keto flu*" (influenza chetogenica) il quale rappresenta uno dei peggiori svantaggi di questa dieta. Questo svantaggio o "effetto collaterale" può essere facilmente risolto gestendo meglio l'assunzione dei liquidi e degli elettroliti. Viene definita influenza, perché manifesta, in pratica, una serie di sintomi parainfluenzali che in realtà sono diretta conseguenza del cambio di regime alimentare. Questi sintomi compaiono proprio a causa della disintossicazione dallo zucchero. In realtà, si tratta solo di un periodo di adattamento e transitorio dell'organismo, il quale sta vivendo una fase di trasformazione metabolica. È consigliabile, per ovviare a questo stato di malessere, di bere di più e di assumere integratori con elettroliti.

Falsi miti sulla dieta chetogenica

Per completare il discorso sui pro e i contro della dieta chetogenica, meritano menzione anche dei falsi miti che si sono creati attorno a questo regime a basso contenuto di carboidrati.
Come abbiamo già ribadito più volte in precedenza, questa dieta ha riscontrato e riscontra, tuttora, un notevole successo proprio grazie alla sua funzionalità ed effettiva riuscita nel perdere peso.
Come quasi tutti i regimi alimentari, e a maggior ragione per quelli di successo, essa ha creato attorno a sé una serie di aspettative molto alte.
Tutto ciò può comportare la creazione, però, di false aspettative o false paure o, ancora peggio, di falsi miti che circondano la dieta costantemente.
La maggior parte delle volte queste false credenze, o aspettative, vengono fuori da una scarsa conoscenza sull'argomento.
Ma quali sono i "falsi miti" sulla dieta chetogenica più ricorrenti?
Qui sotto ve ne elenchiamo qualcuno:

1. La dieta chetogenica fa male alla salute: se viene esaltata da molti per la sua effettiva efficacia, da altri viene ferocemente criticata se non addirittura "demonizzata". Questa falsa credenza nasce dal fatto che spesso si confonde la chetosi con la cheto acidosi. Ma c'è una netta differenza tra questi due processi in quanto la chetosi è un processo fisiologico del tutto normale quando si intraprende questo percorso alimentare, mentre il secondo è un processo "anormale" in cui la produzione di chetoni è nettamente maggiore e diventa una condizione, di per sé, del tutto patologica.
2. La dieta chetogenica è una dieta con eccesso di proteine: in realtà, una dieta chetogenica ha un aumento delle proteine a discapito dei carboidrati. È tutto questo è necessario per salvaguardare il tessuto magro. Ma si parla di giusta quantità di proteine, senza eccessi, in quanto la dieta chetogenica è una dieta che sfrutta l'energia dei grassi piuttosto che quella proteica. La dieta chetogenica si può quindi definire come una dieta "normo proteica".
3. Collegato a sopra, la dieta chetogenica fa sparire la massa muscolare: altro falso mito, in quanto, come abbiamo detto sopra, sarà la giusta quantità di proteine a salvaguardare la massa magra. Come abbiamo detto più volte, il processo di chetosi permette di andare ad attaccare le riserve di grasso adiposo a favore della massa magra. Quindi non è assolutamente fondato il fatto che, con essa, si perdano i muscoli. Semmai il contrario.
4. Appena terminata la dieta chetogenica, si riprende il doppio del peso: altra falsa credenza, dovuta alla paura che bisogna sempre stare a dieta per perdere o mantenere il peso. È stato spiegato che il successo di questa dieta è dovuto proprio al fatto che, oltre a far perdere peso, permette di mantenerne la perdita costantemente. Ovviamente questo non avviene per magia, ma grazie ad una disciplina alimentare nuova, un metabolismo aumentato, ed alcuni accorgimenti. Tra questi accorgimenti, uno dei più importanti sarebbe l'introduzione graduale e non smisurata dei carboidrati, per fare un esempio. Il fatto di riassumere i carboidrati dopo la dieta chetogenica non costituisce la presa dei chili precedenti, o di altri chili rispetto a prima.

CAPITOLO 4 - L'APPROCCIO TRIANGOLARE: TRUCCHI E CONSIGLI PRATICI

3 consigli pratici per approcciarsi al meglio alla dieta chetogenica

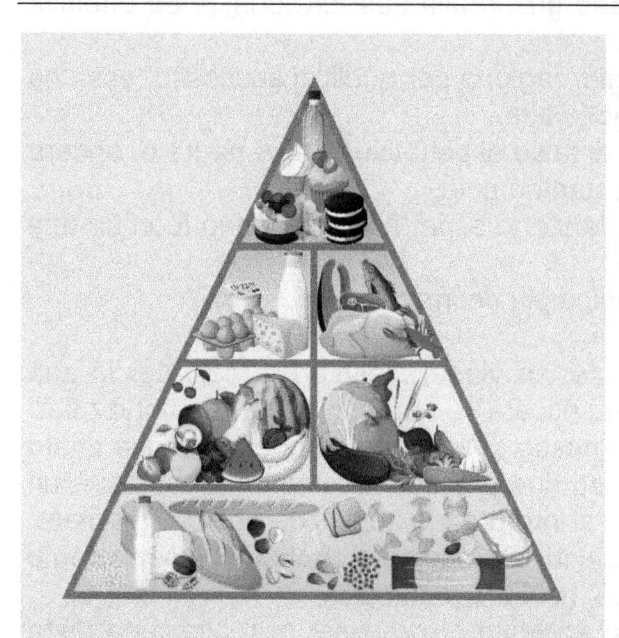

Dopo aver fatto un quadro generale su cosa sia la dieta chetogenica, su come funziona la chetosi e dopo aver elencato anche i vantaggi e gli svantaggi, è arrivato il momento di indicarvi, prima di passare alla pratica vera e propria, dei consigli utili per approcciarvi al meglio a questa dieta e riuscirvi con successo.
In questa sede ne abbiamo sviluppati tre. Questi consigli vi saranno molto utili nell'affrontare questo tipo di percorso alimentare.

1. Approccio mentale

È importantissimo avere, quando si decide di intraprendere qualsiasi percorso alimentare, un obiettivo ben fisso e preciso.
Oltre a prefissarci un obiettivo (che va dai chili che si vogliono perdere fino agli standard alimentari che vorremmo migliorare) è necessario essere preparati, soprattutto mentalmente, ad un completo stravolgimento delle nostre abitudini alimentari.
Come spiegato più volte nel corso di questa trattazione, la dieta chetogenica deve molto il suo successo alla ferrea disciplina che impone.
Ciò vuol dire che impone delle regole alimentari, delle misure precise da rispettare (che vanno dal peso degli alimenti che andremo a cucinare fino a delle percentuali a livello di macro ben delineate), che non possono essere eluse o raggirate.
La dieta chetogenica non permette sgarri di alcun tipo, perché, per fare un esempio più pratico, anche ingerire una quantità di zucchero superiore a quella standard comprometterebbe il processo di chetosi, e questa dieta, come ormai sappiamo, funziona davvero solo tramite un corretto funzionamento di questo processo.
Quindi niente chetosi, niente attacco alle riserve di grasso.
Per questo motivo l'approccio mentale sarà importantissimo.
A maggior ragione con questo tipo di dieta, perché solo con una disciplina al dir poco ferrea ed una determinazione altrettanto alta si possono raggiungere davvero risultati tangibili nell'immediato e successivamente.
Questo perché la dieta chetogenica funziona davvero ma solo ed esclusivamente se non si "sgarra". Non esisteranno feste, occasioni, o altre motivazioni per uscire fuori dagli schemi chetogenici.

Quindi bisogna essere preparati e molto convinti prima di iniziare.
Non sarà sicuramente facile, perché, se si è abituati a mangiare zucchero in quantità ingenti tutti i giorni, sarà molto difficile riuscire a scardinare questo tipo di abitudine, anche perché è ben risaputo che lo zucchero crea dipendenza.
La sfida più grande nell'affrontare questa dieta è quella di essere sicuri di poter convivere ed accettare questo nuovo percorso.
Anche se si avranno ovviamente delle tentazioni, e questo è del tutto normale, non bisognerebbe mai scostarsi dal proprio obiettivo.
Quindi, ricapitolando, è fondamentale iniziare questa dieta con un approccio mentale positivo e ben determinato.
E lo si può fare solamente riorganizzando il proprio pensiero e la propria mentalità ad uno stile alimentare che ci permetterà di stare bene nuovamente.

2. *Approccio funzionale*

Adesso che siamo mentalmente preparati, dobbiamo effettivamente essere pronti ad iniziare questa dieta.
Cosa intendiamo con approccio funzionale?
Intendiamo di costruire un percorso che funzioni e che ci aiuti nel riuscire ad ottenere l'obiettivo che ci siamo prefissati.
Significa attuare tutto ciò che "funziona" per far sì che la dieta stessa funzioni.
Per spiegarci meglio, si tratta non solo di fare riorganizzazione mentale ma anche riorganizzazione "ambientale".
In pratica, uno dei migliori consigli che possiamo darvi, è quello di riorganizzare l'ambiente alimentare circostante per aiutarvi in questo arduo percorso.
A partire dal vostro ambiente culinario. Sì, stiamo parlando di riorganizzare la vostra cucina e le vostre dispense e frigo, in modo particolare.
Sarebbe infatti meglio che iniziaste a pianificare la cucina in base al regime alimentare che state per seguire.
Ciò significa modificare anche completamente la vostra lista della spesa.
Ma con questo approccio funzionale potete iniziare dalla vostra cucina stessa, gettando tutti i cibi ricchi di carboidrati nella spazzatura (o nasconderli in un luogo di difficile accesso) e assicurarsi che i cibi chetogenici, ovviamente più sani, siano più facilmente accessibili.
Evitate anche di tenere in dispensa cibi con cui ci si può abbuffare.
Su quali cibi potete acquistare per questa dieta vi rimandiamo al capitolo successivo.
Sempre riguardo a questi cibi, siate assolutamente sicuri di avere la maggior parte degli ingredienti disponibili. Così sarete pronti per cucinare le vostre ricette cheto.
Assicuratevi, inoltre, di avere solo cibi che richiedono una certa preparazione e impegno.
Perché questo renderà il cibo molto meno seducente e si finirà per mangiare sempre meno calorie.
Con l'approccio funzionale, inoltre, si dovrà riorganizzare l'ambiente familiare, onde evitare tentazioni. Se cucinate per altre persone che, ovviamente non seguiranno la dieta chetogenica, assicuratevi anche di cucinare a parte le vostre pietanze chetogeniche.

Anche se questo non vi sarà sicuramente di supporto, almeno sarete sicuri che col doppio della fatica non potete sprecare il cibo o sgarrare.
Un altro approccio funzionale alla dieta, ma qui si tratterà di quando inizierete davvero a seguire la dieta, è quello di pianificare i vostri pasti in anticipo.
Seguire un piano già ben preparato è un ottimo modo per rimanere in pista ed evitare di soccombere ad altre tentazioni alimentari. Sia che si viaggi o che si lavori fuori casa, è necessario assicurarsi di avere spuntini, pasti pronti e/o opzioni *keto-friendly* nei ristoranti dove si andrà a mangiare.
Per quanto riguarda invece la pianificazione in casa, assicuriamoci di seguire un piano che ci fornisca i grassi, i carboidrati e le proteine di cui hai bisogno (e si intende sempre in regime cheto) e nient'altro.
In vostro aiuto troverete i piani alimentari studiati apposta per questo tipo di dieta nei capitoli successivi.

3. *Approccio informativo-alimentare*

Altro fattore importantissimo nell'approccio e nella riuscita della dieta chetogenica è essere perfettamente informati.
E questo è il consiglio migliore che possiamo darvi.
Questo significa che, prima di iniziare questo percorso, è necessario che voi abbiate tutte le informazioni possibili e che siate perfettamente coscienti di cosa andrete a mangiare.
Non dovrete avere solo un quadro completo su come funzioni la dieta, ma sapere esattamente come dovrete dividere i pasti ed i macronutrienti nel corso della vostra giornata.
Per questo il capitolo successivo tratterà di quali alimenti non potremo fare a meno e di quali andremo ad evitare. Oltre alla lista completa dei cibi e alle ricette, troverete, come detto sopra, dei piani alimentari ben dettagliati.
Ma oltre a questo aiuto che vi offriremo in questo libro, è giusto che voi sappiate perfettamente ogni informazione riguardante questo regime alimentare.
Perciò il consiglio consiste nell'informarvi il più possibile, anche con il vostro medico o nutrizionista, su quali rischi potete correre e su quali cibi siano più adatti a voi, sempre in linea con lo stile chetogenico.
Tornando a questo libro e, al consiglio di conoscere a livello alimentare il funzionamento della dieta chetogenica, vi consigliamo di seguire questo schema riguardante i macronutrienti.
Una perfetta ripartizione della dieta chetogenica dovrebbe seguire queste tre regole:
Per quanto riguarda la suddivisione dei macronutrienti in percentuale:

- Carboidrati 10-15 %
- Proteine 15-20 %
- Grassi buoni 70 %

Per quanto riguarda invece la ripartizione specifica dei macronutrienti:

- CARBOIDRATI: La chetosi (si ottiene con i chetoni superiori a 0,5 mm) avviene con la riduzione dei carboidrati ad un valore compreso tra 20 e 50 grammi (g) al giorno per la maggior parte degli individui. La quantità esatta di carboidrati può variare da individuo a individuo. In generale, più un individuo è resistente all'insulina più è resistente alla chetosi, quindi dovrebbe assumere la minima quantità di carboidrati indicata. Per il calcolo totale dei carboidrati e quindi dei carboidrati netti, però, c'è da dire che essi vengono calcolati sottraendo, ai carboidrati totali le fibre e gli zuccheri provenienti da sostituti dello zucchero. Ai carboidrati netti vengono praticamente integrati solo i carboidrati che aumentano lo zucchero nel sangue e l'insulina. Ovviamente, questi grammi di carboidrati non devono essere mangiati tutti in un pasto, ma suddivisi in 5 pasti durante la giornata.

- PROTEINE: Una dieta chetogenica che si rispetti, come abbiamo già detto prima a proposito di falsi miti, non è una dieta ricca di proteine. La principale spiegazione di ciò è che le proteine in eccesso possono aumentare l'insulina, che viene convertita in glucosio da un meccanismo chiamato gluconeogenesi, inibendo così la chetosi. Tuttavia, poiché tutto ciò può portare alla perdita di tessuto muscolare e funzionalità, una dieta chetogenica non dovrebbe essere nemmeno troppo povera di proteine. Per fare un breve calcolo delle proteine necessarie per preservare la massa magra, un adulto medio necessita di circa 0,8-1,5 g per chilogrammo o (kg) di massa corporea magra al giorno. Ad esempio, se una persona pesa 150 libbre (o 150 / 2,2 = 68,18 kg) e ha un contenuto di grasso corporeo del 20% (o l'80% di massa corporea magra = 68,18 kg x 0,8 = 54,55 kg), il fabbisogno di proteine può variare da 44 (= 54,55 x 0,8) a 82 (= 54,55 x 1,5) g / giorno.
- GRASSI O LIPIDI: In una dieta chetogenica, come ormai sappiamo, la provenienza dei nutrienti dei lipidi è più alta. Il peso corporeo viene mantenuto, nel caso del regime chetogenico, se si consumano molti grassi. Ma quando parliamo di assunzione dei grassi, non parliamo di mangiare sempre fritti o cibo spazzatura, ma si fa esclusivamente riferimento ai grassi cosiddetti "buoni" e quindi ai grassi insaturi provenienti dall'olio vegetale o dagli omega 3 provenienti, per esempio, dal pesce. Su quanti grammi di grassi assumibili, a differenza di carboidrati e proteine, essendo in maggioranza, non vi indicheremo una quantità precisa.

.

Dopo essere stati informati sulla ripartizione dei marco, vi forniamo ulteriori *tips* che vi aiuteranno nell'approccio alimentare di questa dieta:

- Iniziate ad eliminare dalla vostra dieta tutti gli alimenti industriali e artificiali. Essendo alimenti estremamente ipercalorici e pieni di zuccheri, sono gli imputati principali che inducono con estrema facilità ad abbuffarsi. Mangiare un mix perfetto di verdure, carne magra e carboidrati non artificialmente alterati è la cosa più importante da fare, per poter iniziare questa dieta.
- Mangiate solo gli alimenti che vengono pesati e monitorati. Non bisogna allontanarsi troppo dai propri obiettivi a livello di macronutrienti, aggiungendo ingredienti extra che non vengono misurati, come per esempio aggiungere un po' 'di olio extra, carne, formaggio, ecc. Andrete ad eccedere con le calorie, compromettendo la riuscita della dieta stessa.

- Per quanto riguarda le bevande, vogliamo innanzitutto ricordare che la bevanda per eccellenza, rimane sempre la stessa, a maggior ragione nella dieta chetogenica, e cioè l'acqua. È previsto, per la maggior parte delle persone, che l'ammontare totale di acqua da bere al giorno si aggiri intorno ai due litri. Senza calorie e priva di zuccheri, non potrebbe risultare scelta migliore.
- Per quanto riguarda il resto, invece, potete bere tè o caffè rigorosamente senza zucchero (o al massimo qualche goccia di dolcificante alimentare).

Adesso che avete un programma di riorganizzazione alimentare e, dopo avervi indicato tre approcci ideali per approcciarvi a questa dieta, nel prossimo paragrafo troverete tutto ciò che potete aspettarvi nel momento in cui decidete di approcciarvi alla dieta chetogenica.

Cosa si deve aspettare un soggetto quando si avvicina a questo tipo di dieta

Quando si parla di aspettative riguardanti l'avvicinamento a questo tipo di dieta, ci sentiamo di dover affermare che la dieta chetogenica è più di una semplice dieta.
Infatti, per le persone che l'hanno seguita, o che si sono avvicinati alla dieta chetogenica, essa è diventata un vero e proprio stile di vita.
Ma questo, ribadiamo, è un modo di vivere, uno stile di vita, completamente diverso rispetto a quello a cui siamo stati abituati sino adesso.
Come abbiamo descritto sopra, l'approccio a questa dieta richiede un approccio mentale, funzionale e una rieducazione alimentare tali da stravolgere il proprio stile di vita stesso.
Quindi, in primo luogo, quando ci si avvicina a questo tipo di dieta, ci si deve aspettare un completo stravolgimento delle proprie abitudini alimentari e del proprio stile di vita.
Quando abbiamo parlato di approccio funzionale, ci riferivamo proprio a questo: di stravolgere il proprio ambiente culinario, alimentare e familiare in base alle esigenze di questo nuovo piano dietetico. Di conseguenza, ci si deve aspettare anche un totale stravolgimento della propria *forma mentis* riferita all'alimentazione e nuove abitudini salutari. Nel momento in cui ci si avvicina ad un regime alimentare così restrittivo, e ne si fa una propria abitudine con i risultati annessi, ci si convince che è quella la strada da seguire se si vuole bene a sé stessi e si vuol stare bene.
In secondo luogo, ci si possono aspettare dei risultati immediati nel dimagrimento. Come primo effetto di questa dieta, noterete una diminuzione del vostro peso corporeo. È proprio questo l'obiettivo della dieta chetogenica, e come ripetuto più volte, la ragione del suo successo.
Sino adesso abbiamo menzionato delle aspettative positive.
Ma, approcciandoci a questa dieta, possono verificarsi anche degli eventi non del tutto positivi. Precedentemente, quando abbiamo parlato degli svantaggi di questa dieta, abbiamo parlato di alcuni "effetti collaterali" associabili alla mancanza di elettroliti, la disidratazione e la mancanza di altri nutrienti presenti in alcuni cereali. Questi effetti

collaterali vengono associati alla "*keto flu*" che si risolvono facilmente in pochi giorni. E c'è anche da dire che, fortunatamente, non tutti attraversano questa fase.
Non si tratta, infatti, di una vera e propria malattia e i sintomi variano da persona a persona. Addirittura, c'è chi non avverte nessun cambiamento o disagio fisico.
Questo perché le persone si adattano a questa dieta in maniera diversa le une dalle altre. Mentre alcune persone hanno riferito di manifestare questi sintomi anche per settimane, altre dicono di non aver addirittura notato nessuno degli effetti collaterali.
Ma, a parte l'influenza chetogenica, o i crampi, potrebbero esserci degli effetti collaterali più gravi, dovuti anche all'aumento dell'assunzione di più grassi. Per questo ci sono categorie di persone a cui è sconsigliato avvicinarsi a questa dieta.
Le persone che dovrebbero evitare questa dieta sono:

- Le persone diabetiche insulino dipendenti
- Le persone che soffrono di pressione molto alta e prendono farmaci per abbassarla
- Le persone gravide o che allattano al seno
- Le persone che hanno patologie renali o epatiche.
- Persone con patologie cardiache
- Persone che hanno subito un intervento chirurgico di bypass gastrico
- Persone che soffrono di condizioni metaboliche rare che vengono diagnosticate solitamente durante l'infanzia, come per esempio chi soffre di carenze enzimatiche che interferiscono con la capacità dell'organismo di utilizzare o produrre chetoni o non sono in grado di digerire i grassi in modo corretto.

Vi abbiamo fatto un elenco di possibili soggetti a cui è sconsigliato avvicinarsi a questa dieta, perché è di fondamentale importanza avere un parere medico, fare le giuste analisi, ed assicurarsi di poter essere perfettamente in grado di affrontare questo tipo di regime alimentare.
Dopo avervi fornito queste informazioni riguardanti cosa aspettarsi avvicinandosi a questo tipo di dieta, abbiamo finito di spiegarvi la parte teorica.
Inizieremo, nel prossimo capitolo, a farvi passare dalla teoria alla pratica, elencando la lista dei cibi consenti e non consentiti, più alcuni errori da evitare.

CAPITOLO 5 - COME IMPOSTARE UNA DIETA CHETOGENICA: DALLA TEORIA ALLA PRATICA

I cibi consentiti nella dieta chetogenica

Dopo aver fatto un quadro generale sulla dieta chetogenica e, prima di illustrarvi ricette e piani alimentari, è necessario spiegarvi, il più schematicamente e comprensibile possibile, quali cibi potrete mangiare e quali dovete evitare.
In questo primo paragrafo vi faremo un elenco dei cibi consentiti nella dieta chetogenica.
Essi comprendono:

Per quanto riguarda le proteine:

Carne	Sono sempre da preferire le carni non processate (le carni che vengono trattate con stagionatura come sale, fumo o ch'è stata essiccata o inscatolata) poiché sono tutte a basso contenuto di carboidrati quindi perfette per la dieta chetogenica. Se si ha la possibilità bisognerebbe optare per carni non provenienti da allevamenti intensivi e nutrite solo biologicamente. Solitamente le carni processate e i salumi contengono additivi aggiunti che contengono zuccheri, per poterli utilizzare in questo tipo di dieta dovreste controllare gli ingredienti e puntare su quelli che contengono meno del 5% di carboidrati netti. In ogni caso, per quanto riguarda i salumi sono consentiti prosciutto cotto senza conservanti, prosciutto crudo, speck e bresaola.
Pesce e frutti di mare	Queste fonti di proteine sono indispensabili per questa dieta, soprattutto i pesci grassi ricchi di omega 3, come il salmone. I frutti di mare, inoltre, sono importantissimi in quanto contengono vitamine e minerali che servono a mantenerci in buona salute.
Uova	Le uova sono uno degli alimenti base della dieta chetogenica. Importantissima fonte proteica, si possono cucinare e mangiare in diversi modi. La cosa importante da ricordare, è comunque di non abusarne, soprattutto per chi soffre di colesterolo alto.
Proteine vegane	Se si preferisce optare per una via vegana a livello di fonte proteica sono perfette il tofu, il seitan o il tempeh.

Per quanto riguarda invece le verdure, che siano fresche o congelate non ha nessuna importanza. Vanno bene in entrambi i casi. Sono da preferire comunque le verdure che crescono fuori terra, in modo particolare quelle a foglia verde, più povere di zuccheri. Tra queste vogliamo menzionare:

Zucchine	Sono un ortaggio fondamentale in quanto ricche di potassio. Contengono inoltre acido folico, vitamina E e vitamina C. Hanno un contenuto bassissimo di zuccheri e pochissime calorie. Sono molto diuretiche e per questa ragione aiutano a contrastare i problemi di diuresi.
Cavolfiore	Grazie al loro basso contenuto calorico, al bassissimo contenuto di carboidrati e al loro potere super saziante, sono perfetti per il protocollo chetogenico
Lattuga	La lattuga ha una grande proprietà, che è quella di essere costituita in pratica dal 95% di acqua. Questa caratteristica è utile nel reidratare l'organismo umano. Contiene inoltre un'alta quantità di fibre, il che le rende molto digeribili. Contiene, inoltre, ferro, calcio, fosforo, rame, sodio, potassio, vitamina A e vitamina C.
Spinaci	Gli spinaci risultano molto utili perché hanno un alto contenuto di vitamina A e acido folico. Sono inoltre ricchi di nitrato, una sostanza che secondo studi recenti serve a costruire e a mantenere sani i muscoli. Sono molto ricchi di fibre e per questo sono utili in caso di stitichezza.
Broccoli	I broccoli sono un'ottima fonte di ferro, potassio, calcio, selenio e magnesio. Contengono vitamina A, vitamina C, vitamina E, vitamina K e l'acido folico che appartiene al gruppo della vitamina B. hanno un forte potere antiossidante ed è un potente antinfiammatorio
Asparagi	Sono poco calorici e hanno un forte potere saziante. contengono polifenoli e molti Sali minerali. Sono ricchi soprattutto di potassio, per cui sono ottimi per proteggere cuore e muscoli. Contengono anche acido folico, fibre vegetali, vitamina A, vitamina C e vitamina E.
Finocchi	Ha proprietà depurative soprattutto per il fegato e per il sangue. È inoltre un potente antinfiammatorio naturale. Contiene soprattutto potassio ma anche vitamina A, vitamina C e alcune vitamine del gruppo B. Ma la cosa più importante, soprattutto in aiuto alla dieta chetogenica è che, oltre ad essere quasi privo di calorie, rimane a solo 1 grammo per 100 grammi di carboidrati.
Fagiolini	Sono una fonte preziosa di vitamine e minerali. Infatti, contengono ingenti quantità di potassio, fosforo, ferro, vitamina A e vitamina C. Inoltre, sono una fonte vegetale di calcio molto importante.
Avocado	Ultimo ma non ultimo per l'importanza, merita una speciale menzione. L'avocado è fondamentale nella dieta chetogenica.

	Contiene calcio, potassio, notevoli quantità di fibre e grassi monoinsaturi, che servono a combattere il diabete e sono utili per il buon funzionamento del cuore. È in grado di riequilibrare in maniera rapida il colesterolo LDL, cioè il colesterolo cattivo, tramite i suoi grassi vegetali che dimezzano i tempi di permanenza del colesterolo nel sangue. Contiene tutti i tipi di vitamine. Come se non bastasse presenta abbondanti quantità di potassio, magnesio, zinco, manganese e fosforo. Ha proprietà digestive e aiuta a contrastare la dissenteria. Le fibre contenute in questo frutto sono utili a provocare un senso di sazietà che permane per lungo tempo, riducono il picco di insulina e sono utili a curare stipsi e stitichezza.

Per quanto riguarda invece i latticini e i formaggi potete così orientarvi:

Formaggi grassi	Sono da preferire a quelli light, in quanto quest'ultimi contengono solitamente zuccheri nascosti. Verificate sempre la quantità di zuccheri presenti nel formaggio che acquistate. Sono importanti nella dieta chetogenica in quanto hanno anche un alto contenuto proteico ed un cospicuo contenuto di calcio
Panna da cucina e da montare a basso contenuto di zuccheri	Anch'essa utile per preparare molti piatti. Contengono, inoltre, una quantità non indifferente di grassi vegetali
Yogurt greco	È l'unica variante consentita in quanto contiene meno zuccheri
Latte	Da bere con molta moderazione e da preferire solo quello parzialmente scremato, che contiene meno zuccheri

Per quanto riguarda i grassi invece:

Grassi del pesce, OMEGA 3	I grassi del pesce, come già menzionato prima, sono fondamentali nella propria alimentazione
Frutta secca	La frutta secca è consentita nella dieta chetogenica ma è da consumare preferibilmente come spuntino e la quantità massima non deve mai superare i 30 grammi a spuntino. Tra queste includiamo mandorle, pistacchi, noci, nocciole e arachidi
Avocado	Già menzionato nei vegetali, grazie ai grassi "buoni" contenuti, rappresenta un elemento fondamentale della dieta chetogenica
Olio di cocco	È perfetto per chi soffre di diabete e in più è stato consigliato e utilizzato su pazienti che soffrono di Alzheimer. Può essere utilizzato tranquillamente al posto del burro o dell'olio
Olio di oliva e burro	Da non abusarne in entrambi i casi. Per quanto riguarda il primo, contiene grassi di tipo vegetali e perciò non dannosi come quelli

	saturi. Da usare preferibilmente a crudo. Mentre il burro è consentito nella dieta chetogenica perché non contiene grassi trans-artificiali

Ed infine, nota piuttosto dolente, i carboidrati. Come regola generale, oltre a non superare i 50 gr di carboidrati netti al giorni, bisognerebbe, anche quando si mangiano i pochi carboidrati consentiti, scegliere i carboidrati con un indice glicemico basso e ricchi di fibre.

Pane integrale o di segale	Se si deve optare per il poco pane consentito, meglio sceglierlo di tipo integrale
Pasta e riso	Anch'essi integrali per il minor indice glicemico
Farine sostitutive come quella di mandorle	Avendo un minor apporto di carboidrati, sono perfetti sostituti nella preparazione di molte ricette
Frutti di bosco	L'unica frutta consentita nella dieta chetogenica appartiene alla famiglia dei frutti di bosco, per il contenuto apporto di zuccheri. L'eccezione è il limone, che può essere utilizzato nel preparare alcune ricette
Cioccolato fondente	Anche se il cioccolato fondente all'80% contiene 10 grammi di zuccheri, viene comunque considerato uno snack salutare e utilizzabile in questo tipo di dieta, soprattutto come spuntino (ma molto sporadicamente). In ogni caso, è sempre preferibile il cioccolato fondente con almeno l'85% di cacao, che contiene meno zuccheri
Dolcificanti artificiali	Ottimi sostituti dello zucchero, soprattutto quando andremo a preparare i dolci cheto, va ricordato la pratica dei dolcificanti va fatta sempre e comunque con moderazione. I dolcificanti ideali nella dieta chetogenica sono; - La Stevia (ma molto raramente, ed in minime dosi, perché contiene comunque molti zuccheri) - L' Eritritolo - Lo Xilitolo

Per quanto riguarda le bevande consentite nella dieta chetogenica, ricordiamo:

Acqua	Da bere sempre e comunque, rimane la bevanda per eccellenza anche nella dieta chetogenica
Caffè	Sarebbe consigliato sempre da limitare a massimo due tazze al giorno, ma se proprio volete prenderlo ricordate, o amaro o con qualche goccia di dolcificante
Tè e tisane	Potete berle durante la dieta chetogenica, ma rigorosamente senza zucchero (o con qualche goccia di dolcificante)
Bevande a basso o zero contenuto di zucchero	Da bere molto raramente e solo quelle con zero zuccheri (tipo coca cola zero)

Non possono mancare salse e condimenti. Vi diciamo semplicemente che la maionese e la senape possono essere consumate ed usate per condire i vostri alimenti durante la dieta chetogenica.

Questo è l'elenco completo dei cibi che sono consentiti e che vi saranno degli utili alleati nella vostra dieta chetogenica.

Cibi da evitare assolutamente nella dieta chetogenica

In questo secondo paragrafo vi faremo un breve elenco dei cibi da evitare in maniera assoluta durante la dieta chetogenica.
C'è da fare una piccola precisazione, piuttosto logica. Essendo una dieta povera di carboidrati, e di zuccheri raffinati, è appunto logico pensare che siano vietati tutti i cibi contenenti essi, come la pasta, il pane, i legumi, le patate e, ovviamente, i dolci (anche se ne esistono varianti cheto che troverete nelle ricette).
Più schematicamente, i cibi da evitare nella dieta chetogenica sono:

Pane e pasta	A maggior ragione non integrali. Assolutamente vietati per il numero alto di carboidrati industriali
Legumi	Nonostante alcuni legumi presentino un apporto non trascurabile di proteine, sono vietati in quanto pieni di carboidrati
Mais o altri cereali	Vietati per l'alto numero di carboidrati apportati
Zucchero e miele	Questi prodotti vanno sostituiti con i dolcificanti consentiti indicati nella tabella dei cibi consentiti
Dolci e merendine industriali	Prodotti troppo lavorati e contenenti altissimi livelli di zucchero
Patate	Contengono troppi carboidrati per essere impiegati in questa dieta
Yogurt alla frutta e formaggi light	Magari non contengono elevato apporto di grassi, ma hanno tanti zuccheri nascosti
Frutta (a parte i frutti di bosco)	Anch'essa non è consentita nella dieta chetogenica per l'apporto di zuccheri, si pensi a frutta tipo la banana. Ne basterebbe una per superare la dose di carboidrati consentita che va comunque scaglionata in tutta la giornata
Verdure ad alto contenuto di zuccheri	Sono vietate le melanzane, la zucca, i porri in quanto presentano un numero elevato di zuccheri rispetto alle verdure a foglia verde
Alcol	Da evitare, vino, birra e i super alcolici di qualsiasi tipo
Bevande zuccherate	Hanno un apporto spropositato di zuccheri che non apportano nessun altro tipo di nutriente

Salse e condimenti con elevato contenuto di zuccheri come Ketchup, salsa barbecue, salsa messicana.	Sono salse che contengono un numero piuttosto elevato di zuccheri

Per quanto riguarda le fonti proteiche, sono sempre da preferire quelle preparate da voi stessi. Ce ne sono, infatti, alcune da evitare come:

Nuggets o prodotti impanati (tipo cordon bleu, pesce panato)	Sono da evitare in quanto la panatura apporta un numero cospicuo di carboidrati
Salumi troppo lavorati o con aggiunta di zucchero	Questi tipi di salumi apporterebbero zuccheri in più non necessari nella dieta chetogenica
Alimenti già marinati in salse con aggiunta di zuccheri	Anche questi tipi di carne, o pesce, avrebbero zuccheri aggiunti inutili per la dieta

Per quanto riguarda i grassi da evitare, anche se la dieta chetogenica è una dieta ad alto contenuto di grassi, si parla, e ribadiamo, di grassi buoni e cioè insaturi. È necessario dire, quindi, di non utilizzare mai e poi mai in questa dieta la margarina o tutti i cibi contenenti grassi trans-artificiali.

Adesso che avete un quadro completo su quali cibi mangiare e quali non magiare nella dieta chetogenica, possiamo passare ad indicarvi alcuni errori da evitare se non volete fallire in questa dieta.

Quali errori evitare durante la dieta chetogenica

Adesso che avete avuto un'indicazione precisa su come approcciarvi alla dieta chetogenica, su cosa aspettarsi appena la inizierete, e sulla lista della spesa consentita, ci sembra giusto, sempre prima di iniziare e di avere strada completamente spianata per seguirla, indicarvi alcuni errori che potrebbero costare la riuscita stessa della dieta.
Sarà vostra accortezza evitarli, per raggiungere dei risultati concreti.

1. **EVITARE GLI SGARRI**

Vi abbiamo ribadito più volte che la dieta chetogenica è una dieta di successo che permette davvero di perdere il grasso corporeo ed i chili in più, ma che richiede una disciplina ferrea e delle regole piuttosto rigide per la sua riuscita.
La perdita effettiva di peso, quindi, dipenderà esclusivamente da voi. Non c'è spazio per gli sgarri. Quindi evitate di mangiare un cracker, o un dolcetto qua e là se volete ottenere dei risultati.

Evitate gli sgarri e tutti quei cibi che nel paragrafo sopra sono stati definiti come "vietati. Questo concetto è davvero di vitale importanza se volete ottenere davvero dei risultati concreti.

2. **NON SFORATE LA QUANTITA' DI ZUCCHERI CONSENTITA**

A proposito di sgarri, evitate la tentazione di eccedere con la quantità massima di carboidrati consentita. E soprattutto (come abbiamo già detto più volte) evitare di ingerire questa quantità consentita in un unico pasto.

3. **NON ECCEDETE CON LE PROTEINE**

È appurato che la dieta chetogenica sia una dieta povera di carboidrati a favore degli altri macronutrienti come le proteine.
Ma è importante ricordarsi che bisogna anche saper non eccedere con esse.
Poiché il nostro corpo non scompone una quantità eccessiva di proteine per ottenere aminoacidi e quindi trasforma gli aminoacidi in zucchero, un eccesso di proteine potrebbe compromettere la chetosi stessa.

4. **EVITATE DI ASSUMERE PIU' CALORIE DEL DOVUTO**

Un altro errore assolutamente da evitare è quello di eccedere nelle calorie.
Anche se potrebbe risultare banale e scontato, in quanto è un concetto valido per qualsiasi dieta si voglia seguire, è ovvio che non si possono perdere i chili in eccesso se si ingeriscono più calorie di quelle che si bruciano E' il *deficit* calorico l'imperativo assoluto e matematico di qualsiasi regime dietetico che si decida di seguire per poter perdere peso. E questo vale anche per la dieta chetogenica.

5. **EVITATE DI NON MONITARE TUTTO QUELLO CHE MANGIATE**

Oltre ad evitare il *surplus* calorico, gli sgarri e gli eccessi di proteine o carboidrati consentiti, è importante che teniate un diario alimentare in cui annoterete tutto ciò che mangiate durante la giornata, così da poter rivedere (e rimediare) se avete ingerito più calorie del dovuto o se avete fatto degli sgarri durante la giornata.
Monitorare la vostra giornata alimentare è di fondamentale importanza nella riuscita della dieta.

PARTE SECONDA

Ecco a voi, una serie di ricette che potete cucinare secondo il metodo e la ripartizione chetogenica.
Le troverete suddivise in ricette per la colazione, spuntini e *snacks*, primi piatti, secondi di carne e pesce, contorni, una sezione di ricette vegetariane, i *desserts* ed infine gli *smoothies*.

CAPITOLO 6 – RICETTE PER LA COLAZIONE

Frittelle al cacao

TEMPO DI PREPARAZIONE: 10 minuti
TEMPO DI COTTURA: 5 minuti
CALORIE: 150 a porzione
MACRONUTRIENTI: CARBOIDRATI:6 GR; PROTEINE: 8 GR; GRASSI: 14 GR

INGREDIENTI PER 2 PERSONE

- 25 gr di farina di mandorle
- 1 uovo
- 1 cucchiaino di cacao amaro
- 8 gocce di dolcificante
- 30 ml di latte di soia senza zucchero
- 1 pizzico di cannella
- 1 pizzico di bicarbonato
- olio di semi q.b.

PREPARAZIONE

1. Per prima cosa separate il tuorlo dall'albume e trasferiteli in due ciotole diverse.
2. Aggiungete al tuorlo le gocce di dolcificante e sbattete con una frusta.
3. Unite anche il latte di soia e sbattete ancora.
4. Aggiungete poi la farina di mandorle, il bicarbonato e il cacao amaro setacciato.
5. Unite un pizzico di cannella e mescolate fino ad avere un composto omogeneo.
6. Montate poi gli albumi a neve ed incorporateli delicatamente al resto dell'impasto.
7. Scaldate una padella antiaderente e ungetela leggermente.
8. Versate una cucchiaiata di impasto per ogni frittella e aspettate circa un minuto.

9. Appena si formeranno le prime bollicine potrete girarli e proseguire la cottura dall'altro lato.
10. Continuate a cuocere così tutti le frittelle.
11. Servite le frittelle con frutti rossi o frutta secca (facoltativo).

Frittelle alla vaniglia con burro di arachidi e frutti rossi

TEMPO DI PREPARAZIONE: 10 minuti
TEMPO DI COTTURA: 5 minuti
CALORIE: 240 a porzione
MACRONUTRIENTI: CARBOIDRATI:8 GR; PROTEINE: 10 GR; GRASSI: 22 GR

INGREDIENTI PER 2 PERSONE

- 25 gr di farina di mandorle
- 1 uovo
- 8 gocce di dolcificante
- 30 ml di latte di mandorle senza zucchero
- 1 pizzico di bicarbonato
- 1 baccello di vaniglia
- Burro di arachidi q.b.
- Frutti rossi q.b.
- olio di semi q.b.

PREPARAZIONE

1. Per prima cosa separate il tuorlo dall'albume e trasferiteli in due ciotole diverse.
2. Aggiungete al tuorlo le gocce di dolcificante e sbattete con una frusta.
3. Unite anche il latte di mandorle e continuate a sbattete.
4. Aggiungete poi la farina di mandorle, il bicarbonato e il baccello di vaniglia.
5. Mescolate fino ad avere un composto omogeneo.
6. Montate poi gli albumi a neve ed incorporateli delicatamente al resto dell'impasto.
7. Scaldate una padella antiaderente e ungetela leggermente.
8. Versate una cucchiaiata di impasto per ogni frittella e aspettate circa un minuto.
9. Appena si formeranno le prime bollicine potrete girarli e proseguire la cottura dall'altro lato.
10. Continuate a cuocere così tutti le frittelle.
11. Servite delle torrette di frittelle con il burro di arachidi spalmato e i frutti rossi per accompagnarli.

Frittelle alle mandorle e cocco

TEMPO DI PREPARAZIONE: 10 minuti
TEMPO DI COTTURA: 5 minuti
CALORIE: 170 a porzione
MACRONUTRIENTI: CARBOIDRATI:5 GR; PROTEINE: 9 GR; GRASSI: 16 GR

INGREDIENTI PER 2 PERSONE

- 30 gr di farina di mandorle
- 1 uovo
- 1 cucchiaino di olio di cocco
- 1 cucchiaino di farina di cocco
- 8 gocce di dolcificante
- 30 ml di latte di soia senza zucchero
- 1 pizzico di cannella
- 1 pizzico di bicarbonato
- olio di semi q.b.

PREPARAZIONE

1. Per prima cosa separate il tuorlo dall'albume e trasferiteli in due ciotole diverse.
2. Aggiungete al tuorlo le gocce di dolcificante e sbattete con una frusta.

3. Unite anche il latte di soia e sbattete ancora.
4. Aggiungete anche il cucchiaino di olio di cocco
5. Aggiungete poi la farina di mandorle, il bicarbonato e la farina di cocco.
6. Unite un pizzico di cannella e mescolate fino ad avere un composto omogeneo.
7. Montate poi gli albumi a neve ed incorporateli delicatamente al resto dell'impasto.
8. Scaldate una padella antiaderente e ungetela leggermente.
9. Versate una cucchiaiata di impasto per ogni frittella e aspettate circa un minuto.
10. Appena si formeranno le prime bollicine potrete girarli e proseguire la cottura dall'altro lato.
11. Continuate a cuocere così tutti le frittelle.
12. Servite le frittelle ancora caldi.

Uova strapazzate e prosciutto cotto

TEMPO DI PREPARAZIONE: 12 minuti
TEMPO DI COTTURA: 15 minuti
CALORIE:288 a porzione
MACRONUTRIENTI: CARBOIDRATI: 3GR; PROTEINE: 23GR; GRASSI:30GR

INGREDIENTI PER 2 PERSONE

- 4 uova
- 50 gr di prosciutto cotto
- 30 ml di panna da cucina
- 20 gr di parmigiano grattugiato
- 20 ml di olio di oliva
- Sale q.b.
- Pepe q.b.

PREPARAZIONE

1. Sgusciate le uova in una ciotola, insaporite con sale e pepe, aggiungete la panna da cucina e sbattetele con una frusta manuale fino a quando non si è tutto amalgamato.
2. Prendete il prosciutto cotto e tagliatelo a pezzettini.
3. In una padella antiaderente mettete a riscaldare l'olio di oliva. Appena caldo fate rosolare il prosciutto per un paio di minuti.
4. Aggiungete adesso il composto di uova e mescolate di continuo con un cucchiaio di legno.
5. Fate cuocere le uova per 10 minuti e poi aggiungete il parmigiano. Fate cuocere un altro paio di minuti, il tempo che il parmigiano si sciolga e servite subito.

Uova strapazzate al pomodoro

TEMPO DI PREPARAZIONE: 12 minuti
TEMPO DI COTTURA: 15 minuti
CALORIE:170 a porzione
MACRONUTRIENTI: CARBOIDRATI: 6 GR; PROTEINE: 15 GR; GRASSI:25GR

INGREDIENTI PER 2 PERSONE

- 4 uova
- 30 ml di panna da cucina
- 20 gr di parmigiano grattugiato
- 20 ml di olio di oliva
- 3 cucchiai di polpa di pomodoro
- Sale q.b.
- Pepe q.b.

PREPARAZIONE

1. Sgusciate le uova in una ciotola, insaporite con sale e pepe, aggiungete la panna da cucina e sbattetele con una frusta manuale fino a quando non si è tutto amalgamato.

2. Fate cuocere la passata di pomodoro per qualche minuto in una padella con pochissimo olio d'oliva.
3. In un'altra padella antiaderente mettete a riscaldare l'olio di oliva.
4. Appena caldo aggiungete adesso il composto di uova e mescolate di continuo con un cucchiaio di legno.
5. Fate cuocere le uova per 10 minuti e poi aggiungete il parmigiano ed infine la polpa di pomodoro.
6. Fate cuocere un altro paio di minuti, il tempo che il parmigiano si sciolga e la passata di pomodoro venga incorporata per bene e servite subito.

Uova strapazzate alla fontina e paprika

TEMPO DI PREPARAZIONE: 12 minuti
TEMPO DI COTTURA: 15 minuti
CALORIE:250 a porzione
MACRONUTRIENTI: CARBOIDRATI: 2 GR; PROTEINE: 19 GR; GRASSI:28 GR

INGREDIENTI PER 2 PERSONE

- 4 uova
- 30 ml di panna da cucina
- 10 gr di parmigiano grattugiato
- 50 gr di fontina tagliata a pezzettini molto piccoli
- 20 ml di olio di oliva
- Sale e pepe q.b.
- Paprika q.b.

PREPARAZIONE

1. Sgusciate le uova in una ciotola, insaporite con sale e pepe, aggiungete la panna da cucina e la fontina tagliata a pezzi molto piccoli.
2. Sbattete gli ingredienti con una frusta manuale fino a quando il composto non si sia del tutto amalgamato.
3. Mettete a riscaldare l'olio di oliva in una padella antiaderente.
4. Appena caldo aggiungete adesso il composto di uova e mescolate di continuo con un cucchiaio di legno.
5. Fate cuocere le uova per 10 minuti e poi aggiungete il parmigiano.
6. Fate cuocere un altro paio di minuti, il tempo che il parmigiano e la fontina si sciolgano completamente.
7. Servite ancora calde e filanti.

Omelette dolci alle fragole

TEMPO DI PREPARAZIONE: 10 minuti
TEMPO DI COTTURA: 10 minuti
CALORIE:130 a porzione
MACRONUTRIENTI: CARBOIDRATI: 4GR; PROTEINE: 8GR; GRASSI:12 GR

INGREDIENTI PER 2 PERSONE

- 3 uova
- 150 gr di fragole
- 30 gr di dolcificante
- 20 ml di latte
- Un pizzico di sale
- 20 ml di olio di oliva
- 4 foglie di menta già lavate

PREPARAZIONE

1. Lavate e asciugate le fragole e poi tagliatele a fettine sottili. Mettetele in una ciotola e aggiungete 10 gr di dolcificante. Mettetele da parte a macerare.
2. Separate i tuorli dagli albumi.
3. Mettete gli albumi in una ciotola e montateli i con un pizzico di sale a neve ferma.
4. In un'altra ciotola mettete i tuorli e il resto del dolcificante. Aggiungete il latte e amalgamate il tutto aiutandovi

con una forchetta.
5. Aggiungete gli albumi ai tuorli, mescolando delicatamente dall'alto verso il basso per non farli smontare.
6. Fate riscaldare l'olio in una padella antiaderente. Versate metà del composto di uova e appena la frittata inizia a colorirsi giratela.
7. Fate cuocere dall'altro lato e poi mettetela in un piatto da portata. Ripetete la stessa operazione per l'altra omelette.
8. Riempite le frittatine con le fragole, richiudetele su sé stesse e servite decorate con le foglie di menta e un ciuffo di panna a spray.

Biscotti al limone cheto

TEMPO DI PREPARAZIONE: 10 minuti
TEMPO DI COTTURA: 12 minuti
CALORIE:91 a porzione
MACRONUTRIENTI: CARBOIDRATI: 1 GR; PROTEINE: 2 GR; GRASSI: 8GR

INGREDIENTI PER 10 BISCOTTI
- Mezzo limone
- 2 cucchiai di olio di oliva
- 20 ml di acqua
- 20 gr di estratto di vaniglia
- 240 gr di farina di mandorle
- 30 gr di eritritolo in polvere
- 1 pizzico di sale

ingredienti per la glassa al limone
- 30 gr di eritritolo in polvere
- 10 ml di succo di limone

PREPARAZIONE
1. Lavate e asciugate il limone. Sbucciatelo e poi tagliatelo a spicchi, ricordandovi di togliere anche i semi.
2. Accendete il forno e preriscaldatelo a 180°.
3. Mettete gli spicchi di limone, l'acqua, l'olio di oliva e l'estratto di vaniglia nella ciotola del frullatore.
4. Frullate il tutto a velocità media fino a quando non otterrete un composto omogeneo e privo di pezzi interi.
5. Mettete il composto in una ciotola e aggiungete la farina di mandorle, il dolcificante e un pizzico di sale.
6. Iniziate a mescolare con una frusta fino a quando il composto non si sarà addensato e avrà l'aspetto di un impasto.
7. Mettete su una teglia della carta forno. Prendete un po' di impasto e formate una pallina.
8. Mettetele sulla teglia e procedete così fino ad esaurimento dell'impasto.
9. Schiacciate leggermente le palline e mettetele in forno.
10. Cuocete in forno sempre a 180° per 10-12 minuti.
11. Nel frattempo, preparate la glassa. In una ciotola mettete il dolcificante.
12. Aggiungete poco alla volta il succo di limone e mescolate con una frusta fino a quando non otterrete una glassa omogenea e fluida.
13. Sfornate i biscotti e lasciateli raffreddare.
14. Una volta freddi cospargete la superficie di ogni biscotto con la glassa e poi servite.

Omelette con i funghi

TEMPO DI PREPARAZIONE: 10 minuti
TEMPO DI COTTURA: 20 minuti
CALORIE:240 a porzione
MACRONUTRIENTI: CARBOIDRATI: 2GR; PROTEINE: 14GR; GRASSI: 14GR

INGREDIENTI PER 2 PERSONE

- 4 uova
- 20 ml di olio di oliva
- 40 gr di emmenthal grattugiato
- 80 gr di funghi
- Sale q.b.
- Pepe q.b.

PREPARAZIONE

1. Iniziate con i funghi. Privateli della parte terrosa, lavateli, asciugateli e tagliateli a fettine sottili.
2. In una ciotola mettete le uova e sbattetele energicamente con una forchetta. Aggiungete un pizzico di sale e di pepe e mescolate per amalgamare bene gli ingredienti.
3. In un tegame mettete a soffriggere un filo di olio. Appena caldo fate rosolare i funghi per 8 minuti. Regolate di sale e pepe e metteteli in un piatto.
4. Prendete una padella antiaderente. Fate scaldare un po' di olio e poi mettete un po' di uovo sbattuto.
5. Fate cuocere 2 minuti per parte e poi aggiungete un po' di funghi e l'emmenthal.
6. Chiudete l'omelette, fate cuocere un altro minuto per lato e mettetela in un piatto da portata.
7. Ripetete l'operazione fino all'esaurimento delle uova.
8. Servite calde cosparse di prezzemolo tritato.

Frullato al cioccolato cheto

TEMPO DI PREPARAZIONE: 5 minuti
CALORIE:282 a porzione
MACRONUTRIENTI: CARBOIDRATI: 4 GR; PROTEINE: 4GR; GRASSI: 27GR

INGREDIENTI PER 2 PERSONE

- 120 ml di panna da montare non zuccherata
- 240 ml di latte di mandorla
- 50 gr di avocado
- 30 gr di cacao amaro in polvere
- 5 gr di cannella
- 5 gocce di stevia liquida
- 10 ml di estratto di vaniglia
- Un pizzico di sale
- 8 cubetti di ghiaccio

PREPARAZIONE

1. Sbucciate e lavate l'avocado. Tagliatelo molto grossolanamente e mettetelo nel bicchiere del frullatore.
2. Aggiungete il latte di mandorla e la panna e frullate per 30 secondi a bassa velocità.
3. Aggiungete adesso il cacao, la cannella, la stevia, la vaniglia, un pizzico di sale e i cubetti di ghiaccio.
4. Riattaccate il frullatore alla massima velocità e frullate per un minuto, fino a quando non otterrete un composto denso e cremoso.
5. Dividete il frullato in due bicchieri e cospargeteli con un po' di cacao amaro e servite.

Frullato alla vaniglia e fragole

TEMPO DI PREPARAZIONE: 5 minuti
CALORIE:240 a porzione
MACRONUTRIENTI: CARBOIDRATI: 4 GR; PROTEINE: 5 GR; GRASSI: 16 GR

INGREDIENTI PER 2 PERSONE

- 120 ml di panna da montare non zuccherata
- 240 ml di latte di soia senza zuccheri
- Una bustina di vaniglia in polvere
- 5 gr di cannella
- 5 gocce di stevia liquida
- 10 ml di estratto di vaniglia
- 8 fragole
- Un pizzico di sale
- 8 cubetti di ghiaccio

PREPARAZIONE

1. Per prima cosa, sbucciate e lavate le fragole.
2. Tagliatelo a pezzettini e mettetele nel bicchiere del frullatore.
3. Aggiungete il latte di soia e la panna e frullate per 30 secondi a bassa velocità.
4. Aggiungete adesso, la cannella, la stevia, la vaniglia, e la bustina di vaniglia, un pizzico di sale e i cubetti di ghiaccio.
5. Riattaccate il frullatore alla massima velocità e frullate per un minuto, fino a quando non otterrete un composto denso e cremoso.
6. Dividete il frullato in due bicchieri e servite.

Crespelle cheto con fragole e panna

TEMPO DI PREPARAZIONE: 15 minuti
TEMPO DI COTTURA: 10 minuti
CALORIE:346 a porzione
MACRONUTRIENTI: CARBOIDRATI: 5 GR; PROTEINE: 18 GR; GRASSI: 19GR

INGREDIENTI PER 2 PERSONE

- 60 gr di farina di mandorle
- 30 gr di farina di cocco
- 4 uova
- 80 ml di latte di mandorle non zuccherato
- Un pizzico di sale
- 50 gr di fragole
- 10 gr di stevia in polvere
- 10 gr di panna montata a spray

PREPARAZIONE

1. Mettete in una ciotola il latte di mandorla, le due farine e un pizzico di sale.
2. Con uno sbattitore elettrico a media velocità sbattete bene gli ingredienti fino a quando non si saranno totalmente amalgamati.
3. Adesso aggiungete le uova e continuate a sbattere fino a quando non avrete un composto omogeneo e privo di grumi.
4. Lasciate l'impasto riposare 5 minuti.
5. Nel frattempo, preparate le fragole. Lavatele asciugatele e poi tagliatele a fettine sottili. Mettetele in una ciotola e aggiungete la stevia in polvere. Mescolate e lasciate riposare.
6. Con la fiamma a media intensità riscaldate una padella antiaderente. Appena sarà rovente aggiungete due cucchiai di impasto e inclinate la padella in modo che l'impasto ricopra tutta la superficie.
7. Fate cuocere 30 secondi per lato e poi passate ad un'altra crespella. Ripetete l'operazione fino a che non avrete esaurito la pastella.
8. Riempite le crespelle con le fragole e un piccolo ciuffo di panna montata.

Uova strapazzate con spinaci

TEMPO DI PREPARAZIONE: 5 minuti
TEMPO DI COTTURA: 12 minuti

CALORIE:320 a porzione
MACRONUTRIENTI: CARBOIDRATI: 5GR; PROTEINE: 15GR; GRASSI: 21GR

INGREDIENTI PER 2 PERSONE

- 4 uova
- 60 gr di spinaci in foglie
- 20 ml di olio di oliva
- 1 cucchiaino di erba cipollina tritata
- Sale q.b.
- Pepe q.b.

PREPARAZIONE

1. Lavate e asciugate le foglie di spinaci.
2. Prendete una padella antiaderente e mettete a riscaldare l'olio. Appena caldo mettete gli spinaci e fateli rosolare per 5 minuti, regolando di sale e pepe.
3. In un piatto sbattete leggermente le uova e passati i 5 minuti mettete le uova nella padella con gli spinaci.
4. Mescolate di continuo in modo che le uova non formino una frittata ma tanti pezzetti separati.
5. Fate cuocere per cinque minuti e poi dividete le uova in due piatti da portata.
6. Servite le uova cosparse di erba cipollina tritata.

Tortine al cioccolato cheto

TEMPO DI PREPARAZIONE: 15 minuti
TEMPO DI COTTURA: 15 minuti
CALORIE:130 a porzione
MACRONUTRIENTI: CARBOIDRATI: 6GR; PROTEINE:5 GR; GRASSI: 9 GR

INGREDIENTI PER 4 TORTINE

- 1 uovo
- 50 ml di panna
- 10 gr di eritritolo
- 15 gr di cacao amaro in polvere
- 10 gr di cioccolato fondente all'85%
- 5 gr di farina di cocco
- 30 gr di farina di mandorle
- 5 gr di bicarbonato di sodio

PREPARAZIONE

1. Preriscaldate il forno a 170 gradi.
2. Mettete in una ciotola l'uovo e la panna. Mescolate con una frusta manuale per amalgamarli.
3. Una volta che avrete un composto abbastanza omogeneo aggiungete il cacao e continuate a mescolare.
4. Aggiungete poi la farina, il bicarbonato e il cioccolato fondente fatto a pezzettini e mescolate.
5. Finite la preparazione con la farina di cocco.
6. Una volta che tutti gli ingredienti sono ben amalgamati mettete le tortine negli stampi dei muffin e metteteli in forno.
7. Fate cuocere per 15 minuti o fino a quando, facendo la prova con uno stuzzicadenti non risulterà asciutto.
8. Servite ben caldi.

Uova barzotte e pomodoro

TEMPO DI PREPARAZIONE: 10 minuti
TEMPO DI COTTURA: 20 minuti
CALORIE:152 a porzione
MACRONUTRIENTI: CARBOIDRATI: 3 GR; PROTEINE: 10 GR; GRASSI: 14 GR;

INGREDIENTI PER 2 PERSONE

- 4 uova
- 200 gr di pomodori maturi
- 1 costa di sedano
- 1 piccolo scalogno
- Un ciuffo di prezzemolo
- 20 ml di olio di oliva
- Sale q.b.
- Pepe q.b.

PREPARAZIONE

1. Sbucciate, lavate, asciugate e poi tritate lo scalogno.
2. Togliete i filamenti bianchi dal sedano, lavatelo, asciugatelo e tritatelo finemente.
3. Lavate e asciugate i pomodori e poi tagliateli a cubetti.
4. Mettete in un tegame l'olio di oliva. Quando sarà caldo mettete a soffriggere lo scalogno e il sedano. Mescolate di continuo e quando la cipolla si sarà imbiondita aggiungete i pomodori.
5. Regolate di sale e pepe e fate cuocere a fuoco basso per 20 minuti, mescolando di tanto in tanto.
6. Nel frattempo, preparate le uova.
7. Riempite un pentolino con dell'acqua e portatela ad ebollizione. Mettete le uova a cuocere per 5 minuti e poi toglietele dal fuoco.
8. Mettetele a raffreddare con acqua fredda e poi sbucciatele.
9. Prendete due piatti da portata, mettete sul fondo i pomodori e distribuite sopra le uova.
10. Spolverizzate il tutto con pepe nero e servite.

Frittata a forno con formaggio e pomodorini

TEMPO DI PREPARAZIONE: 15 minuti
TEMPO DI COTTURA: 20 minuti
CALORIE:136 a porzione
MACRONUTRIENTI: CARBOIDRATI: 2GR; PROTEINE: 9 GR; GRASSI: 7 GR;

INGREDIENTI PER 2 PERSONE

- 3 uova
- 30 ml di latte
- 30 gr di parmigiano grattugiato
- 6 pomodorini
- 2 foglie di basilico
- Sale q.b.
- Pepe q.b.

PREPARAZIONE

1. Lavate e asciugate i pomodorini. Poi tagliateli dividendoli in 4 parti.
2. In una ciotola mettete le uova. Sbattetele con uno sbattitore elettrico fino a quando non risulterà un composto soffice e ben amalgamato.
3. A questo punto aggiungete il formaggio, il sale e il pepe e continuate a sbattere.
4. Aggiungete il latte sempre continuando a mescolare e quando tutto sarà amalgamato spegnete lo sbattitore.
5. Aggiungete i pomodorini alle uova e mescolate con un cucchiaio di legno.
6. Lavate e asciugate il basilico e poi tritatelo finemente. Aggiungetelo alle uova e mescolate.
7. Mettete le uova in una pirofila spennellata con un filo di olio di oliva e fate cuocere a 180 gradi per 20 minuti o fino a quando la superficie della frittata non diventerà dorata.
8. Sfornate, fate rassodare un paio di minuti e servite.

Frittata con salmone affumicato

TEMPO DI PREPARAZIONE: 10 minuti
TEMPO DI COTTURA:15 minuti
CALORIE:186 a porzione
MACRONUTRIENTI: CARBOIDRATI: 1GR; PROTEINE: 12 GR; GRASSI: 13 GR;

INGREDIENTI PER 2 PERSONE

- 3 uova
- 50 gr di salmone affumicato
- 1 cucchiaino di aneto essiccato
- 1 cucchiaino di erba cipollina
- Olio di oliva 20 ml
- Sale q.b.
- Pepe q.b.

PREPARAZIONE

1. Prendete una ciotola e mettete all'interno le uova. Iniziate a montare le uova aiutandovi con una frusta manuale.
2. Aggiungete aneto e erba cipollina, sale e pepe, e continuate a sbattere.
3. Tagliate il salmone affumicato a pezzettini e mettetelo nella ciotola con le uova.
4. Amalgamate delicatamente salmone e uova con una forchetta.
5. Prendete una padella antiaderente e mettete a scaldare l'olio di oliva. Versate le uova e fate cuocere per 10 minuti, coprendo la padella con un coperchio.
6. Muovete di tanto in tanto la padella per evitare che la frittata si appiccichi ai bordi.
7. Passati i 10 minuti, aiutandovi con il coperchio o con un piatto, girate la frittata e fate cuocere, sempre coperta, per altri 5 minuti.
8. Appena finita la cottura servite la frittata immediatamente.

Uova e avocado

TEMPO DI PREPARAZIONE: 10 minuti
TEMPO DI COTTURA:15 minuti
CALORIE:270 a porzione
MACRONUTRIENTI: CARBOIDRATI: 1GR; PROTEINE: 9 GR; GRASSI: 26 GR;

INGREDIENTI PER 2 PERSONE

- 2 uova
- 1 avocado
- Sale e peperoncino q.b.
- Olio di oliva q.b.
- Prezzemolo

PREPARAZIONE

1. Per prima cosa, fate preriscaldare il forno a 200 gradi.
2. Tagliate a metà l'avocado ed estraetene la polpa.
3. Togliete il nocciolo centrale all'avocado.
4. Rompete le uova e versate ciascuna di esse nel mezzo dell'avocado.
5. Fate molta attenzione in questo passaggio, dovete fare in modo che l'uovo non fuoriesca dall'avocado.
6. Fate cuocere al forno per almeno 15 minuti.
7. Verificate voi stessi la cottura che più gradite dell'uovo.
8. Appena saranno pronti potete condire col sale, il peperoncino ed infine il prezzemolo.
9. Potete servire.

Torta al cocco e mandorle

TEMPO DI PREPARAZIONE: 20 minuti
TEMPO DI COTTURA:30 minuti
CALORIE:200 a porzione
MACRONUTRIENTI: CARBOIDRATI: 4 GR; PROTEINE: 9 GR; GRASSI: 14 GR;

INGREDIENTI PER 2 PERSONE

- 3 Uova
- 150 ml di olio di cocco
- 200 gr di farina di mandorle
- 100 gr farina di cocco
- 50 gr di eritritolo in polvere

PREPARAZIONE

1. Per prima cosa, preriscaldate il forno a 200°C.
2. Nel frattempo, preparate l'impasto della torta.
3. Separate tuorli e albumi, montate gli albumi a neve in una ciotola, e teneteli da parte.
4. Sbattete i tuorli in un'altra ciotola con il dolcificante.
5. Aggiungete l'olio e piano piano il latte (tenere una parte del latte per la fine)
6. Aggiungete gradualmente le due farine, mescolando e amalgamando bene il composto.
7. Versate alla fine il latte, tenuto precedentemente da parte.
8. Unite, alla fine, con molta attenzione, gli albumi montati a neve.
9. Mescolate ed incorporateli con delicatezza.
10. Versate il preparato in uno stampo da *plumcake* precedentemente imburrato.
11. Fate cuocere in forno ventilato per circa 30 minuti.
12. Verificate sempre la cottura con uno stuzzicadenti.
13. Servite la torta appena si sarà leggermente intiepidita.

Crema al cocco e semi di Chia

TEMPO DI PREPARAZIONE: 10 minuti
TEMPO DI RIPOSO: due ore
CALORIE: 150 a porzione
MACRONUTRIENTI: CARBOIDRATI: 3 GR; PROTEINE: 5 GR; GRASSI: 14 GR;

INGREDIENTI PER 2 PERSONE

- 400 ml di latte di cocco senza zucchero
- 60 gr di semi di Chia
- 5 gr di cannella
- 2 cucchiaini di eritritolo in polvere

PREPARAZIONE

1. Per prima cosa, prendete due barattoli di vetro con il coperchio.
2. Versate 200 ml di latte di cocco per ogni barattolo di vetro.
3. Alternate il latte con i semi di Chia.
4. Mescolate bene i due ingredienti.
5. Alla fine, aggiungete la cannella e il cucchiaino di dolcificante.
6. Chiudete il coperchio e lasciate riposare in frigo per almeno 2 ore.
7. Potete servirli appena tirati fuori dal frigo.

Crema di cocco e mandorle con frutti rossi

TEMPO DI PREPARAZIONE: 5 minuti
TEMPO DI RIPOSO:30 minuti
CALORIE: 400 a porzione
MACRONUTRIENTI: CARBOIDRATI: 6 GR; PROTEINE: 11 GR; GRASSI: 34 GR;

INGREDIENTI PER 2 PERSONE

- 200 ml di latte di mandorla senza zuccheri aggiunti
- 40 gr di frutti di bosco
- 4 cucchiai di semi di lino
- 2 cucchiaio di farina di cocco

- 2 cucchiai di farina di mandorle
- 1 pizzico di cannella

PREPARAZIONE

1. Per prima cosa mescolate insieme, in una ciotola, il latte di cocco, il latte di mandorla, i semi di lino, la farina di mandorle, la cannella e l'estratto di vaniglia.
2. Sbattete gli ingredienti fino a quando il composto non si sarà del tutto addensato.
3. Avrete già formato così la vostra crema per la colazione.
4. Versate il composto equamente in due ciotole.
5. Lasciatelo riposare una mezzoretta in frigo.
6. Passato questo tempo, prendete le vostre creme e cospargetele con altri i semi di lino.
7. Servite la vostra crema accompagnata dai frutti di bosco.

CAPITOLO 7 – RICETTE DI SPUNTINI E SNACKS

Involtini di speck e asparagi

TEMPO DI PREPARAZIONE: 10minuti
TEMPO DI COTTURA: 15 minuti
CALORIE: 200 Calorie a porzione
MACRONUTRIENTI: CARBOIDRATI: 1 GR; PROTEINE: 21 GR; GRASSI 12 GR

INGREDIENTI PER 2 PERSONE

- 100 gr di prosciutto crudo di parma
- 200 gr di asparagi
- 50 gr di fontina tagliata a fettine

PREPARAZIONE

1. Iniziate con gli asparagi. lavateli e asciugateli. Poi tagliate la parte inferiore che risulta essere più dura. Con un pelapatate o con un coltello togliete i filamenti laterali.
2. Mettete sul fuoco una pentola con 500 ml di acqua salata.
3. Appena sarà giunta a bollore immergete gli asparagi e fateli cuocere per 10 minuti.
4. Ricordatevi che devono rimanere croccanti.
5. Aggiustate di sale e pepe, spegnete e mettete gli asparagi a scolare e raffreddarsi.
6. Prendete le fette di speck, mettete al loro interno le fettine di fontina e poi gli asparagi e poi chiudete gli involtini con uno stuzzicadenti.
7. Mettete gli involtini in una teglia con carta forno e passateli in forno a 170° per 5 minuti.
8. Servite appena sfornati.

Uova piccanti con salmone

TEMPO DI PREPARAZIONE: 10minuti
TEMPO DI COTTURA: 10 minuti
CALORIE: 149 Calorie a porzione
MACRONUTRIENTI: CARBOIDRATI: 1 GR; PROTEINE: 10 GR; GRASSI 10 GR

INGREDIENTI PER 2 PERSONE

- 3 uova
- 2 cucchiaini di maionese
- 2 fili di erba cipollina
- 3 fette di salmone affumicato
- Aneto q.b.
- Sale q.b.
- Peperoncino q.b.

PREPARAZIONE

1. Iniziate la preparazione con le uova. Mettete un pentolino pieno di acqua e portate l'acqua a bollore. Quando sarà in ebollizione mettete le uova e fatele cuocere per 10 minuti.
2. Finita la cottura mettete le uova a raffreddarsi con dell'acqua fredda e poi sbucciatele.
3. Dividete le uova a metà, togliete i tuorli e metteteli da parte in una ciotola.
4. Mettete gli albumi in un piatto da

portata.
5. Prendete l'erba cipollina lavatela e poi tritatela finemente.
6. Prendete la ciotola con i tuorli e schiacciateli con una forchetta. Aggiungete l'erba cipollina, un pizzico di sale e la maionese e mescolate gli ingredienti con una forchetta fino a quando non avrete ottenuto una salsa omogenea.
7. Mettete la salsa di tuorli all'interno di ogni albume.
8. Tagliate le fette di salmone a metà, arrotolatele e poi mettetele in cima alle uova.
9. Decorate le uova con ciuffetti di aneto.

Uova sode all'avocado e tonno

TEMPO DI PREPARAZIONE: 15minuti
TEMPO DI COTTURA: 10minuti
CALORIE: 226 Calorie a porzione
MACRONUTRIENTI: CARBOIDRATI: 1 GR; PROTEINE: 17 GR; GRASSI 16 GR

INGREDIENTI PER 2 PERSONE

- 4 uova
- 20 gr di maionese
- Mezzo avocado
- 50 gr di tonno al naturale

PREPARAZIONE

1. Iniziate preparando le uova. Mettete un pentolino pieno di acqua a bollire. Appena inizia a bollire mettete le uova e fatele cuocere per 10 minuti.
2. Passati i 10 minuti mettete le uova a raffreddare con acqua fredda e poi sbucciatele. Tagliatele a metà, separate i tuorli dagli albumi e mettete i tuorli in una ciotola.
3. Sbucciate l'avocado. Lavatelo e poi asciugatelo.
4. Mettete l'avocado in un mixer assieme al tonno e la maionese e tritate fino a quando non otterrete un composto omogeneo.
5. Aggiungete il mix di avocado ai tuorli e amalgamate il tutto aiutandovi con una forchetta.
6. Prendete una sacca a poche, mettete all'interno il mix di tuorli, e riempite l'interno degli albumi.
7. Servite cosparsi di erba cipollina tritata.

Avocado ripieni di gamberi

TEMPO DI PREPARAZIONE: 15minuti
TEMPO DI COTTURA: 5minuti
CALORIE: 221Calorie a porzione
MACRONUTRIENTI: CARBOIDRATI: 1 GR; PROTEINE: 15 GR; GRASSI 20 GR

INGREDIENTI PER 2 PERSONE

- 1 avocado
- 100 gr di gamberetti
- 2 foglie di alloro
- 20 gr di maionese
- Mezzo limone
- Olio di oliva 10 ml
- Sale q.b.
- Pepe q.b.

PREPARAZIONE

1. Iniziate pulendo i gamberetti. sgusciateli, togliete il filamento intestinale, e poi lavateli sotto acqua corrente.
2. Lavate e asciugate le foglie di alloro e il limone.
3. Tagliate il limone a spicchi.
4. Mettete una pentola dell'acqua, il sale, il pepe, l'alloro e il limone e portate a bollore. Aggiungete i gamberetti e fate cuocere per 5 minuti.
5. Scolate i gamberetti e fateli

raffreddare.
6. Nel frattempo, sbucciate l'avocado, togliete il nocciolo, lavatelo e asciugatelo.
7. Mettete i gamberetti in una ciotola, aggiungete la maionese e l'olio di oliva e mescolate il tutto.
8. Riempite ciascuna metà degli avocado con il composto di gamberetti decorate con prezzemolo tritato e servite.

Foglie di lattuga farcite al tonno

TEMPO DI PREPARAZIONE: 20minuti
TEMPO DI COTTURA: 8 minuti
CALORIE: 198 Calorie a porzione
MACRONUTRIENTI: CARBOIDRATI: 2 GR; PROTEINE: 14 GR; GRASSI 17 GR

INGREDIENTI PER 2 PERSONE
- 8 foglie grandi di lattuga romana
- 1 scatoletta di tonno al naturale
- 2 uova
- 6 pomodorini
- 100 gr di avocado
- 2 cucchiaini di maionese
- 2 cucchiai di aceto di mele
- Sale q.b.
- Pepe q.b.

PREPARAZIONE
1. Riempite un pentolino con abbondante acqua e portatela a bollore. Adesso mettete le uova e fatele cuocere per 8 minuti.
2. Fatele raffreddare immergendole in acqua fredda e poi sbucciatele.
3. Tagliate un uovo in 6 mentre mettete le altre due in una ciotola e con una forchetta schiacciatele in modo da tritarle abbastanza finemente.
4. Sbucciate, lavate e asciugate l'avocado e poi tagliatelo a cubetti piccolissimi.
5. Lavate le foglie di lattuga e asciugatele. Tritate finemente 2 foglie di lattuga e mettete da parte le altre 6.
6. Lavate e asciugate i pomodorini e poi tagliateli a piccoli cubetti.
7. Adesso mettete l'avocado, la lattuga tritata e i pomodorini nella ciotola con le uova tritate.
8. Aggiungete il tonno e l'aceto di mele e mescolate il tutto. Aggiungete la maionese, un pizzico di sale e il pepe e amalgamate tutti gli ingredienti.
9. Adesso prendete le foglie di lattuga intere e farcite con il ripieno di tonno, mettendole in modo tale che sembrino una specie di ciotola.
10. Finite di decorare le foglie di lattuga con l'uovo che avete tagliato a spicchi.

Cestini di avocado e tonno

TEMPO DI PREPARAZIONE: 10minuti
CALORIE: 400 Calorie a porzione
MACRONUTRIENTI: CARBOIDRATI: 5 GR; PROTEINE: 21 GR; GRASSI 26 GR

INGREDIENTI PER 2 PERSONE
- 2 avocado da 200 gr ciascuno
- 140 gr di tonno in scatola al naturale
- 1 cucchiaio di maionese
- 40 gr di sedano
- Mezzo scalogno
- Un cucchiaino di erba cipollina tritata
- Pepe q.b.
- Sale q.b.

PREPARAZIONE
1. Sbucciate gli avocado, tagliateli a metà e togliete il nocciolo. Lavateli sotto acqua corrente e poi asciugateli.
2. Sbucciate e lavate lo scalogno,

asciugatelo e tritatelo.
3. Lavate e asciugate il sedano e poi tritatelo.
4. Eliminate dal tonno, se presente, tutta l'acqua e poi mettetelo in una ciotola.
5. Aggiungete nella ciotola la maionese, lo scalogno e il sedano, un pizzico di sale e pepe, e con una forchetta amalgamate bene il tutto.
6. Riempite ogni metà di avocado con il composto di tonno.
7. Spolverizzate la superficie di ogni avocado con l'erba cipollina tritata e servite.

Involtini di salmone e gamberi

TEMPO DI PREPARAZIONE: 10minuti+30 minuti di riposo in frigo
TEMPO DI COTTURA: 6 minuti
CALORIE: 246 Calorie a porzione
MACRONUTRIENTI: CARBOIDRATI: 3 GR; PROTEINE: 36 GR; GRASSI 10 GR

INGREDIENTI PER 2 PERSONE

- 200 gr di salmone affumicato
- 200 gr di ricotta
- 100 gr di gamberetti già sgusciati e puliti
- 50 gr di rucola già pulita
- 4 olive verdi denocciolate
- Un ciuffo di prezzemolo
- Olio di oliva 20 ml
- Sale q.b.
- Pepe q.b.

PREPARAZIONE

1. Lavate e asciugate il prezzemolo. Poi tritatelo finemente.
2. Prendete una padella e mettete a riscaldare l'olio di oliva. Appena sarà caldo versate i gamberetti e fateli saltare per 6 minuti. Regolate di sale e pepe e poi metteteli in una ciotola.
3. Aggiungete nella ciotola con i gamberetti il prezzemolo tritato e mescolate.
4. In un'altra ciotola mettete la ricotta e conditela con un cucchiaio di olio di oliva, sale e pepe.
5. Tritate le olive finemente e poi aggiungetele alla ricotta. Amalgamate il tutto con una forchetta.
6. Adesso aggiungete alla ricotta i gamberetti e mescolate accuratamente.
7. Prendete le fette di salmone, riempitele con il composto di gamberi e ricotta e aggiungete un po' di rucola per ogni fetta.
8. Chiudete accuratamente gli involtini e metteteli in frigo a riposare per 30 minuti prima di servire.

Involtini di prosciutto lattuga e salmone

TEMPO DI PREPARAZIONE: 10minuti
TEMPO DI COTTURA: 2 minuti
CALORIE: 280 a porzione
MACRONUTRIENTI: CARBOIDRATI: 1 GR; PROTEINE: 28 GR; GRASSI: 19 GR

INGREDIENTI PER 2 PERSONE

- 150 gr di salmone affumicato
- 4 foglie di lattuga
- 50 gr di prosciutto cotto
- 5 ml di olio d'oliva
- Foglie di basilico q.b.
- Pepe nero q.b.

PREPARAZIONE

1. Per prima cosa lavate e tritate finemente le foglie di basilico.
2. Lavate e sciacquate anche le foglie di lattuga.

3. Lasciatele asciugare per bene.
4. Affettate i pezzi di filetto di salmone in strisce lunghe.
5. Aggiungete le foglie di basilico ed il pepe nero.
6. Mettete il salmone su un piano e stendete di sopra la foglia di lattuga.
7. Completate con il prosciutto.
8. Arrotolate gli involtini e fermateli con uno stuzzicadenti.
9. Spennellate con l'olio d'oliva e cuocete in padella a fuoco medio già scaldata con un po' d'olio.
10. Fateli scottare un minuto per lato.
11. Servite gli involtini caldi.

Formaggio e peperoni a forno

TEMPO DI PREPARAZIONE: 10 minuti
TEMPO DI COTTURA: 20 minuti
CALORIE: 216 a porzione
MACRONUTRIENTI: CARBOIDRATI: 3 GR; PROTEINE: 8 GR; GRASSI 19 GR

INGREDIENTI PER 2 PERSONE

- 120 gr di brie
- 1 piccolo scalogno
- Mezzo peperone rosso
- 1 rametto di rosmarino
- 10 ml di olio di oliva
- Peperoncino q.b.
- Sale q.b.

PREPARAZIONE

1. Lavate e asciugate il peperone, togliete semi e filamenti bianchi e poi tagliatelo a striscioline.
2. Sbucciate e lavate lo scalogno e poi tagliatelo a fettine sottili.
3. Lavate e asciugate il rosmarino.
4. Preriscaldate il forno a 200 gradi.
5. Spennellate con l'olio di oliva una teglia e mettete al centro il brie. Cospargetelo con lo scalogno e il peperone, spolverizzate con sale e peperoncino e infornate per 20 minuti.
6. Passato il tempo di cottura, fate intiepidire il brie per 5 minuti e poi servite.

Patatine di parmigiano

TEMPO DI PREPARAZIONE: 5 minuti
TEMPO DI COTTURA: 10 minuti
CALORIE: 228 a porzione
MACRONUTRIENTI: CARBOIDRATI: 2GR; PROTEINE: 13 GR; GRASSI 19 GR

INGREDIENTI PER 2 PERSONE

- 120 gr di parmigiano grattugiato
- 1 cucchiaino di paprika
- Erba cipollina tritata

PREPARAZIONE

1. Preriscaldate il forno a 200 gradi.
2. Rivestite di carta forno una teglia e formate dei mucchietti con il formaggio assicurandovi di lasciare abbastanza spazio tra un mucchietto e l'altro.
3. Se una teglia non è sufficiente dividete il formaggio in due teglie.
4. Cospargete il parmigiano con erba cipollina e paprika.
5. Mettete la teglia in forno e fate cuocere per 8-10 minuti facendo attenzione che il formaggio non si bruci.
6. Lasciate raffreddare e poi servite.

Frittatine dolci al formaggio

TEMPO DI PREPARAZIONE: 5 minuti
TEMPO DI COTTURA: 5 minuti
CALORIE: 260 a porzione
MACRONUTRIENTI: CARBOIDRATI: 2 GR; PROTEINE: 10 GR; GRASSI: 15 GR

INGREDIENTI PER 2 PERSONE
- 2 uova
- 60 gr di formaggio cremoso
- 1 cucchiaino di eritritolo in polvere
- 1⁄2 cucchiaino di cannella in polvere

PREPARAZIONE
1. Per prima cosa, battete le uova in una ciotola.
2. Aggiungete il resto degli ingredienti.
3. Mescolate tutti gli ingredienti fino ad ottenere un composto omogeneo.
4. Lasciatelo riposare 2 minuti prima di cuocerlo.
5. Ungete una padella grande e versateci all'interno 1⁄3 del composto.
6. Cuocete per 2 minuti fino a doratura, capovolge e fate cuocere per un altro minuto
7. Ripetete il processo fino a quando tutto il composto non sarà finito.
8. Servite le frittatine tagliate a quadratini.

Snack di cocco e cioccolato

TEMPO DI PREPARAZIONE: 10 minuti
TEMPO DI RIPOSO: 1 ora
CALORIE: 260 a porzione
MACRONUTRIENTI: CARBOIDRATI: 2 GR; PROTEINE: 10 GR; GRASSI: 15 GR

INGREDIENTI PER 6 PERSONE
- 50 gr di burro
- 4 cucchiai di olio di cocco
- 250 gr di formaggio cremoso
- 8 gocce di dolcificante liquido
- Mezzo limone
- 10 gr di farina di cocco
- 1 cucchiaio di olio di cocco
- 50 gr di cioccolato fondente (90% cacao)

PREPARAZIONE
1. Iniziate preparando 12 piccoli stampi in silicone (possibilmente quadrati) e ungeteli leggermente con dell'olio.
2. Sciogliete, nel frattempo, il burro e l'olio di cocco al microonde a intervalli di 15 secondi.
3. Aggiungete il formaggio spalmabile e mescolate bene gli ingredienti.
4. Aggiungete ora, anche le gocce di dolcificante, il succo e la scorza di limone e la farina di cocco.
5. Mescolate fino ad ottenere un impasto omogeneo.
6. Con un cucchiaio, inserite il composto equamente in ogni stampino.
7. Sciogliete il cioccolato e l'olio di cocco al microonde a intervalli di 15 secondi.
8. Verificate finché non si siano del tutto sciolti.
9. Versate sul composto a base di formaggio.
10. Mettete nel frigorifero e lasciare solidificare per circa 1 ora.
11. Sformate il tutto su una superficie di lavoro togliendo la carta.
12. Potete servire.

Spuntino di frutti rossi e yogurt

TEMPO DI PREPARAZIONE: 2 minuti
CALORIE: 160 a porzione
MACRONUTRIENTI: CARBOIDRATI: 4 GR; PROTEINE: 6 GR; GRASSI: 11 GR

INGREDIENTI PER 2 PERSONE

- 100 gr di frutti rossi (lamponi, fragoline di bosco)
- 10 mandorle sbriciolate
- 200 gr di yogurt greco
- 2 cucchiaini di dolcificante liquido
- Cacao amaro q.b.

PREPARAZIONE

1. Lavate bene e sciacquate i frutti rossi.
2. Mettete in due coppe separate lo yogurt diviso ugualmente in due parti.
3. Aggiungete le mandorle spezzettate grossolanamente, i frutti rossi e spolverizzare il tutto con il cacao amaro.
4. Potete servire.

Tortine di yogurt e albume

TEMPO DI PREPARAZIONE: 10 minuti
TEMPO DI COTTURA: 20 minuti
CALORIE: 60 a porzione
MACRONUTRIENTI: CARBOIDRATI: 4 GR; PROTEINE: 5 GR; GRASSI: 2 GR

INGREDIENTI PER 4 PERSONE

- 200 gr di albume d'uovo
- 100 gr di yogurt greco
- 15 gr di cioccolato fondente al 85%
- 50 gr di farina d'avena
- 15 gr di Stevia

PREPARAZIONE

1. Per prima cosa, fate riscaldare il forno a 180 gradi.
2. In una ciotola montate i 200 gr di albume a neve.
3. Montateli finché il composto rimarrà attaccato alla ciotola.
4. Aggiungete lo yogurt greco alle uova e mescolate con delicatezza.
5. Aggiungete la farina di avena e la stevia, mescolando ancora con accortezza.
6. Con l'ausilio di una frusta elettrica o di una forchetta andate ad amalgamare il composto fino ad ottenere un impasto omogeneo ma un po' liquido.
7. Adesso prendete gli stampi per tortina e con un cucchiaio (o un mestolo) versate un po' di impasto.
8. Aggiungete, al centro dell'impasto, dei pezzi di cioccolato fondente e coprite il tutto con altro impasto.
9. Infornate le tortine e fatele cuocere per 20 minuti.
10. Non appena saranno pronte, lasciatele raffreddare.
11. Servite le tortine tiepide.

Cioccolata calda

TEMPO DI PREPARAZIONE: 10 minuti
TEMPO DI COTTURA: 10 minuti
CALORIE: 120 a porzione
MACRONUTRIENTI: CARBOIDRATI: 3 GR; PROTEINE: 8 GR; GRASSI: 10 GR

INGREDIENTI PER 3 PERSONE

- 150 gr di albume d'uovo
- Acqua q.b.
- 130 gr d'acqua
- 50 gr di cioccolato fondente (al 90% di cacao)

PREPARAZIONE

1. Per prima cosa, prendete un padellino alto al suo interno e aggiungete l'acqua, l'albume d'uovo e il cioccolato spezzato.
2. Accendete il fuoco a fiamma bassa e mescolate per circa 10 minuti finché il composto non si addensi del tutto.
3. Mettete il composto ottenuto ancora caldo nel contenitore adatto e, con un

frullatore a immersione, frullate fino a quando la cioccolata calda liscia e vellutata.
4. Potete direttamente servire.

Biscotti al burro di arachidi

TEMPO DI PREPARAZIONE: 8 minuti
TEMPO DI COTTURA: 10/12 minuti
CALORIE: 75 a porzione
MACRONUTRIENTI: CARBOIDRATI: 6 GR; PROTEINE: 2 GR; GRASSI: 5GR

INGREDIENTI PER 5 PERSONE
- 120 gr di farina di mandorle
- 50 gr di burro d'arachidi
- 50 gr di albume d'uovo

PREPARAZIONE
1. Per prima cosa, fate preriscaldare il forno a 180 gradi.
2. Nel frattempo, in una ciotola, mettete tutti gli ingredienti e mescolate, fino ad ottenere un composto omogeneo.
3. Nel caso in cui l'impasto risultasse troppo secco, potete aggiungere altro albume a sempre poco alla volta.
4. Foderate una teglia con della carta forno.
5. Iniziate adesso a creare i biscotti della forma che preferite.
6. Dopo aver sistemato i biscotti nella teglia, infornateli per 10/12 minuti.
7. Cuocete i biscotti finché non si saranno dorati.
8. Servite sia caldi che tiepidi.

Biscotti al cocco e pistacchio

TEMPO DI PREPARAZIONE: 8 minuti
TEMPO DI COTTURA: 10/12 minuti
CALORIE: 140 a porzione
MACRONUTRIENTI: CARBOIDRATI: 7 GR; PROTEINE: 7 GR; GRASSI: 12 GR

INGREDIENTI PER 5 PERSONE
- 80 gr di farina di mandorle
- 20 gr di farina di pistacchio
- 20 gr di farina di cocco
- 50 gr di burro d'arachidi
- 60 gr di albume d'uovo
- 1 cucchiaino di olio di cocco

PREPARAZIONE
1. Per prima cosa, fate preriscaldare il forno a 180 gradi.
2. Nel frattempo, in una ciotola, montate gli albumi a neve.
3. Dopo che si saranno montati, potete aggiungere tutti gli ingredienti e mescolare, fino ad ottenere un composto omogeneo.
4. Aggiungete il cucchiaio di olio di cocco e mescolate nuovamente.
5. Nel caso in cui l'impasto risultasse troppo secco, potete aggiungere altro albume a sempre poco alla volta.
6. Se invece risultasse troppo liquido, potreste aggiungere poca farina di mandorle.
7. Foderate una teglia con della carta forno.
8. Iniziate adesso a creare i biscotti della forma che preferite.
9. Dopo aver sistemato i biscotti nella teglia, infornateli per 10/12 minuti.
10. Cuocete i biscotti finché non si saranno dorati.
11. Servite quando si saranno leggermente intiepiditi.

Tortine di albume e nocciole

TEMPO DI PREPARAZIONE: 10 minuti
TEMPO DI COTTURA: 20 minuti
CALORIE: 150 a porzione

MACRONUTRIENTI: CARBOIDRATI: 10 GR; PROTEINE: 4 GR; GRASSI: 12 GR

INGREDIENTI PER 6 PERSONE

- 120 gr di albume d'uovo
- 250 gr di farina di mandorle
- 25 gr di nocciole
- 25 gr di dolcificante in polvere
- 20 ml di olio di cocco
- 8 gr di lievito istantaneo
- Un pizzico di cannella

PREPARAZIONE

1. Per prima cosa preriscaldate il forno a 200 gradi.
2. Prendete adesso un mixer e frullate tutti gli ingredienti (tranne le nocciole) fino ad ottenere un composto omogeneo.
3. Tritate finemente le nocciole a parte.
4. Aggiungete, appena tritate, le nocciole all'impasto e mescolate.
5. Combinate bene gli ingredienti fino ad ottenere un composto piuttosto omogeneo.
6. Prendete 12 stampini per tortine e dividete il composto equamente.
7. Mettete le tortine in forno a cuocere per 20 minuti.
8. Verificate la cottura, e appena cotti, servite le tortine alle nocciole, calde.

CAPITOLO 8 – RICETTE DI PRIMI PIATTI

Zuppa cozze, calamari e zucchine

TEMPO DI PREPARAZIONE: 15minuti
TEMPO DI COTTURA: 20 MINUTI
CALORIE: 201a porzione
MACRONUTRIENTI: CARBOIDRATI: 5 GR; PROTEINE:19 GR; GRASSI: 10GR

INGREDIENTI PER 2 PERSONE

- 200 gr di cozze già sgusciate e pulite
- 100 gr di calamari già puliti
- 1 zucchina
- 300 ml di brodo vegetale
- 1 spicchio d'aglio
- un ciuffo di prezzemolo
- sale q.b.
- peperoncino q.b.
- 20 ml di olio di oliva

PREPARAZIONE

1. Lavate e asciugate le cozze.
2. Lavate e asciugate i calamari e poi tagliateli ad anelli.
3. Sbucciate, lavate e asciugate lo spicchio d'aglio.
4. Mettete in un tegame a rosolare dell'olio e appena caldo mettete lo spicchio d'aglio.
5. Appena l'aglio sarà ben dorato toglietelo e mettete a rosolare le cozze e i calamari.
6. Fate cuocere una 10 di minuti, regolate di sale e poi togliete dal fuoco.
7. Spuntate la zucchina, lavatela asciugatela e poi tagliatela a cubetti.
8. Lavate e asciugate il prezzemolo e poi tritatelo.
9. Mettete un filo di olio di oliva e fate soffriggere le zucchine con il prezzemolo per un paio di minuti. Aggiustate di sale, aggiungete il peperoncino e poi il brodo vegetale.
10. Fate cuocere per 10 minuti e poi aggiungete le cozze e i calamari, fate insaporire per un paio di minuti e poi togliete dal fuoco.
11. Mettete la zuppa in una zuppiera e servite.

Zuppa con cernia e zafferano

TEMPO DI PREPARAZIONE: 15 minuti
TEMPO DI COTTURA: 20 minuti
CALORIE: 230 a porzione
MACRONUTRIENTI: CARBOIDRATI: 6 GR; PROTEINE: 38 GR; GRASSI: 5GR

INGREDIENTI PER 2 PERSONE

- 2 tranci di cernia da 200 gr ciascuno
- Mezza costa di sedano
- Mezza carota
- Mezza cipolla

- 1 pomodoro
- 1 spicchio d'aglio
- 1 foglia di salvia
- Un rametto di prezzemolo
- Una bustina di zafferano
- 2 cucchiai di olio di oliva

PREPARAZIONE

1. Iniziate con il pesce. Togliete la pelle e le lische con una pinzetta da pesce e poi lavate i tranci sotto acqua corrente.
2. Sbucciate aglio e cipolla e lavateli sotto acqua corrente e poi asciugateli.
3. Togliete al sedano la parte dura e i filamenti laterali e poi lavatelo e asciugatelo.
4. Spuntate la carota, sbucciatela e poi lavatela.
5. Mettete tutte le verdure nella ciotola di un mixer e tritatele molto finemente.
6. Lavate il pomodoro, asciugatelo e poi tagliatelo a cubetti.
7. Lavate e asciugate la salvia
8. In una pentola portate a bollore 500 ml di acqua. Quando bollirà aggiungete la bustina di zafferano e la foglia di salvia.
9. In una padella fate riscaldare l'olio di oliva. Appena sarà caldo mettete a soffriggere il trito di verdure.
10. Fate soffriggere per 5 minuti, mescolando spesso. Aggiungete il pomodoro e il pesce e continuate a mescolare.
11. Fate soffriggere per altri 5 minuti e poi aggiungete il brodo di zafferano. Continuate la cottura per altri 10 minuti, aggiustando di sale e pepe.
12. Lavate e asciugate il prezzemolo e poi tritate finemente le foglie.
13. Appena il pesce sarà cotto, dividete la zuppa in due piatti individuali e servite cosparsi con il prezzemolo tritato.

Spaghetti di zucchine con speck pesto e granella di noci

TEMPO DI PREPARAZIONE: 10 minuti
TEMPO DI COTTURA: 10minuti
CALORIE: 316a porzione
MACRONUTRIENTI: CARBOIDRATI: 5 GR; PROTEINE: 10 GR; GRASSI: 24GR

INGREDIENTI PER 2 PERSONE

- 2 zucchine
- 50 gr di speck
- 20 gr di granella di noci
- 2 cucchiai di pesto
- 20 ml di olio di oliva
- Sale q.b.
- Pepe q.b.

PREPARAZIONE

1. Spuntate le zucchine, lavatele e asciugatele. Tagliate le zucchine con l'apposito apparecchietto per fare gli spaghetti.
2. Tagliate a pezzettini lo speck.
3. Mettete a riscaldare l'olio di oliva in una padella antiaderente, appena caldo fate soffriggere lo speck per un paio di minuti.
4. Aggiungete adesso gli spaghetti di zucchine e continuate la cottura per altri 8 minuti, mettendo poco sale, in quanto lo speck è già salato di suo, e un pizzico di pepe.
5. Appena gli spaghetti di zucchine saranno pronti metteteli in due piatti e serviteli con lo speck e cosparsi di pesto e granella di noci.

Spaghetti di zucchine con pomodorini e gamberi

TEMPO DI PREPARAZIONE: 10 minuti

TEMPO DI COTTURA: 10 minuti
CALORIE: 202 a porzione
MACRONUTRIENTI: CARBOIDRATI: 4 GR; PROTEINE:21 GR; GRASSI: 16GR

INGREDIENTI PER 2 PERSONE

- 2 Zucchine
- 150 gr Di Gamberi
- 10 Pomodorini
- 1 Spicchio D'aglio
- 20 ml Di Olio Di Oliva
- Sale q.b.
- Pepe q.b.

PREPARAZIONE

1. Iniziate con il pulire I gamberi. Togliete la testa, sgusciateli e poi togliete il filamento intestinale. Lavateli sotto acqua corrente e poi metteteli a scolare.
2. Spuntate le zucchine, lavate e asciugatele e con l'apposito apparecchietto tagliate le zucchine formando tanti spaghetti.
3. Lavate e asciugate i pomodorini e poi tagliateli a metà.
4. Sbucciate lo spicchio d'aglio, lavatelo e asciugatelo.
5. Prendete un tegame e mettete a riscaldare l'olio di oliva. Mettete a dorare l'aglio e appena sarà abbastanza dorato toglietelo e mettete i pomodorini. Fate saltare per 4 minuti e poi aggiungete i gamberi.
6. Fate cuocere altri 2 minuti e poi aggiungete le zucchine.
7. Fate cuocere per altri 5 minuti, mescolando molto delicatamente e regolando di sale e pepe.
8. Appena gli spaghetti sono cotti servite immediatamente.

Lasagne di zucchine con pancetta e granella di pistacchi

TEMPO DI PREPARAZIONE:10 minuti
TEMPO DI COTTURA: 25minuti
CALORIE: 395 a porzione
MACRONUTRIENTI: CARBOIDRATI:6 GR; PROTEINE: 18 GR; GRASSI: 29GR

INGREDIENTI PER 2 PERSONE

- 2 zucchine
- 60 di pancetta a cubetti
- 50 gr di granella di pistacchi
- 20 gr di parmigiano grattugiato
- 8 pomodorini
- 50 ml di panna da cucina
- Olio di oliva 10 ml
- Sale q.b.
- Pepe q.b.

PREPARAZIONE

1. Lavate e asciugate i pomodorini e poi tagliateli a cubetti.
2. Spuntate le zucchine, lavate, asciugatele e poi tagliatele a fettine abbastanza sottili.
3. Prendete una padella e mettete a soffriggere la pancetta per un paio di minuti e poi spegnete il fuoco.
4. Prendete una teglia da forno e spennellatela con l'olio di oliva.
5. Mettete un primo strato di zucchine. Spolverizzate con sale e pepe. Mettete sopra un po' di pomodorini, poi la pancetta e poi cospargete con un po' di panna da cucina.
6. Coprite con un altri strato di zucchine, spolverizzate con sale e pepe e mettete sopra pomodorini e pancetta. Cospargete con il resto della panna e poi mettete sopra parmigiano e granella di pistacchi.
7. Mettete a cuocere in forno per 25

minuti a 200 gradi.
8. Servite le lasagne appena sfornate.

Stracciatella in brodo

TEMPO DI PREPARAZIONE: 5minuti
TEMPO DI COTTURA: 20minuti
CALORIE: 288 a porzione
MACRONUTRIENTI: CARBOIDRATI: 3 GR; PROTEINE: 19 GR; GRASSI: 16GR

INGREDIENTI PER 2 PERSONE
- 4 uova
- 40 gr di parmigiano
- Un pizzico di noce moscata
- 400 ml di brodo di carne
- Sale q.b.
- Pepe q.b.

PREPARAZIONE
1. Sgusciate le uova in un piatto. Sbattetele con il sale, il pepe e la noce moscata.
2. Aggiungete il parmigiano e continuate a sbattere.
3. Mettete il brodo in una pentola e portate ad ebollizione.
4. Quando il brodo inizia a bollire versate il composto di uova e mescolate velocemente con una frusta manuale in modo che formino un composto simile alle uova strapazzate.
5. Aspettate che il brodo ricomincia a bollire e allora spegnete il fuoco e servite immediatamente, cosparsa di pepe nero e un ciuffo di prezzemolo tritato.

Crema fredda pomodoro e crescenza

TEMPO DI PREPARAZIONE: 20minuti+60 minuti di riposo
CALORIE: 190a porzione
MACRONUTRIENTI: CARBOIDRATI: 5 GR; PROTEINE: 5 GR; GRASSI: 8GR

INGREDIENTI PER 2 PERSONE
- 400 gr di pomodori
- Mezzo scalogno
- 20 ml di olio di oliva
- 60 gr di crescenza
- Qualche foglia di basilico
- Sale q.b.
- Pepe q.b.

PREPARAZIONE
1. Mettete a bollire in una pentola un litro di acqua già salata.
2. Nel frattempo, lavate i pomodori e asciugateli. Appena l'acqua sarà bollente tuffate i pomodori e teneteli un minuto.
3. Scolateli, fateli intiepidire con acqua fredda e poi sbucciateli.
4. Eliminate i semi e l'acqua di vegetazione e passate la polpa del pomodoro in un passaverdura, raccogliendo il sugo in una ciotola.
5. Sbucciate e lavate lo scalogno. Poi tagliatelo a piccoli dadini.
6. Lavate e asciugate le foglie di basilico.
7. Prendete la ciotola con il sugo di pomodoro, aggiustate di sale e pepe e mescolate.
8. Unite al sugo il trito di scalogno e qualche foglia di basilico.
9. Mettete il sugo in frigo per 60 minuti.
10. Passati i 60 minuti togliete il pomodoro dal frigo ed eliminate le foglie di basilico.
11. Incorporate l'olio di oliva a filo mescolando con una frusta manuale.
12. Dividete adesso la zuppa in due piatti

e conditeli con la crescenza tagliata a dadini.

13. Completate il piatto con altre foglie di basilico tritate.

Zuppa di verdure e uova

TEMPO DI PREPARAZIONE: 15 minuti
TEMPO DI COTTURA: 90minuti
CALORIE: 181 a porzione
MACRONUTRIENTI: CARBOIDRATI: 5 GR; PROTEINE: 13 GR; GRASSI: 12GR

INGREDIENTI PER 2 PERSONE

- 4 uova
- 100 gr di cavoletti di Bruxelles
- 80 gr di cavolo verde
- 80 gr di cavolo rosso
- 80 gr di verza
- 1 costa di sedano
- 1 rametto di rosmarino
- 2 foglie di salvia
- Due cucchiai di aceto di mele
- Olio di oliva 20 ml
- Sale q.b.
- Pepe q.b.
- Peperoncino q.b.

PREPARAZIONE

1. Lavate e poi asciugate con carta assorbente i cavoletti di Bruxelles. Poi tagliateli in 4 parti.
2. Lavate e asciugate il cavolo verde e quello rosso. Poi tagliateli in piccoli pezzetti.
3. Lavate le foglie di verza, asciugatele e tagliatele a pezzettini.
4. Prendete il sedano togliete i filamenti bianchi, lavatelo, asciugatelo e poi tritatelo.
5. Lavate e asciugate rosmarino e salvia.
6. Mettete in una casseruola l'olio di oliva a riscaldare. Aggiungete il sedano e fatelo rosolare a fiamma bassa per 3 minuti.
7. Aggiungete salvia e rosmarino, fate soffriggere un minuto e poi aggiungete la verza e i 2 tipi di cavolo.
8. Fate insaporire per 5 minuti e poi aggiungete un litro di acqua calda. Aggiungete sale, pepe e peperoncino.
9. Mettete il coperchio e lasciate cuocere a fiamma media per 40 minuti, mescolando di tanto in tanto.
10. Passati i 40 minuti aggiungete i cavoletti di Bruxelles e fate cuocere per altri 30 minuti, regolando di sale e pepe.
11. Quando le verdure sono pronte passate a preparare le uova.
12. Prendete un tegame e mettete un litro di acqua e l'aceto. Portate l'acqua a bollore. Quando l'acqua bolle fate scivolare un uovo all'interno dell'acqua e fatelo cuocere per 3 minuti cercando di non romperlo.
13. Le uova devono essere messe direttamente nel piatto con la zuppa, quindi mentre l'uovo si cuoce, dividete la zuppa in due piatti da portata. Appena l'uovo è pronto mettetelo nel piatto e passate a preparare l'altro.
14. Servite la zuppa cosparsa di erba cipollina.

Vellutata di cavolfiore e salmone affumicato

TEMPO DI PREPARAZIONE: 15 minuti
TEMPO DI COTTURA: 30minuti
CALORIE: 172 a porzione
MACRONUTRIENTI: CARBOIDRATI: 2 GR; PROTEINE: 12 GR; GRASSI: 9GR

INGREDIENTI PER 2 PERSONE

- 400 gr di cavolfiore

- 1 scalogno piccolo
- 400 ml di brodo vegetale caldo
- Qualche bacca di ginepro
- 4 fette di salmone affumicato
- Qualche rametto di aneto
- 20 ml di olio di oliva
- Sale q.b.
- Pepe q.b.

PREPARAZIONE

1. Lavate accuratamente sotto acqua corrente il cavolfiore. Asciugatelo e poi tagliatelo a pezzettini.
2. Sbucciate lo scalogno, poi lavatelo, asciugatelo e tritatelo finemente.
3. Prendete un tegame abbastanza ampio e mettete a riscaldare l'olio di oliva. Appena sarà caldo mettete lo scalogno a rosolare.
4. Appena lo scalogno si sarà dorato, aggiungete il cavolfiore.
5. Fate rosolare un paio di minuti, regolando di sale e pepe. Aggiungete adesso il brodo vegetale e fate cuocere con un coperchio per altri 25 minuti.
6. Controllate il cavolfiore e se non è ancora abbastanza morbido fate cuocere per altri 5 minuti.
7. Finita la cottura mettete il cavolfiore nel bicchiere del frullatore, e frullate fino a quando non otterrete un composto senza grumi e fluido.
8. Mettete la vellutata in una zuppiera e conditela con le fette di salmone arrotolate a formare il bocciolo di una rosa e cosparso con le bacche di ginepro e i ciuffi di aneto.

Crema di asparagi e gamberi

TEMPO DI PREPARAZIONE:15minuti
TEMPO DI COTTURA: 30minuti
CALORIE: 233 a porzione
MACRONUTRIENTI: CARBOIDRATI: 3 GR; PROTEINE: 29 GR; GRASSI: 15GR

INGREDIENTI PER 2 PERSONE

- 200 gr di asparagi
- 200 gr di gamberetti sgusciati e puliti
- 1 piccolo scalogno
- 400 ml di brodo vegetale caldo
- 2 foglie di alloro
- 20 ml di olio di oliva
- Sale q.b.
- Pepe q.b.

PREPARAZIONE

1. Iniziate la preparazione con i gamberetti. Lavateli e asciugateli.
2. Lavate e asciugate le foglie di alloro.
3. Mettete un cucchiaino di olio di oliva in un tegame e fatelo riscaldare. Aggiungete l'alloroe i gamberi, regolate di sale e pepe de fateli cuocere per 7 minuti.
4. Togliete i gamberi dal fuoco e metteteli da parte.
5. Passate adesso agli asparagi. togliete la parte dura e pelateli lateralmente con un pelapatate. Poi lavateli sotto acqua corrente e asciugateli e

tagliateli in tanti piccoli pezzi.
6. Sbucciate, lavate e tritate lo scalogno.
7. Mettete un cucchiaino di olio di oliva in un tegame e mettete a soffriggere lo scalogno.
8. Quando sarà ben dorato mettete gli asparagi. Regolate di sale e pepe e fateli saltare un paio di minuti.
9. Coprite gli asparagi con il brodo vegetale e fate cuocere per 20 minuti coprendo il tegame con un coperchio.
10. Appena gli asparagi saranno cotti prendete il frullatore ad immersione e frullate tutto. Non devono rimanere assolutamente pezzi duri.
11. Trasferite la crema di asparagi in una zuppiera, aggiungete i gamberi e decorate con erba cipollina tritata.

Vellutata di zucchine e pesce spada

TEMPO DI PREPARAZIONE:15minuti
TEMPO DI COTTURA: 25minuti
CALORIE: 243 a porzione
MACRONUTRIENTI: CARBOIDRATI:2 GR; PROTEINE: 21 GR; GRASSI:20GR

INGREDIENTI PER 2 PERSONE

- 2 zucchine
- 2 tranci di pesce spada da 100 gr ciascuno
- 20 gr di scalogno tritato
- 30 ml di panna da cucina
- 1 rametto di timo
- 1 rametto di rosmarino
- Pepe rosa in grani q.b.
- Sale q.b.
- Pepe q.b.
- 20 ml di olio di oliva

PREPARAZIONE

1. Spuntate le zucchine e poi lavatele e asciugatele. Tagliatele a rondelle non tanto grandi.
2. Lavate e asciugate timo e rosmarino.
3. In un tegame fate riscaldare l'olio e poi mettete lo scalogno a soffriggere assieme a timo e rosmarino. Quando lo scalogno sarà ben dorato aggiungete le zucchine.
4. Fate rosolare per un paio di minuti e aggiustate di sale e pepe. Aggiungete adesso due mestoli di acqua e fate cuocere le zucchine per 15 minuti.
5. Nel frattempo, preparate il pesce spada. Lavate e asciugate il pesce, privatelo della pelle e dell'osso centrale e tagliate la polpa a cubetti.
6. In una padella fate riscaldare un filo d'olio, aggiungete il pesce spada e fatelo cuocere per una decina di minuti. Togliete dal fuoco e mettete il pesce da parte.
7. Quando le zucchine saranno abbastanza morbide, spegnete, togliete il timo e il rosmarino e frullate il tutto con un frullatore ad immersione.
8. Aggiungete la panna da cucina e con un cucchiaio di legno fatela amalgamare alle zucchine.
9. Trasferite la crema in una zuppiera, aggiungete i cubetti di pesce spada e decorate con i grani di pepe rosa.

Crema di funghi porcini e speck croccante

TEMPO DI PREPARAZIONE:15minuti
TEMPO DI COTTURA: 20minuti
CALORIE: 208a porzione
MACRONUTRIENTI: CARBOIDRATI: 3 GR; PROTEINE: 9 GR; GRASSI: 21GR

INGREDIENTI PER 2 PERSONE

- 250 gr di funghi porcini
- 50 gr di speck tagliato a fettine
- 20 gr di scalogno tritato
- 300 ml di brodo vegetale caldo
- 30 ml di panna da cucina
- 20 ml di olio di oliva
- Sale q.b.
- Pepe q.b.

PREPARAZIONE

1. Rimuovete dai funghi la parte terrosa. Lavateli velocemente sotto acqua corrente e asciugateli.
2. Tagliate i funghi grossolanamente e metteteli da parte.
3. Mettete a scaldare in un tegame dell'olio di oliva e quando sarà abbastanza caldo mettete a soffriggere lo scalogno.
4. Appena lo scalogno sarà dorato, aggiungete i funghi. Salate, pepate e fateli saltare per un paio di minuti.
5. Aggiungete adesso il brodo vegetale caldo, e fate cuocere a fuoco medio per 15 minuti.
6. Nel frattempo, passate allo speck. Tagliatelo a listarelle sottili. Prendete una padella fate riscaldare un po' di olio e poi mettete lo speck.
7. Fate saltare lo speck un paio di minuti, il tempo necessario che diventi croccante ma non troppo cotto o duro.
8. Appena i funghi saranno cotti, spegnete la fiamma e con un frullatore ad immersione frullate tutto.
9. Aggiungete la panna da cucina e mescolate con un cucchiaio di legno.
10. Versate la crema di funghi in una zuppiera e cospargetela con lo speck croccante.

Crespelle cheto con ricotta e salmone

TEMPO DI PREPARAZIONE: 15minuti+ 20 minuti di riposo in frigo
TEMPO DI COTTURA: 20minuti
CALORIE: 323 a porzione
MACRONUTRIENTI: CARBOIDRATI: 6GR; PROTEINE:24 GR; GRASSI: 23GR

INGREDIENTI PER 2 PERSONE

- 1 uovo
- 100 ml di latte
- 50 gr di farina di mandorle
- 200 gr di ricotta
- 100 gr di salmone affumicato
- 1 ciuffo di prezzemolo tritato
- 1 cucchiaino di aneto tritato
- 4 bacche di ginepro
- Sale q.b.
- Pepe q.b.
- Olio di oliva q.b.

PREPARAZIONE

1. Iniziate con il preparare l'impasto per le crespelle. Mettete le uova in una ciotola assieme al latte e con una frusta manuale mescolate i due ingredienti.
2. Aggiungete la farina setacciata e un pizzico di sale e continuate a sbattere fino a quando non otterrete un composto omogeneo e privo di grumi.
3. Coprite la ciotola con carta trasparente e mettete in frigo a riposare per 20 minuti.
4. Togliete l'impasto dal frigo. Mettete a scaldare in una padella antiaderente un filo d'olio e appena caldo versate un po' di impasto.
5. Inclinate la padella in modo da ricoprirla tutta, fate cuocere per un minuto e poi girate la crespella.

6. Quando sarà cotta toglietela dalla padella e passate a preparare le altre.
7. Finito di preparare le crespelle iniziate a preparare il ripieno.
8. In una ciotola mettete assieme la ricotta, il salmone affumicato, prezzemolo, aneto e ginepro. Mescolate il tutto e regolate di sale e pepe.
9. Prendete una teglia e foderatela con carta forno.
10. Prendete le crespelle e riempitele con il mix di ricotta e salmone e poi richiudetele in quattro parti.
11. Adagiatele sulla teglia e mettete in forno a 160 gradi per 5 minuti.
12. Togliete le crespelle dal forno e servite.

Vellutata di gamberetti e champignon

TEMPO DI PREPARAZIONE:20 minuti
TEMPO DI COTTURA: 35 minuti
CALORIE: 311a porzione
MACRONUTRIENTI: CARBOIDRATI: 3 GR; PROTEINE:28 GR; GRASSI: 19GR

INGREDIENTI PER 2 PERSONE

- 250 gr di gamberetti sgusciati e puliti
- Mezzo scalogno
- 10 gr di carota tritata
- 20 gr di sedano tritato
- 2 tuorli
- 500 ml di brodo di pollo
- 100 ml di panna da cucina
- 50 gr di funghi champignon
- 2 cucchiai di farina di mandorle
- Sale q.b.
- Pepe q.b.
- 20 ml di olio di oliva
- Un pizzico di noce moscata

PREPARAZIONE

1. Sbucciate, lavate e asciugate lo scalogno e poi tritatelo.
2. Lavate e asciugate i gamberetti.
3. Pulite i funghi. Togliete la parte terrosa, lavateli asciugateli e poi tagliateli grossolanamente.
4. Mettete in una pentola l'olio di oliva, versate la farina e mescolate.
5. Aggiungete 300 ml brodo di pollo e continuate a mescolare fino a quando il brodo non sarà giunto a bollore.
6. Unite i funghi, un pizzico di sale, di pepe e la noce moscata e fate cuocere a fuoco lento per 15 minuti.
7. Nel frattempo, prendete un tegame e mettete a soffriggere con un filo di olio di oliva il sedano, lo scalogno e la carota. Mescolate e poi aggiungete i gamberetti. unite anche il resto del brodo e fate cuocere per 10 minuti. Appena saranno cotti togliete 4 gamberetti e metteteli da parte.
8. Aggiungete i gamberetti ai funghi e con un frullatore ad immersione frullate il tutto.
9. Mettete il tutto in una casseruola, aggiungete i tuorli e la panna e fate cuocere mescolando di continuo per altri 5 minuti.
10. Mettete in una zuppiera e servite con i gamberetti che avete messo da parte.

CAPITOLO 9 – RICETTE DI SECONDI PIATTI

SECONDI DI CARNE

Involtini di vitello con frittatine

TEMPO DI PREPARAZIONE: 15 minuti
TEMPO DI COTTURA: 15 minuti
CALORIE: 353 a porzione
MACRONUTRIENTI:
CARBOIDRATI:2GR; PROTEINE: 40 GR; GRASSI: 23 GR;

INGREDIENTI PER 2 PERSONE

- 4 fettine di vitello da 100 gr ciascuna
- 10 gr di carota tritata
- Mezzo scalogno
- 20 gr di sedano tritato
- 30 ml di brodo di carne
- 2 uova
- 4 fette sottili di prosciutto cotto
- 1 cucchiaino di erba cipollina tritata
- 20 ml di olio di oliva
- Sale q.b.
- Pepe q.b.

PREPARAZIONE

1. Iniziate con il preparare le frittatine. In una ciotola sbattete le uova con il sale, il pepe e l'erba cipollina.
2. Mettete un filo di olio di oliva in una padella e cuocete 4 piccole frittatine.
3. Mettete le frittatine da parte e passate alla carne.
4. Lavate e asciugate le fettine e poi mettete sopra una fetta di prosciutto.
5. Mettete adesso le frittatine e chiudete gli involtini sigillandoli con degli stuzzicadenti.
6. Sbucciate e lavate lo scalogno e poi tritatelo.
7. In un'altra padella mettete a scaldare l'olio di oliva. Appena caldo mettete a soffriggere il sedano, lo scalogno e la carota. Fate saltare un paio di minuti e poi aggiungete la carne.
8. Fatela rosolare per 5 minuti, girandola da tutti i lati e regolate di sale e pepe.
9. Passati i 5 minuti aggiungete il brodo di carne e fate cuocere la carne per altri 10 minuti.
10. Togliete la carne e mettetela in due piatti da portata.
11. Fate restringere il fondo di cottura e poi cospargete la carne con il sughetto e servite.

Filetto di manzo con salsa allo zafferano

TEMPO DI PREPARAZIONE: 15minuti
TEMPO DI COTTURA: 15 minuti
CALORIE: 377a porzione

MACRONUTRIENTI: CARBOIDRATI: 1GR; PROTEINE: 31 GR; GRASSI: 25 GR;

INGREDIENTI PER 2 PERSONE

- 2 filetti di manzo da 150 gr ciascuno
- Mezzo scalogno
- Un cucchiaino di semi di coriandolo
- Un cucchiaino di semi di finocchio
- Una bustina di zafferano
- 20 ml di olio di oliva
- 50 ml di panna da cucina
- Sale q.b.
- Pepe q.b.

PREPARAZIONE

1. Fate riscaldare in un pentolino la panna. Appena iniziano le prime bollicine spegnete il fuoco e mettete lo zafferano. Mescolate bene in modo che il composto risulti omogeneo.
2. Sbucciate lo scalogno, lavatelo e poi tritatelo.
3. Lavate e asciugate i filetti e poi legateli con dello spago da cucina in modo che non si deformino durante la cottura.
4. Mettete l'olio di oliva in una padella e quando sarà caldo fate rosolare un paio di minuti per lato il filetto, facendo attenzione a sigillare bene la carne da tutti i lati. Regolate di sale e pepe.
5. Togliete i filetti e metteteli da parte.
6. Nella stessa padella della carne fate adesso soffriggere lo scalogno, il coriandolo e i semi di finocchio.
7. Fate soffriggere un paio di minuti e poi aggiungete la panna allo zafferano. Mescolate, aggiustate di sale e pepe e fate cuocere per altri 5 minuti.
8. A questo punto aggiungete i filetti, fate insaporire la carne da entrambi i lati per un paio di minuti in modo che si insaporisca bene.
9. Togliete la carne dal fuoco e servite cosparsa con il sugo allo zafferano.

Filetto di manzo ai funghi

TEMPO DI PREPARAZIONE: 10 minuti
TEMPO DI COTTURA: 20 minuti
CALORIE: 360 a porzione
MACRONUTRIENTI: CARBOIDRATI: 3 GR; PROTEINE: 40 GR; GRASSI: 18 GR;

INGREDIENTI PER 2 PERSONE

- 2 filetti di vitello da 200 gr ciascuno
- 200 gr di funghi champignon
- 20 ml di olio di oliva
- 1 spicchio d'aglio
- Sale q.b.
- Pepe q.b.
- Un ciuffo di prezzemolo.

PREPARAZIONE

1. Iniziate con il pulire i funghi. Togliete la parte terrosa, lavateli bene sotto acqua corrente, asciugateli e poi tagliateli a fettine sottili.
2. Pulite il filetto. Togliete il grasso in eccesso o se ancora presente la parte callosa e poi lavatelo sotto acqua corrente e asciugatelo con carta assorbente.
3. Sbucciate e lavate l'aglio.
4. In un tegame mettete a riscaldare l'olio. Non appena sarà abbastanza caldo mettete a soffriggere l'aglio.
5. Appena l'aglio avrà assunto un colore dorato toglietelo dal tegame e mettete il filetto a rosolare.
6. Fate cuocere il filetto 3 minuti da entrambe i lati facendo attenzione a sigillare bene la carne. Aggiustate di sale e pepe.
7. Passato il tempo di cottura mettete il filetto a riposare in modo che rimanga comunque al caldo.

8. Nello stesso tegame dove avete rosolato i filetti, mettete adesso a cuocere i funghi.
9. Cuoceteli per 6 minuti, mescolando di tanto in tanto, poi aggiungete il sale e il pepe e fateli cuocere ancora per 10 minuti.
10. Nel frattempo, lavate, asciugate e tritate finemente il prezzemolo.
11. Appena i funghi saranno pronti prendete due piatti da portata, mettete un filetto per piatto, contornate con i funghi e irrorateli con il fondo di cottura dei funghi. Finite di guarnire con il prezzemolo tritato e servite.

Insalata di manzo e uova

TEMPO DI PREPARAZIONE: 10 minuti
TEMPO DI COTTURA: 20 minuti
CALORIE: 326 a porzione
MACRONUTRIENTI: CARBOIDRATI: 5 GR; PROTEINE: 38GR; GRASSI: 14GR;

INGREDIENTI PER 2 PERSONE
- 2 filetti di manzo da 150 gr ciascuno
- 100 gr di fagiolini
- 2 uova
- 6 olive nere
- 10 foglie di lattuga
- 8 pomodorini
- 1 cucchiaio di olio di oliva
- 2 cucchiai di aceto di mele
- Sale q.b.
- Pepe q.b.

PREPARAZIONE
1. Iniziate la preparazione con i fagiolini. Togliete le estremità e lavateli sotto acqua corrente.
2. Mettete una pentola con acqua salata a bollire. Appena giunta a bollore, versate i fagiolini e fateli cuocere per 15 minuti.
3. Nel frattempo che i fagiolini si lessano, preparate le uova.
4. Portate a bollore dell'acqua in un pentolino. Giunta a bollore immergete le uova e fatele cuocere per 8 minuti.
5. Togliete le uova dal fuoco e fatele raffreddare con acqua fredda. Sbucciatele e poi tagliatele a metà.
6. Passate alla carne. Privatela del grasso in eccesso e poi lavatela e asciugatela.
7. Mettete sul fuoco una griglia e appena sarà abbastanza calda mettete i filetti a grigliare.
8. Fate cuocere il filetto 5 minuti per parte girandolo una sola volta e aggiustando di sale e pepe.
9. Togliete il filetto dal fuoco e poi tagliatelo a cubetti non troppo grandi.
10. Appena i fagiolini saranno cotti, toglieteli dal fuoco, metteteli prima a scolare e poi lasciateli raffreddare.
11. Lavate e asciugate i pomodorini e poi tagliateli a metà.
12. Lavate e asciugate bene le foglie di lattuga e poi tagliatela.
13. Prendete una ciotola. Mettete all'interno i pomodorini, i fagiolini e la lattuga. Aggiungete l'olio di oliva, sale, pepe e l'aceto di mele e mescolate.
14. Aggiungete adesso le olive e mescolate il tutto molto delicatamente.
15. Adagiate le verdure condite in modo equo in due piatti da portata. Mettete sopra le verdure i cubetti di vitello e finite con le uova. Aggiustate, se necessario, di sale e di pepe e servite.

Filetto di vitello in crosta di noci

TEMPO DI PREPARAZIONE: 10 minuti
TEMPO DI COTTURA: 15 minuti

CALORIE:400 a porzione
MACRONUTRIENTI: CARBOIDRATI: 2GR; PROTEINE: 36 GR; GRASSI: 21GR;

INGREDIENTI PER 2 PERSONE

- 2 medaglioni di filetto da 150 gr ciascuno
- 60 gr di granella di noci
- Il succo di un limone
- La buccia di un limone
- 10 gr di rosmarino tritato
- 20 gr di barba di finocchio tritata
- Olio di oliva 20 ml
- Sale q.b.
- Pepe q.b.

PREPARAZIONE

1. Iniziate con il pulire la carne. Lavatela, asciugatela e togliete il grasso in eccesso.
2. Lavate la buccia del limone e poi tagliatele a fettine sottili.
3. In un piatto mettete assieme le noci tritate, le barbe di finocchio, e il rosmarino. Mescolate e amalgamateli per bene.
4. Impanate il filetto di vitello con la panatura di noci, premendo bene con i polpastrelli per farla aderire in maniera omogenea.
5. In un tegame scaldate l'olio di oliva. Mettete a rosolare il filetto, facendolo cuocere 3 minuti per ogni lato. Regolate di sale e pepe, poi togliete i filetti dal fuoco e teneteli al caldo.
6. Nello stesso tegame preparate la salsa di accompagnamento. Mettete il succo di limone, un cucchiaio di acqua, un filo di olio di oliva, sale e pepe e lasciate ridurre della metà, mescolando per non fare bruciare il sughetto.
7. Prendete due piatti da portata, mettete sul fondo del piatto il sughetto al limone, adagiate sopra il filetto e servite contornati con degli spicchi di limone.

Carpaccio di vitello con zucchine

TEMPO DI PREPARAZIONE: 15minuti+3 ore di riposo in frigo
CALORIE:175 a porzione
MACRONUTRIENTI: CARBOIDRATI: 2GR; PROTEINE: 23GR; GRASSI: 8GR;

INGREDIENTI PER 2 PERSONE

- 200 gr di carne per carpaccio tagliata sottilissima
- 1 zucchina
- 1 ciuffo di prezzemolo
- 1 limone
- Olio di oliva q.b.
- Sale q.b.
- Pepe q.b.

PREPARAZIONE

1. Iniziate con la zucchina. Lavatela e asciugatela. Togliete le estremità e poi affettatela sottilmente aiutandovi con un pelapatate.
2. Lavate e asciugate il prezzemolo e poi tritatelo finemente.
3. In una ciotola mettete l'olio di oliva, il prezzemolo e il succo di limone filtrato. Mescolate il tutto e poi aggiungete sale e pepe. Emulsionate bene gli ingredienti.
4. Disponete la carne in un piatto da portata abbastanza ampio e alternatela con le fettine di zucchina.
5. Cospargete zucchina e carne con l'emulsione.
6. Mettete a riposare il carpaccio in frigo prima di servire.

7. Al momento di servire la carne potete decorarla con la scorza di limone tagliata a lamelle sottili.

Scaloppine di vitello con radicchio

TEMPO DI PREPARAZIONE: 15minuti
TEMPO DI COTTURA: 40 minuti
CALORIE: 237a porzione
MACRONUTRIENTI: CARBOIDRATI: 1 GR; PROTEINE: 34 GR; GRASSI: 24GR;
INGREDIENTI PER 2 PERSONE

- 4 fettine di vitello
- 4 foglie di radicchio
- 40 gr di scamorza
- Mezzo scalogno
- Farina di mandorle q.b.
- Olio di oliva 20 ml
- Sale q.b.
- Pepe q.b.

PREPARAZIONE

1. Lavate e asciugate il radicchio. Poi tagliatelo a listarelle sottili.
2. Sbucciate e lavate lo scalogno e poi tritatelo.
3. Mettete in un tegame un filo di olio di oliva e appena sarà caldo mettete a rosolare lo scalogno.
4. Quando lo scalogno si sarà rosolato aggiungete il radicchio. Fatelo cuocere per 3 minuti e poi aggiungete sale e pepe.
5. Aggiungete un bicchiere di acqua, coprite il radicchio con un coperchio e fate cuocere per altri 15 minuti a fuoco lento.
6. Quando il radicchio sarà pronto mettetelo a riposare in un piatto.
7. Adesso preparate la carne. Lavate e asciugate le fettine e poi passatele accuratamente nella farina di mandorle.
8. Mettete in un tegame un cucchiaio di olio di oliva a riscaldare. Appena caldo mettete le fettine di vitello a rosolare fino a quando l'esterno non sarà ben dorato.
9. Aggiungete nel tegame il radicchio e la scamorza tagliata a cubetti. Coprite con un coperchio e fate cuocere un altro paio di minuti, il tempo necessario per far sciogliere il formaggio.
10. Togliete la carne dal fuoco e servite subito.

Scaloppine di vitello con panna e funghi

TEMPO DI PREPARAZIONE: 10 minuti
TEMPO DI COTTURA: 20minuti
CALORIE: 413 a porzione
MACRONUTRIENTI: CARBOIDRATI: 4GR; PROTEINE: 43GR; GRASSI: 27GR;

INGREDIENTI PER 2 PERSONE

- 4 fettine di fesa di vitello da 100 gr ciascuna
- 250 gr di funghi champignon
- 100 ml di panna da cucina
- 30 ml di brodo vegetale
- 1 spicchio d'aglio
- Farina di mandorle q.b.
- Un ciuffo di prezzemolo
- 20 ml di olio di oliva
- Sale q.b.
- Pepe q.b.

PREPARAZIONE

1. Iniziate con i funghi. Togliete la parte terrosa, lavateli, asciugateli e poi tagliateli a fettine.

2. Sbucciate e lavate lo spicchio d'aglio.
3. Lavate, asciugate e tritate il ciuffo di prezzemolo.
4. In una padella mettete 10 ml di olio di oliva. Fatelo scaldare e poi mettete lo spicchio d'aglio.
5. Quando l'aglio sarà ben dorato, aggiungete i funghi. Fateli rosolare un paio di minuti, regolate di sale e pepe e poi aggiungete il brodo vegetale.
6. Fate cuocere i funghi fino a quando il sugo di fondo non si sarà ritirato della metà.
7. Lavate e asciugate il vitello e poi infarinatelo bene con la farina di mandorle.
8. In un'altra padella fate scaldare 10 ml di olio di oliva e appena caldo mettete a rosolare il vitello. Giratele un paio di volte, aggiustate di sale e pepe e poi trasferitele nella padella con i funghi.
9. Fate proseguire la cottura per un paio di minuti e poi aggiungete la panna. Spegnete il fuoco e spolverizzate la carne con il prezzemolo tritato.
10. Servite immediatamente le scaloppine ricoperte con i funghi e il fondo di cottura.

Tagliata di manzo asparagi

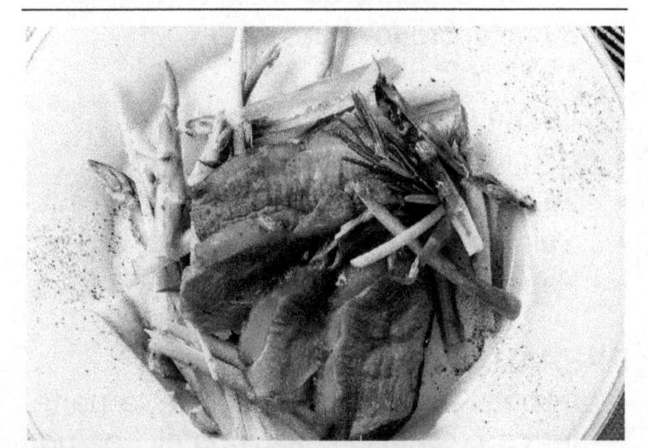

TEMPO DI PREPARAZIONE: 15minuti
TEMPO DI COTTURA: 20 minuti
CALORIE: 320 a porzione
MACRONUTRIENTI: CARBOIDRATI: 1GR; PROTEINE:32GR; GRASSI: 17GR;

INGREDIENTI PER 2 PERSONE

- Un pezzo di tagliata intero da 300 gr
- 200 gr di asparagi
- Uno scalogno
- Un rametto di rosmarino
- 2 foglie di alloro
- 2 cucchiai di olio di oliva
- Sale q.b.
- Pepe q.b.

PREPARAZIONE

1. Spuntate e pelate gli asparagi. Lavateli sotto acqua corrente e poi asciugateli.
2. Mettete una pentola con acqua già salata a bollire e fate sbollentare gli asparagi per 10 minuti.
3. Spegnete e mettete gli asparagi a scolare.
4. Sbucciate e lavate lo scalogno e poi tagliatelo a fettine sottili.
5. Mettete in una padella a riscaldare l'olio di oliva e poi fate rosolare lo scalogno per un paio di minuti.
6. Aggiungete gli asparagi e fate cuocere per 5 minuti aggiustando di sale e pepe.
7. Preparate adesso la carne.
8. Lavate e asciugate la tagliata.
9. Lavate e asciugate alloro e rosmarino.
10. Prendete una teglia e spennellatela con un po' di olio di oliva. Mettete all'interno la carne, spolverizzatela con sale e pepe, e aggiungete anche le erbe aromatiche.
11. Fate cuocere a 200 gradi per 20 minuti.
12. Appena la carne sarà cotta, toglietela dal forno fatela leggermente intiepidire

e poi tagliatela a fettine.
13. Servite la carne cosparsa con gli asparagi e lo scalogno.

Tartare di vitello e avocado

TEMPO DI PREPARAZIONE: 10minuti+ 30 minuti di riposo in frigo
CALORIE: 317 a porzione
MACRONUTRIENTI: CARBOIDRATI: 1GR; PROTEINE: 21GR; GRASSI: 22GR;

INGREDIENTI PER 2 PERSONE
- 200 gr di filetto di vitello
- 20 ml di olio di oliva
- 1 limone
- Mezzo avocado
- Mezzo scalogno
- 1 cucchiaino di erba cipollina
- 1 cucchiaino di paprika dolce
- Sale q.b.
- Pepe verde macinato q.b.
- Un ciuffo di prezzemolo tritato

PREPARAZIONE
1. Sbucciate l'avocado, togliete il nocciolo e poi lavatelo e asciugatelo. Tagliatelo a piccoli dadini.
2. Sbucciate e lavate lo scalogno. Asciugatelo e poi tritatelo.
3. Lavate e asciugate il filetto e poi tagliatelo a cubetti piccolissimi, quasi fosse carne tritata.
4. Lavate e asciugate il limone, grattugiate la buccia e mettetela da parte e poi spremete la polpa e filtratene il succo in una ciotola.
5. Mettete nella ciotola con il succo di limone la carne, il sale, il pepe, l'erba cipollina, l'olio di oliva la paprika, e il prezzemolo.
6. Mescolate delicatamente per amalgamare il tutto e poi aggiungete i dadini di avocado.
7. Mescolate, amalgamate e poi mettete a riposare in frigo per mezz'ora prima di servire.
8. Servite la carne al centro del piatto aiutandovi con un coppa pasta per dare la forma rotonda e spolverizzate la superficie con la scorza grattugiata del limone.

Petto di pollo marinato con avocado

TEMPO DI PREPARAZIONE: 15 minuti+ 20 minuti di marinatura in frigo
TEMPO DI COTTURA: 10 minuti
CALORIE: 459 a porzione
MACRONUTRIENTI: CARBOIDRATI: 3GR; PROTEINE:44 GR; GRASSI: 24GR;

INGREDIENTI PER 2 PERSONE
- 300 gr di fettine di pollo sottili
- 1 limone
- Uno scalogno
- 200 gr di pomodorini
- 1 avocado
- Origano essiccato q.b.
- Salvia essiccata q.b.
- Sale q.b.
- Pepe q.b.
- Olio di oliva q.b.

PREPARAZIONE
1. Lavate e asciugate le fettine di pollo.
2. Trasferite il pollo in una pirofila abbastanza ampia e condite con olio, sale e pepe.
3. Spremete il limone e filtratene il succo. Poi irrorate le fettine di pollo.
4. Aggiungete anche le erbe aromatiche

e mescolate le fettine per aromatizzarle per bene.
5. Coprite con carta trasparente e mettetele 20 minuti in frigo a marinare.
6. Lavate e asciugate i pomodorini e poi tagliateli a cubetti.
7. Sbucciate lo scalogno, lavatelo e tritatelo.
8. Sbucciate l'avocado, togliete il nocciolo, lavatelo asciugatelo e poi tagliatelo a cubetti.
9. Mettete pomodori, avocado, e scalogno in una ciotola, conditeli con olio sale e pepe e mescolate per amalgamare il tutto.
10. Passati i 20 minuti togliete il pollo dal frigo.
11. Scaldate una griglia che dovrà essere rovente, e fate cuocere le fettine 3 minuti per lato. Il pollo deve essere ben cotto e presentare le striature della griglia in superficie.
12. Trasferite il pollo nei piatti da portata e contornate con il composto di avocado e pomodorini.

Pollo alle mandorle

TEMPO DI PREPARAZIONE: 10 minuti
TEMPO DI COTTURA:20 minuti
CALORIE:487a porzione
MACRONUTRIENTI: CARBOIDRATI: 2GR; PROTEINE: 44 GR; GRASSI: 30GR;

INGREDIENTI PER 2 PERSONE

- Un petto di pollo da 300 gr
- 40 gr di mandorle già pelate
- 20 ml di salsa di soia
- 10 gr di zenzero fresco
- Mezzo scalogno
- 1 spicchio d'aglio
- Farina di mandorle q.b.
- Sale q.b.
- Pepe q.b.
- Olio q.b.

PREPARAZIONE

1. Lavate e asciugate il pollo, togliete se presenti ossicini e pelle o grasso in eccesso e poi tagliatelo a dadini abbastanza grossi. Poi passateli nella farina di mandorle e lasciateli a riposare.
2. Mettete le mandorle in una padella antiaderente e fatele tostare fino a quando non diventano leggermente dorate.
3. Sbucciate e lavate lo scalogno e poi tritatelo.
4. Lavate e sbucciate l'aglio e poi tritatelo.
5. Lavate lo zenzero e poi asciugatelo e grattugiatelo.
6. Mettete un cucchiaio di olio di oliva in un tegame e appena sarà caldo mettete a soffriggere la cipolla e l'aglio. Aggiungete lo zenzero e mescolate per non fare bruciare il soffritto.
7. Adesso aggiungete il pollo e fatelo rosolare per una decina di minuti, mescolando spesso.
8. Versate adesso la salsa di soia e due cucchiai di acqua calda. Unite anche le mandorle e fate cuocere per altri 3 minuti.
9. Quando il pollo è pronto togliete dal fuoco e servite subito cosparso con il fondo di cottura.

Filetti di pollo con olive e funghi

TEMPO DI PREPARAZIONE: 20 minuti
TEMPO DI COTTURA: 20 minuti
CALORIE:407a porzione

MACRONUTRIENTI: CARBOIDRATI: 3GR; PROTEINE:41 GR; GRASSI: 22GR;

INGREDIENTI PER 2 PERSONE

- Un petto di pollo da 300 gr
- 150 gr di funghi porcini
- 8 olive nere denocciolate
- Farina di mandorle q.b.
- Brodo di pollo 30 ml
- Uno spicchio d'aglio
- 20 ml di olio di oliva
- Sale q.b.
- Pepe q.b.

PREPARAZIONE

1. Cominciate con il pulire i funghi. Togliete la parte terrosa, sciacquateli velocemente sotto acqua corrente e poi asciugateli. Tagliateli a fettine sottili.
2. Sbucciate e lavate l'aglio.
3. Passate al pollo. Togliete se presenti residui di pelle, grasso e ossicini e poi tagliatelo in tante listarelle sottili.
4. Prendete un piatto, mettete la farina di mandorle e infarinate le listarelle di pollo. Finita l'operazione tenete le fettine di pollo da parte.
5. Mettete in un tegame l'olio di oliva e appena sarà ben caldo aggiungete l'aglio. Fatelo soffriggere fino a foratura completa e poi aggiungete i funghi.
6. Fate cuocere i funghi a fuoco medio per 10 minuti, regolando di sale e pepe, poi togliete l'aglio e mettete il pollo.
7. Fate cuocere per altri 8 minuti, aggiungendo di tanto in tanto un po' di brodo di pollo.
8. Passati gli 8 minuti aggiungete le olive e fate cuocere per altri due minuti, aggiustando di sale e pepe.
9. Togliete il pollo dal tegame e mettetelo con i funghi e le olive in due piatti da portata.
10. Mescolate il fondo di cottura del pollo, fatelo restringere e poi cospargete il pollo con il sughetto.

Scaloppine di pollo cheto con limone e anice stellato

TEMPO DI PREPARAZIONE: 10 minuti
TEMPO DI COTTURA: 15 minuti
CALORIE:260 a porzione
MACRONUTRIENTI: CARBOIDRATI: 1GR; PROTEINE: 48GR; GRASSI: 12GR;

INGREDIENTI PER 2 PERSONE

- 400 gr di fettine di pollo
- Farina di mandorle q.b.
- 1 limone
- 30 ml di olio di oliva
- 1 bacca di anice stellato
- 1 cucchiaio di rosmarino essiccato e tritato
- Sale q.b.
- Pepe q.b.

PREPARAZIONE

1. Prendete le fettine di pollo, lavatele e asciugatele. Togliete il grasso in eccesso aiutandovi con un coltello da carne.
2. Lavate e asciugate il limone. Grattugiate la scorza e mettetela da parte. Poi spremete la parte interna del limone.
3. Passate le fettine di pollo nella farina di mandorle, premendo bene in modo che vengano coperte in tutta la loro superficie.
4. Prendete una padella e mettete a

scaldare l'olio di oliva. Appena sarà caldo mettete a rosolare il pollo 4 minuti per parte, o fino a quando non risultino ben dorate da entrambi i lati.
5. Aggiungete adesso il succo di limone. Fate sfumare, poi aggiustate di sale e pepe.
6. Aggiungete adesso la scorza di limone e l'anice stellato.
7. Continuate la cottura un paio di minuti a fuoco medio.
8. Quando il fondo di cottura si sarà un po' assorbito, aggiungete al pollo il rosmarino tritato, rigirate le scaloppine un paio di volte fino a quando non avranno ben assorbito il sughetto e togliete dal fuoco.
9. Servite le scaloppine ben calde e cosparse con il fondo di cottura.

Petto di pollo marinato al sesamo

TEMPO DI PREPARAZIONE: 10 minuti + 6 ore di marinatura
TEMPO DI COTTURA: 24 minuti
CALORIE:254 Calorie a porzione
MACRONUTRIENTI: CARBOIDRATI: 3 GR; PROTEINE: 42 GR; GRASSI: 8 GR;

INGREDIENTI PER 2 PERSONE

- 1 petto di pollo da 400 gr
- 40 ml di olio di oliva
- Il succo di un limone
- La buccia grattugiata di un limone
- Semi di sesamo bianchi e neri q.b.
- 2 foglie di salvia
- 1 rametto di rosmarino
- Pepe rosa q.b.
- Sale q.b.

PREPARAZIONE

1. Iniziate con il pollo. Togliete eccesso di grasso e se presenti gli ossicini, lavatelo sotto acqua corrente, asciugatelo e poi tagliatelo a metà. Fate dei taglietti alla carne in modo da far penetrare bene la marinatura anche all'interno della carne.
2. Prendete una ciotola abbastanza capiente. Mettete all'interno l'olio di oliva, di sesamo e il limone e mescolate.
3. Lavate, asciugate e tritate la salvia e rosmarino poi aggiungeteli nella ciotola.
4. Mescolate e amalgamate il tutto, poi mettete anche il sale e il pepe rosa. Mescolate ancora e alla fine aggiungete il pollo.
5. Chiudete la ciotola con un foglio di carta alluminio e mettete a marinare in frigo per 6 ore.
6. Passato il tempo di marinatura togliete il pollo dal frigo.
7. Prendete una griglia e fatela riscaldare fino a quasi diventare rovente.
8. Prendete i petti di pollo e metteteli a grigliare 8 minuti per lato.
9. Controllate la cottura della carne, e se non è ancora cotta proseguite per un altro paio di minuti. Il pollo deve essere ben cotto ma non secco.
10. Terminata la cottura togliete il pollo dalla griglia e mettete il liquido di marinatura a sfumare per un paio di minuti.
11. Servite il pollo in piatti individuali cosparsi con il liquido di marinatura e contornata con insalata verde.

Fusi di pollo limone e finocchi

TEMPO DI PREPARAZIONE: 15 minuti
TEMPO DI COTTURA: 45-50 minuti

CALORIE:271 a porzione
MACRONUTRIENTI: CARBOIDRATI: 4 GR; PROTEINE: 40 GR; GRASSI: 10 GR;

INGREDIENTI PER 2 PERSONE

- 4 fusi di pollo
- 1 limone intero+ il succo di un limone
- 1 finocchio da tavola
- 1 cucchiaino di paprika dolce
- 1 cucchiaino di timo essiccato
- 1 cucchiaino di maggiorana essiccata
- 1 cucchiaino di rosmarino essiccato
- 80 ml di brodo vegetale
- 2 cucchiai di olio di oliva
- Sale q.b.
- Pepe q.b.

PREPARAZIONE

1. Lavate e asciugate con una panno da cucina i fusi di pollo.
2. Lavate e asciugate i finocchi. Togliete la barbetta e le foglie più dure e poi tagliatelo a fettine sottili.
3. Lavate e sbucciate uno dei due limoni e poi tagliatelo a spicchi.
4. In una ciotola mettete i finocchi, gli spicchi di limone, il succo dell'altro limone e l'olio di oliva. Mescolate e amalgamate bene il tutto.
5. Aggiungete adesso la paprika e le erbe aromatiche e il brodo vegetale e mescolate.
6. Mettete a scaldare un filo di olio di oliva in un tegame. Appena sarà caldo fate rosolare un paio di minuti per parte i fusi di pollo.
7. Toglieteli dal fuoco e metteteli in una teglia spennellata con un filo di olio. Aggiungete i finocchi marinati e mettete in forno preriscaldato a 200° per 45 minuti.
8. Controllate la cottura ogni 15 minuti e bagnate i fusi con il fondo di cottura.
9. Passati i 45 controllate il pollo e se non è ancora cotto continuate la cottura per altri 5 minuti.
10. Appena i fusi saranno cotti servite immediatamente accompagnati dai finocchi.

Petto di pollo con funghi e peperoni

TEMPO DI PREPARAZIONE: 10 minuti
TEMPO DI COTTURA: 25 minuti
CALORIE:283 a porzione
MACRONUTRIENTI: CARBOIDRATI: 6 GR; PROTEINE: 40 GR; GRASSI: 18 GR;

INGREDIENTI PER 2 PERSONE

- 1 petto di pollo da 300 gr
- 100 gr di funghi
- 1 peperone giallo
- Uno spicchio d'aglio
- 1 rametto di rosmarino
- 2 foglie di salvia
- Olio di oliva 20 ml
- Sale q.b.
- Pepe q.b.

PREPARAZIONE

1. Iniziate la preparazione con le verdure. Prendete i funghi, togliete la parte terrosa, lavateli, asciugateli e tagliateli a fettine.
2. Prendete adesso il peperone, togliete il gambo, apritelo a metà, togliete semini e parte bianca e poi lavatelo sotto acqua corrente. Asciugatelo e tagliatelo a fettine.
3. Prendete adesso il petto di pollo, togliete ossicini e grasso in eccesso. Lavatelo e asciugatelo con carta assorbente.
4. Adesso tagliate il petto di pollo in tante striscioline abbastanza sottili.

5. Sbucciate e lavate l'aglio.
6. Lavate e asciugate il rosmarino.
7. Prendete un tegame e mettete a riscaldare un po' di olio di oliva. Mettete l'aglio, fatelo dorare e poi toglietelo.
8. Aggiungete adesso i peperoni. Fateli rosolare per 5 minuti e poi aggiungete i funghi.
9. Aggiustate di sale e pepe e poi mettete il rametto di rosmarino.
10. Fate cuocere per 10 minuti, mescolando di tanto in tanto.
11. Aggiungete adesso le striscioline di pollo e fate cuocere per altri 10 minuti, aggiungendo se necessario un po' di acqua. Aggiustate di sale e pepe e spegnete il fuoco.
12. A cottura ultimata togliete il rametto di rosmarino e servite il pollo in due piatti da portata.

Insalata di pollo

TEMPO DI PREPARAZIONE: 15minuti
TEMPO DI COTTURA: 25 minuti
CALORIE:292 a porzione
MACRONUTRIENTI: CARBOIDRATI: 1 GR; PROTEINE: 36GR; GRASSI: 13GR;

INGREDIENTI PER 2 PERSONE

- Un petto di pollo da 300 gr
- 100 gr di lattuga
- 50 gr di pomodorini
- 100 gr di avocado
- 1 rametto di rosmarino
- 2 foglie di salvia
- Origano essiccato q.b.
- Sale q.b.
- Pepe q.b.
- Aceto di mele due cucchiai

PREPARAZIONE

1. Lavate e asciugate salvia e rosmarino.
2. Prendete il petto di pollo, eliminate se presenti grasso, pelle e ossicini e poi lavatelo sotto acqua corrente. Asciugatelo e dividetelo a metà.
3. Prendete una pentola, mettete 100 ml di acqua, salatela e portatela ad ebollizione. Appoggiate sulla pentola un cestello per la cottura a vapore o in alternativa un grosso colino.
4. Mettete nel cestello il pollo, la salvia e il rosmarino. Fate cuocere per 25 minuti, regolando di sale e pepe.
5. Passato il tempo di cottura spegnete e fate raffreddare il pollo.
6. Nel frattempo, lavate e asciugate la lattuga e poi tagliatela a strisce sottili.
7. Lavate e asciugate i pomodorini e tagliateli a metà.
8. Sbucciate l'avocado, togliete il nocciolo, lavatelo sotto acqua corrente e asciugatelo con carta assorbente. Tagliatelo a cubetti.
9. Prendete un'insalatiera e mettete all'interno le verdure un pizzico di sale e pepe e mescolate.
10. Prendete il pollo, che nel frattempo si darà raffreddato e tagliatelo a cubetti.
11. Mettetelo nell'insalatiera assieme alle verdure.
12. Condite l'insalata con olio di oliva e aceto di mele, aggiustate di sale e pepe se è necessario e poi servite.

Saltimbocca di pollo

TEMPO DI PREPARAZIONE: 10 minuti
TEMPO DI COTTURA: 15 minuti
CALORIE:146 Calorie a porzione
MACRONUTRIENTI: CARBOIDRATI: 1 GR; PROTEINE: 21 GR; GRASSI: 8 GR;

INGREDIENTI PER 2 PERSONE

- 8 fettine di pollo
- 4 fette di prosciutto crudo
- 8 foglie di salvia
- Farina di mandorle q.b.
- Olio di oliva 20 ml
- Sale q.b.
- Pepe q.b.

PREPARAZIONE

1. Iniziate con il pollo. Togliete l'eccesso di grasso e poi se le fettine non sono abbastanza sottili assottigliatele con il batticarne.
2. Lavate e asciugate con carta assorbente le fettine e poi spolverizzatele da entrambe i lati con sale e pepe.
3. Lavate e asciugate la salvia.
4. Su un tagliere disponete 4 fettine di pollo, mettete all'interno una fetta di prosciutto crudo e poi 2 foglie di salvia.
5. Chiudete le fettine con le altre fettine rimaste, sigillandole con degli stuzzicadenti.
6. Passate le fettine sulla farina di mandorle premendole per fare aderire bene la panatura.
7. Mettete a riscaldare l'olio di oliva in una padella e appena sarà caldo mettete il pollo a rosolare.
8. Giratele e fatele cuocere fino a quando la carne non sarà ben cotta e ben dorata all'esterno.
9. Servite il pollo subito e ben caldo, cosparso con il fondo di cottura.

Rollè di pollo e broccoli

TEMPO DI PREPARAZIONE: 30 minuti+ 30 minuti di riposo in frigo
TEMPO DI COTTURA: 50 minuti
CALORIE:377 a porzione
MACRONUTRIENTI: CARBOIDRATI: 1 GR; PROTEINE: 42 GR; GRASSI: 21GR;

INGREDIENTI PER 2 PERSONE

- 1 petto di pollo intero da 400 gr
- 150 gr di cime di broccoli
- 60 gr di speck
- 50 gr di fontina a fette
- Olio di oliva 20 ml
- Sale q.b.
- Pepe q.b.

PREPARAZIONE

1. Lavate sotto acqua corrente le cime dei broccoli e poi asciugateli. Metteteli poi in una pentola con acqua e sale e fateli cuocere per 20 minuti.
2. Mentre i broccoli si cuociono, prendete il petto di pollo, privatelo di ossicini e grasso e poi tagliatelo orizzontalmente a metà.
3. Battetelo con un batticarne per ammorbidirlo e assottigliarlo, poi spolverizzatelo da entrambe i lati con sale e pepe.
4. Quando il broccolo sarà cotto, scolatelo, fatelo raffreddare e poi tagliatelo a pezzettini.
5. Prendete un foglio di pellicola trasparente e mettete le fettine di speck sopra.
6. Adagiate sopra lo speck il petto di pollo.
7. Mettete all'interno del pollo prima i broccoli e poi le fette di formaggio.

8. Arrotolate il tutto, aiutandovi con la pellicola e fate riposare in frigo per 30 minuti.
9. Nel frattempo, preriscaldate il forno a 180 gradi.
10. Spennellate una teglia con l'olio di oliva e adagiatevi all'interno il rotolo.
11. Fate cuocere per 30 minuti aggiungendo, se è necessario, un po' di acqua.
12. Togliete dal forno, fate riposare per 5 minuti e poi tagliate il rollè a fettine e servite.

Galletto a forno con zucchine

TEMPO DI PREPARAZIONE: 15 minuti
TEMPO DI COTTURA: 60 minuti
CALORIE:374 a porzione
MACRONUTRIENTI: CARBOIDRATI: 2 GR; PROTEINE: 42 GR; GRASSI: 20GR;

INGREDIENTI PER 2 PERSONE

- 1 galletto già pulito
- 150 gr di zucchine
- 1 rametto di rosmarino
- 2 foglie di salvia
- 2 foglie di alloro
- 20 ml di olio di oliva
- Sale q.b.
- Pepe q.b.

PREPARAZIONE

1. Iniziate con il galletto. Lavatelo sotto acqua corrente e poi asciugatelo.
2. Lavate ed asciugate, alloro salvia e rosmarino.
3. Spolverizzate il galletto con sale e pepe e poi mettetelo in una teglia spennellata con olio di oliva.
4. Spennellate con pochissimo olio anche il galletto e mettete nella teglia anche le erbe aromatiche.
5. Mettete in forno e fate cuocere a 180 gradi per 30 minuti.
6. Mentre il galletto e in forno passate alle zucchine. Togliete le estremità, sbucciatele, lavatele e poi asciugatele. Tagliatele a metà e poi a cubetti.
7. Mettete le zucchine in una ciotola e conditele con un po' di sale, pepe e un cucchiaino di olio di oliva.
8. Quando saranno passati i 30 minuti, mettete le zucchine nella teglia con il galletto e fate cuocere per altri 30 minuti.
9. Una volta che il galletto sarà ben dorato, toglietelo dal forno, tagliatelo a pezzi aiutandovi con un trinciapollo e servitelo contornato con le zucchine.

Pollo e broccoli al cartoccio

TEMPO DI PREPARAZIONE: 15 minuti
TEMPO DI COTTURA: 25 minuti
CALORIE:445 a porzione
MACRONUTRIENTI: CARBOIDRATI: 1 GR; PROTEINE: 40 GR; GRASSI: 41GR;

INGREDIENTI PER 2 PERSONE

- Un petto di pollo da 400 gr
- 10 cime di broccoli
- 2 rametti di rosmarino
- Il succo di un limone
- 20 ml di olio di oliva
- Sale q.b.
- Pepe q.b.

PREPARAZIONE

1. Lavate e asciugate le cime dei broccoli, poi tagliateli in tanti pezzi.
2. Togliete dal pollo, se presenti, ossicini e grasso in eccesso, poi lavatelo e asciugatelo.
3. Dividete il petto di pollo in due.
4. Lavate e asciugate il rosmarino.
5. In una ciotola mettete l'olio di oliva, il

sale e il pepe e amalgamate con una forchetta fino a quando non otterrete un'emulsione omogenea.
6. Prendete due fogli di carta alluminio e dividete il pollo nei due fogli. Aggiungete i broccoli, il rosmarino e poi bagnate il tutto con l'emulsione di olio e limone.
7. Chiudete il cartoccio facendo attenzione a sigillarlo per bene.
8. Mettete in forno e fate cuocere a 180 gradi per 25 minuti.
9. Appena sarà pronto eliminate il rosmarino e servite il pollo assieme ai broccoli e cosparso con il liquido di marinatura.

Pollo farcito alle zucchine

TEMPO DI PREPARAZIONE: 15 minuti
TEMPO DI COTTURA: 25 minuti
CALORIE: 396 a porzione
MACRONUTRIENTI: CARBOIDRATI: 2 GR; PROTEINE: 33 GR; GRASSI: 29 GR;

INGREDIENTI PER 2 PERSONE

- 4 fettine di pollo
- 1 zucchina piccola
- 2 foglie di salvia
- 4 fette di fontina
- 20 ml di olio di oliva
- Sale q.b.
- Pepe q.b.

PREPARAZIONE

1. Iniziate con la zucchina. Lavatela asciugatela e poi tagliatela a fettine sottili.
2. Mettete una pentola con un po' di acqua salata, e quando sarà giunta a bollore, lessate le zucchine per 3 minuti.
3. Scolatele e mettetele a raffreddare.
4. Passate alle fettine, battetele con il batticarne per assottigliarle, lavatele e asciugatele.
5. Lavate e asciugate la salvia.
6. Mettete su ogni fettina prima le zucchine e poi la fontina.
7. Arrotolate la carne su sé stessa e fermate l'involtino con uno stuzzicadenti.
8. In una padella antiaderente fate scaldare l'olio di oliva. Appena sarà caldo aggiungete le foglie di salvia e poi gli involtini.
9. Fateli cuocere fino a quando l'esterno delle fettine non sarà bene dorato e la carne ben cotta. Regolate di sale e pepe e spegnete il fuoco.
10. Servite ben caldi.

Cosce di pollo speziate con pomodorini

TEMPO DI PREPARAZIONE: 10 minuti+ 2 minuti di marinatura in frigo
TEMPO DI COTTURA: 50 minuti
CALORIE:296 a porzione
MACRONUTRIENTI: CARBOIDRATI: 3 GR; PROTEINE: 31 GR; GRASSI: 20GR;

INGREDIENTI PER 2 PERSONE

- 4 cosce di pollo
- 200 gr di pomodorini ciliegino
- 1 limone
- 2spicchi d'aglio
- 1 cucchiaino di paprika dolce
- Olio di oliva 20 ml
- Sale q.b.
- Peperoncino q.b.
- Un rametto di rosmarino
- 4 foglie di menta

- 1 cucchiaino di origano essiccato
- 2 foglie di alloro.

PREPARAZIONE

1. Lavate e asciugate le cosce di pollo. Togliete se presenti residui di piumaggio e poi mettetele in una ciotola capiente.
2. Sbucciate e lavate gli spicchi d' aglio.
3. Lavate rosmarino, menta e salvia e poi metteteli nella ciotola con il pollo.
4. Mettete uno spicchio d'aglio nella ciotola con il pollo. Aggiungete l'olio di oliva, il sale, il peperoncino, la paprika e il succo di limone filtrato.
5. Coprite la ciotola con pellicola trasparente e fate marinare in frigo per 2 ore.
6. Lavate e acciugate i pomodorini e tagliateli a metà.
7. Mettete a riscaldare un po' di olio di oliva in una padella, appena caldo fate dorare lo spicchio d'aglio che è rimasto e appena diventa dorato toglietelo e mettete i pomodorini.
8. Fate cuocere i pomodori per 10 minuti aggiungendo a fine cottura origano, sale e pepe. Mescolate per amalgamare bene il tutto e togliete dal fuoco.
9. Passate le 2 ore togliete il pollo dal frigo. Riscaldate una piastra e appena sarà calda al punto giusto mettete a grigliare le cosce.
10. Fate cuocere fino a quando la carne non sarà ben cotta e si saranno formate all'esterno le strisce della griglia.
11. Servite caldissime contornate con i pomodori all'origano.

Involtini di maiale con crudo e salvia

TEMPO DI PREPARAZIONE: 10 minuti
TEMPO DI COTTURA: 15 minuti
CALORIE:354 a porzione
MACRONUTRIENTI: CARBOIDRATI: 1GR; PROTEINE: 35 GR; GRASSI: 22 GR;

INGREDIENTI PER 2 PERSONE

- 4 fettine tagliate sottili di lonza di maiale
- 4 fette di prosciutto crudo
- 30 ml di brodo di carne
- 4 foglie di salvia
- Farina di mandorle
- 20 ml di olio di oliva
- Sale q.b.
- Pepe q.b.

PREPARAZIONE

1. Lavate e asciugate la carne. Disponetela su un tagliere e spolverizzatela con sale e pepe.
2. Lavate e asciugate le foglie di salvia.
3. Adagiate sopra ogni fetta di carne una fetta di crudo e una foglia di salvia.
4. Chiudete le fettine rigirandole su sé stesse e fissandole con uno stuzzicadenti.
5. Adesso mettete la farina di mandorle in una ciotola e passate con accuratezza la lonza nella farina.
6. Mettete a riscaldare l'olio di oliva in una padella e appena sarò abbastanza caldo adagiate gli involtini e fateli rosolare da tutti i lati per un paio di minuti.
7. Appena saranno dorati all'esterno, aggiungete il brodo di carne e fate cuocere fino a quando il brodo non si sarà ridotto della metà e avrà una consistenza cremosa.
8. Spegnete, mettete la carne in due piatti da portata e servite caldi

cosparsi con il sugo che si è formato con il fondo di cottura.

Filetto di maiale con salsa ai funghi

TEMPO DI PREPARAZIONE: 15 minuti
TEMPO DI COTTURA: 25 minuti
CALORIE:282 a porzione
MACRONUTRIENTI: CARBOIDRATI: 3GR; PROTEINE: 29 GR; GRASSI: 12 GR;

INGREDIENTI PER 2 PERSONE

- 250 gr di filetto di maiale
- 150 gr di funghi champignon
- 70 ml di panna fresca da cucina
- 1 spicchio di aglio
- 1 cucchiaio di olio di oliva
- Sale q.b.
- Pepe q.b.

PREPARAZIONE

1. Sbucciate e lavate l'aglio.
2. Togliete la parte terrosa dei funghi, lavateli sotto acqua corrente, asciugateli e poi tagliateli a fettine.
3. Pulite il filetto di maiale. Togliete il grasso in eccesso e poi tagliato in due fette. Lavatelo e asciugatelo.
4. In un tegame mettete a scaldare l'olio di oliva. Appena caldo fate dorare l'aglio e poi toglietelo.
5. Mettete le fettine di maiale e fatele rosolare da ambo i lati fino a quando non saranno ben cotte. Aggiustate di sale e pepe.
6. Togliete il maiale e tenetelo al caldo.
7. Aggiungete adesso nel tegame dove avete cotto il maiale i funghi. Fateli rosolare per 10 minuti e poi aggiungete la panna.
8. Mescolate per amalgamare bene,
9. Fate ridurre il sughetto e poi aggiustate di sale e pepe. Aggiungete il filetto di maiale, fatelo insaporire e poi spegnete il fuoco.
10. Servite il filetto cosparso con il sughetto ai funghi.

Maiale al cartoccio

TEMPO DI PREPARAZIONE:15 minuti
TEMPO DI COTTURA: 25 minuti
CALORIE:409 a porzione
MACRONUTRIENTI: CARBOIDRATI: 2GR; PROTEINE: 20 GR; GRASSI: 32 GR;

INGREDIENTI PER 2 PERSONE

- 2 costolette di maiale
- 150 gr di funghi champignon
- 2 fette di prosciutto crudo
- 30 ml di panna da cucina
- 30 gr di cipolla
- 1 spicchio d'aglio
- Olio di oliva q.b.
- Sale q.b.
- Pepe q.b.

PREPARAZIONE

1. Lavate e asciugate le costolette di maiale.
2. Togliete la parte terrosa dei funghi e poi lavateli e asciugateli poi tritateli finemente.

3. Sbucciate e lavate lo spicchio d'aglio e la cipolla e poi tritateli.
4. Mettete in una padella antiaderente un po' di olio di oliva, e mettete a rosolare 2 minuti per parte, regolate di sale e pepe e poi mettetele da parte.
5. Nella stessa padella soffriggete l'aglio e la cipolla, mescolate e appena si saranno imbiondite aggiungete i funghi.
6. Tagliate il prosciutto a striscioline e poi aggiungetelo ai funghi.
7. Regolate di sale e pepe e fate cuocere per 10 minuti.
8. Sistemate in due fogli di alluminio le costolette di maiale. Spennellatele con la panna da cucina e copritele con il misto di funghi e prosciutto.
9. Chiudete i cartocci e metteteli in forno a cuocere a 180 gradi per 25 minuti.
10. Appena il maiale sarà cotto, sfornate, fate riposare la carne per 5 minuti e poi toglieteli dai cartocci.
11. Mettete la carne in piatti da portata individuali e servite cosparsi con il mix di funghi e il fondo di cottura come salsina di accompagnamento.

Filetto di maiale in crosta di pistacchi

TEMPO DI PREPARAZIONE: 15 minuti
TEMPO DI COTTURA: 50 minuti
CALORIE:340 a porzione
MACRONUTRIENTI: CARBOIDRATI: 8GR; PROTEINE: 38 GR; GRASSI: 19 GR;

INGREDIENTI PER 2 PERSONE

- 2 filetti di maiale da 150 gr ciascuno
- 60 gr di granella di pistacchi
- 20 ml di senape
- 1 rametto di rosmarino
- 1 spicchio d'aglio
- 2 foglie di salvia
- 20 ml di olio di oliva
- Sale q.b.
- Pepe q.b.

PREPARAZIONE

1. Prendete il filetto di maiale e togliete l'eccesso di grasso. Lavatelo e asciugatelo.
2. Spennellate il filetto con la senape.
3. Mettete la granella di pistacchi in un piatto piano e poi impanate il maiale con la granella premendo per fare aderire bene la panatura.
4. Sbucciate e lavate l'aglio. Mettetelo a dorare in un tegame con olio di oliva e poi toglietelo.
5. Mettete i filetti di maiale a rosolare un paio di minuti per parte e poi toglieteli dal fuoco.
6. Preriscaldate il forno a 200 gradi.
7. Nel frattempo, lavate e asciugate salvia e rosmarino.
8. Mettete in una teglia spennellata con un filo di olio il filetto di maiale. Mettete sopra il filetto la salvia e il rosmarino e mettete in forno.
9. Fate cuocere il filetto per 40 minuti girandolo a metà cottura e stando attenti che la carne non si secchi troppo. In questo caso aggiungete un po' di acqua.
10. A cottura ultimata disponete il maiale in due piatti da portata e serviteli irrorati con il liquido che si è formato durante la cottura.

Maiale al pepe verde

TEMPO DI PREPARAZIONE: 15 minuti
TEMPO DI COTTURA: 20 minuti
CALORIE:330 a porzione

MACRONUTRIENTI: CARBOIDRATI: 1GR; PROTEINE: 33 GR; GRASSI: 11 GR;

INGREDIENTI PER 2 PERSONE

- 2 fette di filetto di maiale da 150 gr ciascuno
- 50 ml di panna fresca
- 1 cucchiaio di pepe verde in grani
- 1 cucchiaio di olio di oliva
- Sale q.b.
- Pepe q.b.

PREPARAZIONE

1. Prendete la carne e togliete tutto il grasso in eccesso. Lavatela sotto acqua corrente e poi asciugatela con carta assorbente.
2. Prendete adesso i metà grani di pepe verde e metteteli in un tritatutto per ridurli a pezzetti piccolissimi.
3. Massaggiate i filetti di maiale con il trito di pepe verde.
4. Prendete una padella antiaderente e mettete a scaldare un po' di olio di oliva. Appena caldo mettete a rosolare i filetti 3 minuti per lato. Aggiustate di sale e pepe epoi toglieteli dal fuoco e teneteli al caldo.
5. Nella stessa padella adesso mettete a rosolare per un minuto il resto dei grani di pepe e poi aggiungete la panna.
6. Fate ridurre il sughetto per un minuto e aggiustate di sale. Aggiungete il filetto, fatelo insaporire un minuto per lato e poi spegnete il fuoco.
7. Servite immediatamente appena finita la cottura.

Carrè di maiale con cavolo verde

TEMPO DI PREPARAZIONE: 10 minuti
TEMPO DI COTTURA: 60 minuti
CALORIE: 297 a porzione
MACRONUTRIENTI: CARBOIDRATI: 3 GR; PROTEINE: 30 GR; GRASSI: 9 GR;

INGREDIENTI PER 2 PERSONE

- 1 carré di maiale magro da 400 gr
- 200 gr di cavolo verde
- Mezzo scalogno
- 3 bacche di ginepro
- 2 foglie di alloro
- 20 ml di olio di oliva
- 50 ml di brodo di carne
- Sale q.b.
- Pepe q.b.

PREPARAZIONE

1. Iniziate con la carne. Togliete il grasso in eccesso poi lavatela e asciugatela.
2. Appoggiate il carré su un foglio di carta alluminio, spennellate la carne con un po' di olio di oliva e poi chiudete il foglio di alluminio.
3. Adagiate la carne in una teglia da forno.
4. Infornate con forno a 180 gradi per un'ora.
5. Nel frattempo, preparate il cavolo.
6. Sbucciate, lavate e poi tritate finemente lo scalogno.
7. Lavate il cavolo, asciugatelo e poi tagliatelo a fettine sottili.
8. Lavate e asciugate le foglie di alloro.
9. In un tegame mettete un filo d'olio a riscaldare. Quando l'olio sarà caldo mettete a soffriggere lo scalogno per un paio di minuti, mescolando di continuo per non farlo bruciare.
10. Aggiungete adesso il cavolo, aggiustate di sale e pepe e mescolate.
11. Dopo un paio di minuto aggiungete l'alloro, le bacche di ginepro e il brodo.

12. Lasciate cuocere per 30 minuti, aggiungendo dell'acqua se è necessario, e mescolando di tanto in tanto.
13. Appena il maiale sarà cotto toglietelo dal forno, fate riposare la carne per 5 minuti e poi affettatela.
14. Mettete sul fondo del piatto da portata il cavolo, poi sopra le fettine e irrorate il tutto con il fondo di cottura del cavolo.

Insalata di arrosto di tacchino e mozzarella

TEMPO DI PREPARAZIONE: 15 minuti
CALORIE:340 a porzione
MACRONUTRIENTI: CARBOIDRATI: 7GR; PROTEINE: 23 GR; GRASSI: 21 GR;

INGREDIENTI PER 2 PERSONE

- 100 gr di lattuga
- 80 gr di arrosto di tacchino
- 150 gr di cuori di carciofo sott'olio
- 100 gr di pomodorini
- 1 mozzarella
- Mezzo avocado
- 2 cucchiai di aceto di mele
- 20 ml di olio di oliva
- Sale q.b.
- Pepe q.b.

PREPARAZIONE

1. Lavate e asciugate bene con carta assorbente la lattuga e poi tagliatela in tanti pezzettini.
2. Lavate e asciugate i pomodorini e poi tagliateli a metà.
3. Prendete i cuori di carciofo e metteteli a scolare, poi prendete della carta assorbente e togliete ogni residuo di olio.
4. Sbucciate e tagliate l'avocado in due. Togliete il nocciolo e poi tagliate la metà che vi serve a fettine sottili.
5. Mettete la mozzarella a scolare in modo che venga eliminata tutta l'acqua di conservazione e poi tagliatela a fettine.
6. Prendete una ciotola e mettete all'interno l'olio di oliva, l'aceto di mele e il sale. Con una forchetta mescolate fino a quando non otterrete un'emulsione abbastanza omogenea.
7. Prendete un'insalatiera e mettete prima la lattuga e i pomodorini, poi i carciofi e infine la mozzarella e il tacchino.
8. Cospargete il tutto con l'emulsione all'aceto di mele e servite.

Fesa di tacchino con asparagi e salsa al formaggio

TEMPO DI PREPARAZIONE: 10 minuti
TEMPO DI COTTURA: 20 minuti
CALORIE:215 a porzione
MACRONUTRIENTI: CARBOIDRATI: 2GR; PROTEINE: 40 GR; GRASSI: 7 GR;

INGREDIENTI PER 2 PERSONE

- 300 gr di fesa di tacchino tagliata a fettine
- 100 gr di asparagi
- 50 gr di fontina
- 50 ml di latte
- Farina di mandorle q.b.
- Olio di oliva 20 ml
- Sale q.b.
- Pepe q.b.

PREPARAZIONE

1. Iniziate tagliando la fontina a cubetti e mettendola in una ciotola assieme al

latte. Mettete la ciotola da parte e lasciate riposare per un'ora.
2. Passate adesso agli asparagi. lavateli sotto acqua corrente e togliete la parte inferiore più dura.
3. Prendete una pentola e mettete a bollire 500 ml di acqua salata. Giunta a bollore mettete gli asparagi e fateli cuocere per una decina di minuti, regolando di sale e pepe. Non devono essere troppo cotti, dovrebbero rimanere croccanti.
4. Lavate e asciugate le fettine di tacchino e poi passatele sulla farina di mandorle.
5. In un tegame fate riscaldare un po' di olio di oliva e appena sarà abbastanza caldo mettete a rosolare le fettine di carne.
6. Giratele un paio di volte. Regolate di sale e pepe e appena saranno cotte toglietele dal fuoco e tenetele al caldo.
7. Passato il tempo di riposo mettete la fontina e il latte in una pentola. Fate sciogliere la fontina a fiamma bassa e non appena avrete ottenuto una salsa densa e omogenea spegnete il fuoco.
8. Prendete due piatti da portata e mettete sul fondo gli asparagi, conditeli con un filo di olio di oliva e disponete sopra le fettine di tacchino. Poi cospargete il tutto con la salsa al formaggio.

Rotolo di tacchino con funghi e scamorza

TEMPO DI PREPARAZIONE: 20 minuti
TEMPO DI COTTURA: 25 minuti
CALORIE:255 a porzione
MACRONUTRIENTI: CARBOIDRATI: 1 GR; PROTEINE: 42 GR; GRASSI: 9 GR;

INGREDIENTI PER 2 PERSONE

- 1 fetta di fesa intera di tacchino da 300 gr
- 50 gr di funghi
- 50 gr di scamorza
- 1 spicchio d'aglio
- 20 ml di olio di oliva
- Sale q.b.
- Pepe q.b.

PREPARAZIONE

1. Iniziate con il tacchino. Lavate e asciugate la carne e poi con un coltello da carne apritela a libro. Poi battetela con un batticarne per ammorbidirla e renderla più sottile.
2. Togliete la parte terrosa ai funghi, lavateli asciugateli e poi tritateli.
3. Sbucciate e lavate l'aglio e poi mettetelo a dorare in un tegame con un filo d'olio.
4. Appena sarà dorato togliete l'aglio e mettete i funghi a rosolare per 5 minuti. Regolate di sale e pepe e spegnete la fiamma.
5. Tagliate la provola in tanti piccoli dadini.
6. Prendete la carne e spolverizzatela da entrambe i lati con sale e pepe.
7. Riempite l'interno della carne con la provola e i funghi e poi arrotolatela su sé stessa.
8. Sigillatela bene aiutandovi con dello spago da cucina.
9. Mettete un filo di olio in un tegame e fate rosolare il rotolo per 5 minuti rigirandolo da tutti i lati.
10. Spennellate una teglia da forno con un po' di olio e adagiate il rotolo di tacchino.
11. Terminate la cottura in forno a 180° per 20 minuti.

12. Finita la cottura, togliete il tacchino dal forno e lasciate la carne riposare per 5 minuti.
13. Togliete lo spago da cucina e tagliate la carne a rondelle.
14. Servite cosparsa con il fondo di cottura.

Rotolini di tacchino con asparagi e speck

TEMPO DI PREPARAZIONE: 15 minuti
TEMPO DI COTTURA: 25 minuti
CALORIE:341 a porzione
MACRONUTRIENTI: CARBOIDRATI: 2GR; PROTEINE:40 GR; GRASSI:16 GR;

INGREDIENTI PER 2 PERSONE

- 4 fettine di fesa di tacchino
- 200 gr di asparagi
- 50 gr di speck
- 30 ml di brodo di carne
- 20 gr di parmigiano grattugiato
- 20 ml di olio di oliva
- Un rametto di rosmarino
- 2 foglie di salvia
- Sale q.b.
- Pepe q.b.

PREPARAZIONE

1. Iniziate con gli asparagi. togliete le parti dure, pelateli lateralmente poi lavateli e asciugateli.
2. Mettete sul fuoco una pentola con acqua salata e quando sarà giunta a bollore, mettete gli asparagi e fate sbollentare per 5 minuti.
3. Scolate gli asparagi e lasciateli raffreddare.
4. Prendete le fettine di tacchino, lavatele e asciugatele. Disponete su ogni fetta di tacchino prima lo speck, poi gli asparagi ed infine un po' di parmigiano.
5. Chiudete gli involtini con uno stuzzicadenti e metteteli in una teglia spennellata con un po' di olio di oliva.
6. Lavate e asciugate salvia e rosmarino e metteteli nella teglia con il tacchino.
7. Mettete gli involtini in forno a 200 gradi e impostate il tempo di cottura a 30 minuti.
8. A metà cottura cospargete la carne con il brodo di carne e continuate la cottura.
9. Quando il tacchino sarà pronto, mettete la carne in due piatti individuali e irrorateli con il fondo di cottura.

Bocconcini di tacchino ai peperoni

TEMPO DI PREPARAZIONE: 10 minuti
TEMPO DI COTTURA:20 minuti
CALORIE:332 a porzione
MACRONUTRIENTI: CARBOIDRATI: 5GR; PROTEINE: 40 GR; GRASSI: 16 GR;

INGREDIENTI PER 2 PERSONE

- 300 gr di fesa di tacchino
- Uno scalogno
- Un peperone giallo
- Un peperone rosso
- Farina di mandorle q.b.
- 2 foglie di alloro
- 50 ml di brodo di carne
- 20 ml di olio di oliva
- Sale q.b.
- Pepe q.b.

PREPARAZIONE

1. Lavate e asciugate i peperoni. Togliete il picciolo, i semi e i filamenti

laterali bianchi, poi tagliateli a striscioline.
2. Lavate e asciugate le foglie di alloro.
3. Sbucciate, lavate e asciugate lo scalogno e poi tagliatelo a fettine.
4. Lavate e asciugate la fesa di tacchino e poi tagliatela a cubetti.
5. Passate i bocconcini di tacchino nella farina di mandorle.
6. Riscaldate in una padella antiaderente l'olio di oliva e appena sarà caldo fate rosolare i bocconcini di carne per 5 minuti.
7. Regolate di sale e pepe e poi aggiungete i peperoni, lo scalogno e l'alloro. Aggiungete il brodo e fate cuocere con un coperchio 15 minuti.
8. Controllate la carne e se cotta togliete dalla padella e mettete assieme alle verdure nei piatti da portata.
9. Fate restringere un po' il fondo di cottura e poi cospargete la carne e le verdure. Potete quindi servire.

SECONDI DI PESCE

Merluzzo con finocchi e salsa allo yogurt

TEMPO DI PREPARAZIONE: 15 minuti
TEMPO DI COTTURA: 20 minuti
CALORIE: 290 a porzione
MACRONUTRIENTI: CARBOIDRATI: 3 GR; PROTEINE: 37 GR; GRASSI: 13 GR

INGREDIENTI PER 2 PERSONE

- 400 gr di filetto di merluzzo
- 200 gr di finocchio da tavola
- 10 ml di olio d'oliva
- 130 gr di yogurt greco
- 1 limone
- Sale e pepe q.b.

PREPARAZIONE

1. Per prima cosa, lavate i finocchi.
2. Privateli del fondo, togliete la barbetta, separate le varie foglie, lavatele sotto acqua corrente, asciugatele e poi tagliate il finocchio a fettine.
3. Lavate anche alcuni ciuffi di barbetta e metteteli da parte.
4. Prendete un tegame e riscaldate mezzo cucchiaio di olio.

5. Lasciate riscaldare l’olio e poi mettete le fettine di finocchio per una decina di minuti a saltare, aggiungendo sale e un goccio d’acqua.
6. Procedete con il merluzzo, nel frattempo.
7. Sciacquate e asciugate i filetti di merluzzo.
8. Massaggiateli con sale e pepe e metteteli a cuocere a vapore per 10 minuti.
9. Nel frattempo che il merluzzo cuocia, preparate la salsa allo yogurt.
10. In una ciotola mescolate lo yogurt greco, l’olio, il sale e la scorza del limone rendendo omogeneo il tutto.
11. Non appena il merluzzo sarà pronto procedete ad impiattare.
12. Mettete i filetti di merluzzo con i finocchi saltati e condite con la salsa di yogurt al limone.

Filetto di merluzzo con broccoli alla salsa di soia

TEMPO DI PREPARAZIONE: 10 minuti
TEMPO DI COTTURA: 20 minuti
CALORIE: 340 a porzione
MACRONUTRIENTI: CARBOIDRATI: 3 GR; PROTEINE: 38 GR; GRASSI: 19 GR

INGREDIENTI PER 2 PERSONE
- 2 filetti di merluzzo da 200 gr ciascuno
- 400 gr di broccoli
- 4 cucchiai di salsa di soia
- 2 gocce di eritritolo
- 3 cucchiai di olio di sesamo
- 1 cucchiaino di salsa di pesce
- ½ limone spremuto
- 1 peperoncino intero
- 1 pezzo di zenzero
- 1 spicchio di aglio

Per la guarnizione finale
- sale e pepe q.b.
- 1 cipollotto
- Coriandolo q.b.
- semi di sesamo q.b.
- fette di limone q.b.

PREPARAZIONE
1. Per prima cosa, nel frattempo che preparerete la ricetta, fate preriscaldare il forno a 200°C.
2. Ungete una teglia direttamente con dell’olio di sesamo.
3. Tagliate il peperoncino a pezzettini.
4. Mescolate, in una ciotola, la marinatura per il pesce.
5. Mettete insieme la salsa di soia, le gocce di dolcificante, l’olio di sesamo, la salsa di pesce, il peperoncino, l’aglio tritato e il succo di limone e versateci lo zenzero grattugiato.
6. Inserite il filetto nella teglia oleata.
7. Aggiungete intorno i broccoli e sopra le fette di limone.
8. Condite il tutto con sale e pepe.
9. Adesso potete versare la marinatura sopra il pesce.
10. Fate cuocere nel forno preriscaldato per 20 minuti circa.
11. Durante la cottura ricordatevi di girare i broccoli almeno una volta.
12. Quando il pesce sarà cotto, tiratelo fuori dal forno.
13. Lasciatelo leggermente raffreddare.
14. Servite il pesce con i semi di sesamo, il cipollotto e il coriandolo.

Pesce spada aromatizzato al cartoccio

TEMPO DI PREPARAZIONE: 15 minuti
TEMPO DI COTTURA: 15 minuti
CALORIE: 400 a porzione
MACRONUTRIENTI: CARBOIDRATI: 1 GR; PROTEINE: 39 GR; GRASSI: 30 GR

INGREDIENTI PER 1 PERSONA

- Un trancio di pesce spada da 200 gr circa
- Rosmarino q.b.
- 1 spicchio di aglio
- Salvia q.b.
- Alloro q.b.
- Sale e pepe q.b.
- Origano q.b.
- Olio d'oliva q.b.

PREPARAZIONE

1. Per prima cosa, sciacquate il trancio di pesce spada sotto acqua corrente.
2. Dopo averlo pulito, fatelo asciugare per bene.
3. Unite tutte le erbe aromatiche e, se fresche, comporre un trito.
4. Mescolate le erbe, qualche goccia di limone ed un po' di olio di oliva.
5. Lasciate macerare il tutto per qualche minuto.
6. Una volta macerato spalmate la marinatura su entrambi i lati della fetta di pesce spada.
7. Adagiate il pesce su un foglio di carta stagnola e richiudete con un altro foglio.
8. Cuocere forno preriscaldato per 15 min a 180°.
9. Verificate sempre la cottura.
10. Servite il pesce spada al cartoccio ancora caldo.

Carpaccio di pesce spada

TEMPO DI PREPARAZIONE: 10 minuti + due ore di riposo in freezer
TEMPO DI MARINATURA: 6 ore
CALORIE: 400 a porzione
MACRONUTRIENTI: CARBOIDRATI: 1 GR; PROTEINE: 39 GR; GRASSI: 30 GR

INGREDIENTI PER 1 PERSONA

- 200 gr di pesce spada tagliato a fettine molto sottili
- Succo di mezzo limone
- 20 ml di olio di oliva
- Un ciuffo di prezzemolo
- Olio di oliva q.b.
- Zenzero in polvere q.b.
- Sale e pepe q.b.

PREPARAZIONE

1. Iniziate mettendo nel congelatore le fettine pesce spada per almeno due ore, in modo da eliminare possibili batteri.
2. Passate le due ore, tirate fuori il pesce spada dal congelatore.
3. Adesso disponete le fettine di pesce spada in maniera larga le varie fettine in una pirofila o in una teglia.
4. Nel frattempo, preparate la marinata.
5. In una ciotola versate l'olio di oliva aggiungete il pepe, il sale e lo zenzero in polvere.
6. Miscelate bene tutti gli ingredienti
7. Occupatevi adesso del prezzemolo. Lavatelo, asciugatelo e tagliatelo finemente. Adesso aggiungete anche il prezzemolo alla marinata.
8. Versate la marinata nella pirofila dove avete disposto le fette di pesce spada e coprite il tutto con la carta trasparente.
9. Lasciate marinare il carpaccio in frigo per almeno 6 ore.
10. Quando è il momento di servire il carpaccio, prendete le fette di pesce

e disponetele in un piatto senza marinatura, conditele con un filo di olio di oliva a crudo e servite assieme ad un'insalatina fresca.

Orata al cartoccio con limone

TEMPO DI PREPARAZIONE: 15minuti
TEMPO DI COTTURA: 35/40 minuti
CALORIE: 255 a porzione
MACRONUTRIENTI: CARBOIDRATI: 1 GR; PROTEINE: 32 GR; GRASSI: 12 GR

INGREDIENTI PER 2 PERSONE

- 2 filetti di orata di circa 150 gr ciascuna
- Un limone
- Un rametto di basilico fresco
- Un ciuffo di prezzemolo
- Sale q.b.
- Pepe q.b.
- Olio di oliva q.b.

PREPARAZIONE

1. Iniziamo con il pulire i filetti di orata. Togliete, se sono presenti, le lische in eccesso con una pinzetta da cucina e poi sciacquare i filetti sotto acqua corrente.
2. Asciugate i filetti con carta forno o con un panno da cucina e metterli da parte.
3. Lavate il prezzemolo sotto acqua corrente e poi tritatelo finemente.
4. Togliete le foglie di basilico dal gambo e lavatele sotto acqua corrente, poi tritate finemente le foglie.
5. Prendete un foglio di alluminio abbastanza grande da contenere entrambi i filetti.
6. Spennellate il foglio di alluminio con un po' di oli di oliva.
7. Salate e pepate da entrambi i lati i filetti di orata.
8. Adagiate i filetti di orata nella carta alluminio in una teglia adatta.
9. Cospargete le orate con il basilico e il prezzemolo tritato finemente e poi mettete sopra il limone tagliato a fettine sottili.
10. Inserite i filetti di orata al limone nel forno preriscaldato alla temperatura di 180° gradi per circa 40 minuti.
11. Passati i 30 minuti verificate lo stato della cottura dell'orata e bagnate con un altro po' di succo al limone
12. Continuate la cottura sempre a 180° per altri 10 minuti.
13. Una volta sfornate, togliete le fettine di limone e servite i filetti di orata ben caldi.

Filetto di orata con asparagi

TEMPO DI PREPARAZIONE: 15 minuti
TEMPO DI COTTURA: 15 minuti
CALORIE: 260 a porzione
MACRONUTRIENTI: CARBOIDRATI: 4 GR; PROTEINE: 30 GR; GRASSI: 11 GR

INGREDIENTI PER 2 PERSONE

- 400 gr di filetti di orata
- 200 gr di asparagi freschi
- 1 cucchiaio di olio di oliva
- 1 pizzico di sale
- Pepe q.b.
- 1 ciuffo di prezzemolo
- 1 cucchiaino di zenzero in polvere
- Paprika dolce q.b.

PREPARAZIONE

1. Per prima cosa lavate bene gli asparagi.
2. Privateli della parte bianca del gambo e tenete da parte le punte più tenere.
3. Prendete, nel frattempo, i filetti di orata e sciacquateli sotto l'acqua corrente.
4. Fateli asciugare bene con della carta assorbente da cucina.
5. Massaggiate i filetti di orata con sale e pepe.
6. Spolverate sopra lo zenzero e la paprika.
7. Oleate leggermente una teglia da forno e adagiatevi prima gli asparagi e poi i filetti di orata.
8. Infornate con forno preriscaldato a 200°C per circa 15 minuti circa.
9. Verificate sia il grado di cottura del pesce che degli asparagi.
10. Non appena saranno pronti, servite i filetti di orata ancora caldi sul letto di asparagi.
11. Non dimenticate il prezzemolo come tocco finale.

Polpo ai funghi

TEMPO DI PREPARAZIONE: 20 minuti
TEMPO DI COTTURA: 50 minuti
CALORIE: 300 a porzione
MACRONUTRIENTI: CARBOIDRATI: 5 GR; PROTEINE: 29 GR; GRASSI: 13 GR

INGREDIENTI PER 2 PERSONE

- 400 gr di polpo
- 200 gr di rucola
- 150 gr di funghi
- 1 spicchio d'aglio
- 1 ciuffo di prezzemolo
- 1 gambo di sedano
- Sale q.b.
- Timo q.b.
- 10 ml di olio d'oliva

PREPARAZIONE

1. Iniziate la ricetta occupandovi prima del polpo.
2. Per pulirlo sciacquatelo sotto acqua corrente fredda strofinando con le mani la testa e i tentacoli all'esterno e all'interno
3. Poi trasferite il polpo su uno strofinaccio pulito e asciutto e tamponatelo con carta da cucina.
4. Quindi mettetelo su un tagliere e con un coltello incidete la sacca all'altezza degli occhi 5 per eliminarli.
5. Eliminate anche il becco del polpo: con un coltellino iniziate a incidere intorno alla bocca.
6. Sciacquate nuovamente il polpo sotto acqua corrente fredda ed estraete le interiora dalla sacca lavandola poi accuratamente all'interno.
7. Quindi lavate e strofinate con le mani testa e tentacoli per rimuovere il più possibile la patina viscida che li ricopre.
8. Abbiate cura di lavare bene anche le ventose ad una ad una per rimuovere eventuali residui di sabbia.
9. Dopo aver pulito il polpo, scolatelo e cuocetelo in abbondante acqua calda per 30 minuti circa.
10. Nel frattempo, lavate i funghi e puliteli eliminando le tracce di terreno.
11. Pulite anche la rucola.
12. In una padella fate saltare lo spicchio d'aglio con un trito di sedano, prezzemolo e timo in poco olio.

13. Unite i funghi tagliati grossolanamente in precedenza e fateli insaporire.
14. Togliete l'aglio e aggiungete il polpo tagliato a rondelle e lasciate cuocere per circa 20 minuti.
15. Regolate di sale, abbassate la fiamma e terminate la cottura.
16. Lasciate riposare per qualche minuto e servite

Polpo profumato alla menta e al limone

TEMPO DI PREPARAZIONE: 15minuti
TEMPO DI COTTURA: 35 minuti
CALORIE: 250 a porzione
MACRONUTRIENTI: CARBOIDRATI: 4 GR; PROTEINE: 27 GR; GRASSI: 12 GR

INGREDIENTI PER 2 PERSONE

- 400 gr di polpo
- 10 foglie di menta
- 1 limone
- 10 ravanelli
- 1 cucchiaino di olio extravergine di oliva
- Sale e pepe q.b.

PREPARAZIONE

1. Per prima cosa, abbiate cura di lavare e pulire il polpo.
2. Per pulirlo, innanzitutto, sciacquatelo, sotto acqua corrente fredda strofinando con le mani la testa 2 e i tentacoli all'esterno e all'interno
3. Poi trasferite il polpo su uno strofinaccio pulito e asciutto e tamponatelo con carta da cucina.
4. Quindi mettetelo su un tagliere e con un coltello incidete la sacca all'altezza degli occhi 5 per eliminarli.
5. Eliminate anche il becco del polpo: con un coltellino iniziate a incidere intorno alla bocca
6. Sciacquate nuovamente il polpo sotto acqua corrente fredda ed estraete le interiora dalla sacca lavandola poi accuratamente all'interno.
7. Quindi lavate e strofinate con le mani testa e tentacoli per rimuovere il più possibile la patina viscida che li ricopre.
8. Abbiate cura di lavare bene anche le ventose ad una ad una per rimuovere eventuali residui di sabbia.
9. Dopo averlo pulito, fatelo bollire in abbondante acqua bollente per 30 minuti.
10. Nel frattempo, lavate le foglie di menta e il limone.
11. Quando il polpo sarà cotto, potete tagliarlo, pelarlo e disporlo in una ciotola.
12. Condite con olio e sale.
13. Mescolate bene il tutto e aggiungere il succo di limone.
14. Disponete il polpo in un piatto e guarnitelo con della menta, ravanelli e del limone grattugiato.

Insalata di sgombro radicchio e noci

TEMPO DI PREPARAZIONE: 20 minuti
TEMPO DI COTTURA: 6 minuti
CALORIE: 410 a porzione
MACRONUTRIENTI: CARBOIDRATI: 9 GR; PROTEINE: 32 GR; GRASSI: 32 GR

INGREDIENTI PER 2 PERSONE

- 300 gr di sgombro
- 250 gr di radicchio
- 20 gr di noci
- 20 gr di capperi
- 1 cucchiaio di olio di oliva
- Sale q.b.

PREPARAZIONE

1. Iniziate la ricetta con il lavare e pulire lo sgombro eliminando le lische centrali.
2. Dopo averlo pulito potere farlo saltare direttamente in padella.
3. Preriscaldate la padella con un filo di olio.
4. Inserite lo sgombro in modo da scottarlo per 2/3 minuti su entrambi i lati.
5. Verificate che sia ben cotto con una forchetta.
6. Nel frattempo che lo sgombro si cuocia, preparate il radicchio.
7. Tagliate il radicchio in otto e fatelo stufare in un wok con uno spicchio d'aglio, aggiungendo un bicchiere di acqua e due cucchiai di olio extra vergine d'oliva.
8. Aggiungete quindi i capperi sciacquati accuratamente.
9. In una insalatiera versare il radicchio, aggiungete le noci, sale e olio e lo sgombro e servite.

Filetti di sogliola con zucchine e mandorle

TEMPO DI PREPARAZIONE: 15 minuti
TEMPO DI COTTURA: 10 minuti
CALORIE: 310 a porzione
MACRONUTRIENTI: CARBOIDRATI: 7 GR; PROTEINE: 26 GR; GRASSI: 14 GR

INGREDIENTI PER 2 PERSONE

- 2 filetti di sogliola da 150 gr ciascuno
- 250 gr di zucchine
- 2 limoni
- 20 gr di olive nere
- 1 radice di zenzero
- 1 cucchiaio di olio di oliva
- 40 gr di mandorle
- Sale q.b.

PREPARAZIONE

1. Per prima cosa occupatevi di pulire e lavare la sogliola, sciacquandola sotto l'acqua corrente.
2. Asciugate i filetti di sogliola con della carta da cucina.
3. Dopo averla fatta asciugare potete tagliarla, cercando di ottenere dei filetti.
4. Preparate adesso la marinata.
5. in una ciotola versate il succo dei limoni.
6. Aggiungete la radice di zenzero schiacciata precedentemente sbucciata.
7. Lasciate insaporire i due ingredienti per qualche minuto.
8. Nel frattempo, pulite e tagliate a dadini grossolani le zucchine.
9. Fatele saltare in padella preriscaldata con olio di oliva per 5 minuti circa.
10. Pulite e denocciolare le olive nere.

11. Fate preriscaldare un'altra padella antiaderente con poco olio.
12. Fate cuocere da entrambi i lati i filetti di sogliola in una padella un paio di minuti per lato.
13. La padella deve essere ben calda.
14. Nel frattempo, tritate le mandorle per formare la granella.
15. Quando il pesce sarà del tutto cotto, lasciatelo riposare un paio di minuti.
16. Dopodiché servitelo su un letto di zucchine e olive nere.
17. Cospargete il tutto con il succo di limone e lo zenzero.
18. Servite infine con la granella di mandorle cosparsa sopra il pesce.

Totani con ravanelli zucchine e carote

TEMPO DI PREPARAZIONE: 15 minuti
TEMPO DI COTTURA: 13 minuti + 30 minuti di riposo
CALORIE: 215 a porzione
MACRONUTRIENTI: CARBOIDRATI: 9 GR; PROTEINE: 24 GR; GRASSI: 13 GR

INGREDIENTI PER 2 PERSONE

- 250 gr di totani già puliti ed eviscerati
- 60 gr di carote
- 200 gr di zucchine
- 20 gr di ravanelli
- 1 ciuffo di prezzemolo fresco
- Origano q.b.
- 1 limone
- Olio d'oliva q.b.
- Sale q.b.

PREPARAZIONE

1. Per prima cosa, pulite ed eviscerate i totani freschi (o acquistateli giù eviscerati dalla pescheria).
2. Per fare questo, separate il corpo dai tentacoli e tagliate il corpo a rotelle, mentre riducete i tentacoli in pezzi più piccoli.
3. Lavate le zucchine e tagliatele.
4. Procedete a lessare i totani in una casseruola con acqua per circa 10 minuti dal momento in cui inizia a bollire.
5. Circa 3 minuti prima di fine cottura, potete aggiungere le zucchine per farle cuocere.
6. Scolate totani e zucchine e fate raffreddare.
7. Nel frattempo, private le carote della buccia esterna e tagliatele a dadini; riducete i ravanelli a fettine.
8. Spremete il succo di 1 limone e tenete da parte la scorza grattugiata.
9. Prendete una ciotola abbastanza capiente e iniziate ad unire tutti gli ingredienti: i totani e le zucchine cotte, poi le carote e i ravanelli crudi, quindi condite con il succo di limone, la scorza grattugiata, l'origano essiccato, il prezzemolo sminuzzato, il sale e l'olio.
10. Lasciate riposare una mezzoretta.
11. Passati i 30 minuti servite i totani a temperatura ambiente.

Insalata di tonno pomodorini e avocado

TEMPO DI PREPARAZIONE: 15minuti + due ore di riposo in freezer
TEMPO DI MARINATURA: 15 minuti
CALORIE: 360 a porzione
MACRONUTRIENTI: CARBOIDRATI: 6 GR; PROTEINE: 32 GR; GRASSI: 15 GR

INGREDIENTI PER 1 PERSONA

- 100 gr di filetto di tonno
- Un avocado piccolo
- 3 pomodorini
- Olio di oliva q.b.
- 20 ml di salsa di sola
- 1 cucchiaio di aceto di mele
- Sale q.b.
- Peperoncino q.b.
- Paprika in polvere q.b.

PREPARAZIONE

1. Iniziate mettendo in congelatore per un paio di ore il filetto di tonno, per abbatterlo.
2. Nel frattempo, preparate la marinata. In una piccola ciotola versate l'olio di oliva, la salsa di soia, l'aceto, il peperoncino e la paprika dolce.
3. Dopo averlo fatto abbattere togliete il filetto di tonno dal congelatore e tagliatelo a cubetti.
4. Mettete i cubetti di tonno in una ciotola.
5. Versate la marinata sui cubetti di tonno. Coprite il tutto con pellicola trasparente e ponete in frigo a marinare per 15 minuti.
6. Tagliate a metà per lungo l'avocado, togliete la pelle esterna e il nocciolo centrale e poi tagliatelo a dadini.
7. Lavate i pomodorini e tagliateli a metà.
8. Adesso prendete una ciotola per insalata e mettete i cubetti di tonno.
9. Mettete poi i pomodorini e l'avocado tagliato a dadini.
10. Irrorate il tutto con un po' di olio d'oliva e una spruzzata di sale.

Insalata di tonno e uova

TEMPO DI PREPARAZIONE: 10 minuti
TEMPO DI COTTURA: 20 minuti
CALORIE: 450 a porzione
MACRONUTRIENTI: CARBOIDRATI: 6 GR; PROTEINE: 31 GR; GRASSI: 30 GR

INGREDIENTI PER 2 PERSONE

- 350 gr di tonno sott'olio sgocciolato
- 2 uova
- 2 cetrioli
- 3 pomodorini
- Mezza lattuga
- 1 limone piccolo
- Semi di cardamomo q.b.
- Aceto di mele q.b.
- Olio d'oliva q.b.
- Sale e pepe q.b.
- 2 cucchiai di maionese

PREPARAZIONE

1. Per prima cosa preparate le uova.
2. Inserite le uova direttamente in un pentolino pieno di acqua e fatele rassodare, calcolando circa 8 minuti dall'ebollizione.
3. A cottura terminata lasciatele intiepidire, quindi sbucciatele tagliatele a spicchi.
4. Adesso potete passare alle verdure.
5. Mondate i cetrioli e affettateli.
6. Lavate anche i pomodorini e tagliateli a spicchi.
7. Pulite e tagliate a pezzettini pure la lattuga.
8. Adesso potete scolare sminuzzare e il tonno.
9. Schiacciate qualche seme di cardamomo, tritateli e versateli in una ciotolina assieme al succo di limone, a una spruzzata di aceto di mele e a un filo d'olio.
10. Emulsionate bene, unendo anche un pizzico di sale.

11. Nei singoli piatti da portata sistemate un letto di insalata, quindi versate, le uova, i cetrioli, i pomodori e il tonno; irrorate con l'emulsione al cardamomo, aggiungete per condire i due cucchiai di maionese e portate in tavola.

Tonno in crosta di pistacchi

TEMPO DI PREPARAZIONE: 15minuti + due ore di riposo in freezer
TEMPO DI COTTURA: 5 minuti
CALORIE: 350 a porzione
MACRONUTRIENTI: CARBOIDRATI: 2 GR; PROTEINE: 35 GR; GRASSI: 14 GR

INGREDIENTI PER 1 PERSONA

- Un filetto di tonno da 200 gr
- 20 gr di pistacchi tritati (o farina di pistacchi)
- Olio d'oliva q.b.
- Sale e pepe q.b.

PREPARAZIONE

1. Iniziate mettendo il filetto di tonno in freezer per almeno due ore in modo tale che appena uscito dal freezer vi sarà più facile tagliarlo a filetti senza rompere le fibre.
2. Passate le due ore togliete il tonno dal freezer e tagliatelo per lungo in modo da ottenere fette di almeno 3 cm di spessore.
3. Mettete le fette di tonno in una pirofila e cospargetele con un po' di olio d'oliva.
4. Prendete le fettine di tonno e passatelo nella panatura di pistacchio facendo attenzione a premere bene in modo che risulti panato da tutti i lati.
5. Mettete un cucchiaio di olio in una padella antiaderente e fatelo scaldare.
6. Appena l'olio inizia a sfrigolare mettete le fette di tonno impanate nella padella e fatele cuocere per un paio di minuti da entrambi i lati. Il tonno all'interno non deve cambiare colore, deve rimanere rosa, altrimenti risulterebbe troppo cotto.
7. Togliete il tonno dalla padella, tagliatelo a fettine sottili, mettetelo in un piatto da portata e servitelo accompagnato da un'insalata verde.

Hamburger di tonno e salmone

TEMPO DI PREPARAZIONE: 3 minuti
TEMPO DI COTTURA: 15 minuti
CALORIE: 340 a porzione
MACRONUTRIENTI: CARBOIDRATI: 2 GR; PROTEINE: 22 GR; GRASSI: 19 GR

INGREDIENTI PER 2 PERSONE

- 100 gr di tonno sott'olio di oliva sgocciolato
- 100 gr di salmone e naturale sgocciolato
- 1 uovo
- 25 gr di parmigiano grattugiato
- Sale e pepe q.b.
- Una foglia di menta
- Una foglia di basilico
- Zenzero in polvere q.b.
- Paprika dolce q.b.

PREPARAZIONE

1. Per prima cosa, fate preriscaldare il forno a 200°C

2. Mettete tutti gli ingredienti (il tonno il salmone, le erbe e le spezie varie) in un mixer.
3. Aggiungete l'uovo e il parmigiano.
4. Azionate il mixer e aspettate finché il composto che si sarà formato non sarà perfettamente omogeneo.
5. Dividete il composto in 6 parti da circa 50 gr ciascuno.
6. Se preferite, potete ricavare 4 hamburger di dimensioni maggiori.
7. Prendete una teglia ed inseritevi della carta forno.
8. Adagiate i vostri hamburger di tonno e salmone e irrorate con un filo d'olio.
9. Fate cuocere per poco meno di 10' minuti, poi girate gli hamburger e cuoceteli dall'altro lato.
10. Non appena saranno cotti potete servire.
11. Servite gli hamburger con un'insalata verde.

Tartare di salmone al pistacchio

TEMPO DI PREPARAZIONE: 15minuti + un'ora di riposo in freezer
TEMPO DI MARINATURA: 10 minuti
CALORIE: 260 a porzione
MACRONUTRIENTI: CARBOIDRATI: 5 GR; PROTEINE: 25 GR; GRASSI: 12 GR

INGREDIENTI PER 2 PERSONE

- Un filetto di salmone da 200 gr circa
- Mezzo bicchiere di succo di limone
- 10 ml di olio di oliva
- 1 finocchio da tavola
- Granella (o farina di pistacchio) q.b.
- Sale e pepe q.b.

PREPARAZIONE

1. Iniziate la ricetta mettendo in congelatore per un'ora il filetto di salmone in modo da uccidere i batteri e rendere più facile da tagliare il filetto.
2. Passata l'ora, prendete il filetto di salmone, lavatelo, sciacquatelo e lasciatelo asciugare.
3. Se necessario, potete asciugarlo con della carta assorbente da cucina.
4. Adesso, tagliatelo a cubetti (o a striscioline, come preferite) e metteteli in una ciotola.
5. Conditelo con il succo di limone, l'olio d'oliva, il sale ed il pepe.
6. Lasciatelo marinare per almeno due ore in frigo
7. Quando saranno passate quasi le due ore, potete passare al finocchio.
8. Lavate il finocchio da tavola ed affettatelo
9. Conditelo con l'olio di oliva, il sale ed altro succo di limone.
10. Quando sarà il momento di impiattare potete costruire il vostro piatto adagiando sul letto di finocchi condito i cubetti di salmone marinati.
11. Per finire spolverate il pesce con la granella di pistacchio.
12. Potete servire.

Salmone affumicato e funghi

TEMPO DI PREPARAZIONE: 10

minuti+ 20 minuti di riposo in frigo
CALORIE:201 a porzione
MACRONUTRIENTI: CARBOIDRATI: 1 GR; PROTEINE: 27 GR; GRASSI: 8 GR

INGREDIENTI PER 2 PERSONE

- 300 gr di salmone affumicato
- 100 gr di funghi champignon
- 20 ml di olio di oliva
- 1 limone
- 1 ciuffo di prezzemolo
- Sale q.b.
- Pepe q.b.

PREPARAZIONE

1. Spremete il limone con uno spremiagrumi e filtratene il succo in una ciotola.
2. Togliete la parte terrosa dei funghi e poi lavateli e asciugateli. Tagliateli a fettine sottilissime.
3. Mettete i funghi in una ciotola, aggiungete sale e pepe e metà del succo di limone e mescolate il tutto molto delicatamente.
4. Lavate e asciugate il prezzemolo e poi tritatelo.
5. Prendete due piatti da portata e mettete sul fondo del piatto il salmone diviso in parti eque.
6. Disponete sopra il salmone i funghi e poi cospargeteli con il prezzemolo tritato.
7. Prendete una ciotolina e mettete l'olio, il resto del succo di limone un pizzico di sale e pepe.
8. Con una forchetta emulsionate bene il tutto.
9. Cospargete funghi e salmone con la salsina e mettete in frigo a marinare per 20 minuti.
10. Servite appena avrà finito la marinatura in frigo.

Insalata di salmone avocado e cetriolo

TEMPO DI PREPARAZIONE: 15minuti + un'ora di riposo in freezer
TEMPO DI MARINATURA: 10 minuti
CALORIE: 380 a porzione
MACRONUTRIENTI: CARBOIDRATI: 4 GR; PROTEINE: 32 GR; GRASSI: 23 GR

INGREDIENTI PER 1 PERSONA

- Un filetto di salmone da 150 gr
- 1 avocado piccolo
- 15 ml di salsa di soia
- 1 cetriolo
- Olio di oliva q.b.
- Zenzero in polvere q.b.
- Paprika piccante q.b.
- Semi di sesamo q.b.

PREPARAZIONE

1. Iniziate la ricetta mettendo in congelatore per un'ora il filetto di salmone in modo da uccidere i batteri e rendere più facile da tagliare il filetto.
2. Nel frattempo, preparate la marinata. In una piccola ciotola versate l'olio di oliva, la salsa di soia, lo zenzero in polvere e la paprika piccante.
3. Passata l'ora, prendete il filetto di salmone e tagliatelo a cubetti (o a striscioline, come preferite) e metteteli in una ciotola.
4. Versate la marinata sui cubetti di salmone.
5. Coprite il tutto con pellicola trasparente e ponete in frigo a marinare per 10 minuti.
6. Tagliate a metà per lungo l'avocado, togliete la pelle esterna e il nocciolo centrale e poi tagliatelo a dadini.

7. Lavate il cetriolo, tagliatelo a metà e con una mandolina, oppure un pelapatate se non avete la mandolina, tagliate il cetriolo a listarelle sottili.
8. Adesso prendete una ciotola e mettete i cubetti di salmone.
9. Potete mettere anche il cetriolo, e l'avocado tagliato a dadini.
10. Finite di decorare l'insalata con dei semi di sesamo irrorate il tutto con un po' di olio d'oliva e una spruzzata di sale e pepe.
11. Potete servire l'insalata.

Salmone in crosta di nocciole

TEMPO DI PREPARAZIONE: 15minuti + un'ora di riposo in freezer
TEMPO DI COTTURA: 5 minuti
CALORIE: 380 a porzione
MACRONUTRIENTI: CARBOIDRATI: 4 GR; PROTEINE: 34 GR; GRASSI: 21 GR

INGREDIENTI PER 2 PERSONE

- Due filetti di salmone da 150 gr ciascuno
- 50 gr di nocciole tritate
- Olio d'oliva q.b.
- Paprika piccante in polvere q.b.
- Sale e pepe q.b.

PREPARAZIONE

1. Iniziate mettendo il filetto di salmone in freezer per almeno un'ora in modo tale che appena uscito dal freezer vi sarà più facile tagliarlo a filetti senza rompere le fibre.
2. Passata l'ora togliete il pesce dal freezer, sciacquatelo ed asciugatelo con carta assorbente.
3. Tagliatelo per lungo in modo da ottenere delle fettine.
4. Cercate di non tagliare fette troppo spesse.
5. Mettete le fette di salmone in una pirofila e cospargetele con un po' di olio d'oliva.
6. Massaggiate le fette di salmone con la paprika, il sale e il pepe.
7. Se non avete le nocciole tritate, potete prenderne intere e tritarli voi stessi.
8. Prendete le fettine di salmone e passatele nella panatura di noccioline facendo attenzione a premere bene in modo che risulti panato da tutti i lati.
9. Mettete un cucchiaio di olio in una padella antiaderente e fatelo scaldare.
10. Appena l'olio inizia a sfrigolare mettete le fette di pesce impanate nella padella e fatele cuocere per un paio di minuti da entrambi i lati.
11. Cuocete fino a quando il salmone non sarà diventato appena di un rosa più chiaro, altrimenti risulterebbe troppo cotto.
12. Non appena le fette di salmone panato alle nocciole saranno cotte, mettetelo in un piatto da portata e servitelo accompagnato da un'insalata verde.

Salmone con cavolo viola

TEMPO DI PREPARAZIONE: 15 minuti
TEMPO DI MARINATURA: due ore
CALORIE: 190 a porzione
MACRONUTRIENTI: CARBOIDRATI: 5

GR; PROTEINE: 12 GR; GRASSI: 10 GR

INGREDIENTI PER 2 PERSONE
- 100 gr di salmone affumicato
- 60 gr di cavolo viola
- 1 limone
- Olio d'oliva q.b.
- Sale e pepe q.b.
- Origano q.b.

PREPARAZIONE
1. Iniziate la ricetta prendendo il cavolo viola e tagliandolo a strisce sottili.
2. Mettetelo in una ciotola e conditelo con un pizzico di sale, il succo di mezzo limone e olio d'oliva.
3. Lasciatelo marinare in frigo per un paio di ore.
4. Quando sarà passato questo tempo, prendete il salmone affumicato e tagliatelo a strisce sottili.
5. Conditelo in una ciotola con un po' d'olio, il restante succo di limone, pepe e origano
6. Adagiate in un piatto da portata, il cavolo viola marinato
7. Potete mettere sopra direttamente le strisce di salmone condito.
8. Servite.

Filetto di salmone ai finocchi

TEMPO DI PREPARAZIONE: 15 minuti
TEMPO DI COTTURA: 20 minuti
CALORIE: 370 a porzione
MACRONUTRIENTI: CARBOIDRATI: 1 GR; PROTEINE: 32 GR; GRASSI: 21 GR

INGREDIENTI PER 2 PERSONE
- 2 filetti di salmone da 200 gr circa ciascuno
- 1 finocchio da tavola
- 1 limone
- Olio di oliva q.b.
- Sale e pepe q.b.

PREPARAZIONE
1. Per prima cosa, iniziate con i finocchi.
2. Togliete la barbetta, separate le varie foglie, lavatele sotto acqua corrente, asciugatele e poi tagliate il finocchio a fettine.
3. Lavate anche alcuni ciuffi di barbetta e metteteli da parte.
4. Prendete un tegame e riscaldate mezzo cucchiaio di olio.
5. Lasciate riscaldare l'olio e poi mettete le fettine di finocchio per una decina di minuti a saltare, aggiungendo sale e un goccio d'acqua.
6. Passate adesso ai filetti di salmone.
7. Lavateli sotto acqua corrente e controllate che non siano presenti lische. In tal caso toglietele aiutandovi con una pinzetta da cucina.
8. Prendete adesso una teglia e mettete dentro la teglia due fogli di carta forno.
9. Ungete la carta forno con un po' di olio, aggiungete il pesce, salatelo, cospargetelo con il pepe e irrorate il tutto con il succo del limone e un filo di olio di oliva e la barbetta di finocchi che avevate messo da parte.
10. Mettete il salmone in forno caldo preriscaldato a 180 gradi per circa 20 minuti.
11. Appena saranno pronti togliete i filetti di salmone dalla carta forno, togliete le barbette di finocchi e adagiate i filetti in un piatto da portata contornate dai finocchi cotti in precedenza.

Salmone al forno con menta e zenzero

TEMPO DI PREPARAZIONE: 10 minuti
TEMPO DI COTTURA: 15 minuti
CALORIE: 330 a porzione
MACRONUTRIENTI: CARBOIDRATI: 1 GR; PROTEINE: 27 GR; GRASSI: 24 GR

INGREDIENTI PER 2 PERSONE

- 300 gr di filetto di salmone fresco
- 1 cucchiaio di olio extravergine di oliva
- 1 rametto di maggiorana fresca
- 1 rametto di menta fresca
- 1 cucchiaino di zenzero in polvere
- scorza di limone q.b.
- Sale e pepe q.b.

PREPARAZIONE

1. Per prima cosa, lavate il filetto di salmone sotto acqua corrente, sciacquatelo ed asciugatelo con della carta assorbente.
2. Nel frattempo, in un mortaio, frantumate le spezie (la maggiorana e la menta)
3. Fatto questo prendete i filetti di salmone e iniziateli a massaggiare con sale pepe,
4. Unite tutte le spezie, sia quelle tritate che lo zenzero in polvere
5. Adagiate i filetti di salmone in una teglia ricoperta da carta forno e cospargeteli con dell'olio di oliva e grattugiate la buccia di un limone sopra.
6. Cuocete in forno a 180°C per 15 minuti.
7. Quando i filetti di salmone allo zenzero e alla menta saranno ben cotti, serviteli ancora caldi

Salmone al forno con asparagi

TEMPO DI PREPARAZIONE: 15 minuti
TEMPO DI COTTURA: 25/30 minuti
CALORIE: 350 a porzione
MACRONUTRIENTI: CARBOIDRATI: 4 GR; PROTEINE: 31 GR; GRASSI: 25 GR

INGREDIENTI PER 2 PERSONE

- 300 gr di filetto di salmone fresco
- 200 gr di asparagi freschi
- 1 cucchiaio di olio di oliva
- 1 pizzico di sale
- Pepe q.b.
- 4 semi di coriandolo
- 1 cucchiaino di zenzero in polvere
- Paprika dolce q.b.

PREPARAZIONE

1. Per prima cosa lavate bene gli asparagi.
2. Privateli della parte bianca del gambo e tenete da parte le punte più tenere.
3. Adesso potete prendere i filetti di salmone e sciacquarli sotto l'acqua corrente.
4. Fateli asciugare bene con della carta assorbente da cucina.
5. Massaggiate i filetti di salmone con sale e pepe.
6. Prendete un mortaio e pestate insieme i semi di coriandolo.
7. Condite ulteriormente il salmone con i semi di coriandolo, la paprika e lo zenzero in polvere
8. Oliate leggermente una teglia da forno e adagiatevi prima gli asparagi e poi i filetti di salmone.
9. Infornate con forno preriscaldato a 180°C per circa 25/30 minuti circa.

10. Verificate sia il grado di cottura del salmone che degli asparagi.
11. Non appena saranno pronti, servite i filetti di salmone ancora caldi sul letto di asparagi.

Salmone al forno con funghi zucchine e pomodorini

TEMPO DI PREPARAZIONE: 20 minuti
TEMPO DI COTTURA: 20/25minuti
CALORIE: 420 a porzione
MACRONUTRIENTI: CARBOIDRATI: 6 GR; PROTEINE: 34 GR; GRASSI: 30 GR

INGREDIENTI PER 2 PERSONE

- 300 gr di filetto di salmone fresco
- 1 zucchina
- 100 gr di funghi champignon
- 150 gr di pomodorini
- 1 spicchio di aglio
- 1 limone
- 1 cucchiaio di olio di cocco (o se non lo avete olio di oliva)
- Due rametti di timo
- Sale e pepe q.b.

PREPARAZIONE

1. Per prima cosa, fate preriscaldare il forno a 170 °C.
2. Iniziate la ricetta pulendo il filetto di salmone sotto acqua corrente, e asciugandolo.
3. Procedete, nel frattempo, lavando la zucchina.
4. Pulite con un panno i funghi, togliendo eventuale terriccio.
5. Tagliate la zucchina a rondelle e gli champignon in 4 pezzi.
6. Tritate anche l'aglio.
7. Stendete della carta da forno su una teglia.
8. Mettete la verdura al centro della teglia.
9. Adagiare il salmone di fianco.
10. Massaggiate i filetti di salmone con sale e pepe,
11. Spremeteci sopra il limone e fate gocciolare l'olio di cocco liquido.
12. Aggiungete il rametto di timo.
13. Chiudete la carta da forno andando a creare una sorta di cartoccio.
14. Lasciate cuocere il salmone in forno preriscaldato per circa 20-25 minuti.
15. Verificate sempre la cottura del salmone e delle verdure
16. Potete servire quando il pesce e le verdure saranno cotti.

Filetti di salmone al forno con aglio e basilico

TEMPO DI PREPARAZIONE: 15 minuti
TEMPO DI COTTURA: 25/30 minuti
CALORIE: 340 a porzione
MACRONUTRIENTI: CARBOIDRATI: 6 GR; PROTEINE: 30 GR; GRASSI: 25 GR
INGREDIENTI PER 2 PERSONE

- 2 filetti di salmone da 150 gr ciascuno
- 2 spicchi di aglio tritati
- 6 cucchiai di olio di oliva
- un cucchiaino di basilico essiccato,
- due foglioline di basilico fresco
- sale e pepe nero q.b.
- succo di limone q.b.
- un cucchiaino di prezzemolo tritato

PREPARAZIONE

1. Per prima cosa, lasciate abbattere il filetto di salmone per almeno un'ora nel congelatore.
2. Passata l'ora potete tirarlo fuori dal freezer, lavarlo sotto acqua corrente e farlo asciugare.
3. Nel frattempo, potete preparare la marinatura mescolando gli spicchi di

aglio tritati, con i cucchiai di olio, il basilico essiccato, pepe nero e sale, il succo di limone e il prezzemolo tritato.
4. Coprire con la marinatura i filetti di salmone e lasciate marinare in frigorifero per almeno un'ora, girandoli di tanto in tanto.
5. Preriscaldate il forno a 180 gradi.
6. Passata l'ora potete disporre i filetti di salmone su un foglio di alluminio, coprirli con la marinatura e la foglia di basilico fresco sopra ciascun filetto.
7. Fate cuocere per circa 40 minuti in forno preriscaldato a 180 gradi.
8. Non appena sarà cotto, potete servire il salmone profumato al basilico su un piatto da portata con un'insalata verde.

Salmone affumicato con rucola e uova

TEMPO DI PREPARAZIONE: 15 minuti
TEMPO DI COTTURA: 8 minuti
CALORIE: 260 a porzione
MACRONUTRIENTI: CARBOIDRATI: 3 GR; PROTEINE: 19 GR; GRASSI: 9 GR

INGREDIENTI PER 1 PERSONA

- 100 gr di salmone affumicato
- 50 gr di rucola già pulita
- 1 uovo
- 3 pomodorini
- Olio di oliva q.b.
- Un cucchiaio di aceto di mele
- Sale e pepe q.b.

PREPARAZIONE

1. Per prima cosa, preparate le uova, che ci metteranno un po' di più a cuocersi.
2. Mettete in una pentola dell'acqua e immergetevi le uova.
3. Assicuratevi che le uova siano completamente coperte dall'acqua.
4. Portate l'acqua con le uova ad ebollizione e fate cuocere per altri 8 minuti a fuoco medio.
5. Una volta cotte trasferite le uova in una ciotola con dell'acqua fredda e fatele raffreddare completamente.
6. Una volta fredde sbucciate le uova facendo attenzione nel non romperle quando le separate dal guscio.
7. Una volta pelate tagliatele a metà e mettetele da parte.
8. Passate ai pomodorini.
9. Lavateli bene, asciugateli e poi tagliateli a metà. Mettete i pomodorini da parte e passate al salmone.
10. Prendete il salmone affumicato e tagliatelo a listarelle sottili.
11. Adesso passate a preparare la vinaigrette.
12. In una ciotolina mettete il sale, l'olio di oliva, l'aceto di mele e il pepe.
13. Mescolate bene fino ad ottenere un'emulsione.
14. Finito di preparare tutti gli ingredienti passiamo ad assemblare la nostra insalata. Prendete un piatto da portata.
15. Adagiate sul fondo del piatto la rucola.
16. Adagiate sopra la rucola le uova tagliate a metà e le listarelle di salmone.
17. Alla fine, aggiungete i pomodorini e condite il tutto con la vinaigrette.

Salmone speziato

TEMPO DI PREPARAZIONE: 10 minuti

+1 ora di riposo in freezer + 20 minuti di marinatura
TEMPO DI COTTURA: 4 minuti
CALORIE: 290 a porzione
MACRONUTRIENTI: CARBOIDRATI: 5 GR; PROTEINE: 35 GR; GRASSI: 16 GR

INGREDIENTI PER 2 PERSONE
- 250 gr di filetto di salmone
- 2 cucchiai di latte di mandorla
- 15 ml di salsa di soia
- Olio d'oliva q.b.
- Curry q.b.
- Zenzero in polvere q.b.
- 1 limone

PREPARAZIONE
1. Iniziate la ricetta mettendo in congelatore per un'ora il filetto di salmone in modo da uccidere i batteri e rendere più facile da tagliare il filetto.
2. Nel frattempo, preparate la marinata.
3. In una piccola ciotola versate l'olio di oliva, la salsa di soia, il succo del limone, lo zenzero in polvere il curry, e il latte di mandorla.
4. Passata l'ora, prendete il filetto di salmone e sciacquatelo.
5. Asciugate il filetto con carta assorbente e mettetelo in una ciotola.
6. Versateci la marinata di latte di mandorle speziata.
7. Coprite il tutto con pellicola trasparente e ponete in frigo a marinare per 20 minuti.
8. Prima di tirare fuori dal frigo il salmone, fate scaldare una piastra per arrostire in modo che sia ben calda.
9. Mettete il salmone marinato e fate cuocere per un paio di minuti a lato.
10. Appena sarà pronto servitelo in un piatto da portata con un'insalata verde

Spiedini di salmone e zucchine

TEMPO DI PREPARAZIONE: 15 minuti +1 ora di riposo in freezer
TEMPO DI COTTURA: 20 minuti
CALORIE: 450 a porzione
MACRONUTRIENTI: CARBOIDRATI: 12 GR; PROTEINE: 36 GR; GRASSI: 27 GR

INGREDIENTI PER 2 PERSONE
- 250 gr di filetto di salmone
- 300 gr di zucchine
- 8 pomodorini
- 2 cucchiai di farina di mandorle
- Sale e pepe q.b.
- Curcuma q.b.
- Olio di oliva (o di cocco) q.b.

PREPARAZIONE
1. Per prima cosa, iniziate con le zucchine.
2. Lavatele, mondatele e tagliateli a cubetti abbastanza grandi e tutti della stessa dimensione.
3. Lavate nuovamente le zucchine.
4. Adesso potete cuocerle a vapore per 5-6 minuti.
5. Tagliate nello stesso modo anche il filetto di Salmone già abbattuto per un'ora in congelatore e sciacquato in acqua corrente
6. Quando le zucchine saranno cotte, lasciatele raffreddare.
7. Nel frattempo, lavate i pomodorini e tagliateli a metà
8. Adesso potete iniziare a preparare gli spiedini alternando un pezzo di

Salmone a un pezzo di zucchina e la metà di un pomodorino.
9. Una volta finito di preparare gli spiedini, potete disporli in una teglia da forno.
10. Conditeli con un po' di sale e di pepe e una spolverata di curcuma.
11. Cospargete gli spiedini con la farina di mandorle e condite con un filo di olio o delle piccolissime noci di olio di cocco.
12. Fate cuocere gli spiedini a 180 gradi per circa 20 minuti.
13. Servite gli spiedini quando si saranno leggermente raffreddati.

Spiedini di salmone e cetriolo

TEMPO DI PREPARAZIONE: 15 minuti +2 ora di riposo in freezer
CALORIE: 260 a porzione
MACRONUTRIENTI: CARBOIDRATI: 2 GR; PROTEINE: 27 GR; GRASSI: 12 GR

INGREDIENTI PER 2 PERSONE
- Un filetto di salmone da 200 gr
- 1 cetriolo
- 1 lime
- Foglie di basilico q.b.
- Peperoncino q.b.
- Sale q.b.
- Coriandolo q.b.
- Succo di limone q.b.

PREPARAZIONE
1. Dato che il salmone verrà servito crudo, assicuratevi di acquistarlo dal vostro fornitore di pesce di fiducia.
2. Per eliminare ogni batterio ed abbattere il pesce, lasciate il salmone almeno due ore nel congelatore.
3. Dopodiché tiratelo fuori, sciacquatelo ed asciugatelo.
4. Procedete a tagliarlo a cubetti o a strisce che potranno essere inseriti nello spiedino.
5. Preparate il condimento degli spiedini pestando, in un mortaio, il coriandolo con il basilico.
6. Mettetelo in una ciotolina e mescolatelo con il succo di limone ed il peperoncino.
7. Lavate, nel frattempo, e sbucciate il cetriolo.
8. Tagliate anch'esso a pezzetti o a cubetti.
9. Potete formare gli spiedini con le strisce (o i cubetti di salmone) alternandolo con il cetriolo.
10. Potete servire direttamente su un piatto da portata accompagnati con la salsa al limone e spezie.

Filetto di trota salmonata ai mirtilli

TEMPO DI PREPARAZIONE: 10 minuti + 1 ora riposo freezer + 20 minuti marinatura
TEMPO DI COTTURA: 6 minuti
CALORIE: 270 a porzione
MACRONUTRIENTI: CARBOIDRATI: 3 GR; PROTEINE: 26 GR; GRASSI: 11 GR

INGREDIENTI PER 2 PERSONE
- 2 filetti di trota salmonata da 150 gr circa ciascuno
- 20 ml di olio d'oliva
- Paprika (dolce o piccante) q.b.
- Sale e pepe q.b.
- 1 cucchiaino di semi di finocchio
- Succo di limone q.b.
- 100 gr di mirtilli

PREPARAZIONE

1. Per prima cosa, fate abbattere i filetti di trota salmonata almeno per un'ora nel congelatore.
2. Dopo che l'ora è passata, tirateli fuori, sciacquateli e fateli asciugare bene.
3. In una ciotolina, unite le spezie.
4. Mescolate bene l'olio, la paprika, i semi di finocchio, il sale ed il pepe.
5. Mettete la trota in una ciotola capiente e versateci sopra la marinata.
6. Lasciate almeno marinare il pesce per 20 minuti in frigo.
7. Passati i venti minuti fate scaldare una padella con olio di oliva.
8. Tirate fuori la trota dal frigo e fatela cuocere direttamente in padella con la marinatura.
9. Fate cuocere il pesce per 3 minuti a lato, avendo cura di non farlo cuocere troppo.
10. Mentre il pesce cuoce, condite i mirtilli con il succo di limone.
11. Quando la trota sarà pronta, potete sfaldarla e servirla su un piatto da portata.
12. Accompagnatela dai mirtilli conditi con il limone.

Insalata di gamberetti, yogurt greco e avocado

TEMPO DI PREPARAZIONE: 15 minuti +10 minuti di marinatura
TEMPO DI COTTURA: 5 minuti
CALORIE: 320 a porzione
MACRONUTRIENTI: CARBOIDRATI: 5 GR; PROTEINE: 39 GR; GRASSI: 15 GR

INGREDIENTI PER 1 PERSONA

- 200 gr di gamberetti
- 1 avocado
- 30 gr di rucola
- 30 gr di lattuga
- 25 gr di yogurt greco
- 1 limone
- Paprika q.b.
- Olio di oliva q.b.
- Sale e pepe q.b.

PREPARAZIONE

1. Potete iniziare con il pulire i gamberetti.
2. Staccate la coda e le zampe dal resto del corpo.
3. Tagliate con un coltello delicatamente il dorso dove si trova il filamento scuro.
4. Rimuovete il filamento con la punta del coltello o con uno stuzzicadenti.
5. Adesso sciacquate i gamberi sotto acqua corrente.
6. Una volta puliti, mettete i gamberi in una ciotola e conditeli con il sale, pepe e l'olio di oliva.
7. Mettete la ciotola con i gamberi da parte e lasciateli insaporire per almeno 10 minuti.
8. Adesso passate all'avocado.
9. Tagliatelo in due, separate le due parti, togliete il nocciolo e la pelle esterna.
10. Tagliate le due parti per lungo in modo da ottenere 8 fette.
11. Prendete una griglia e lasciatela riscaldare.
12. Appena sarà abbastanza calda, prendete le fette di avocado e mettete a grigliare un minuto per parte.
13. Mettete l'avocado da parte e adesso passate a grigliare i gamberi.

14. Lasciateli cuocere un paio di minuti per lato. Appena pronti metteteli in un piatto e lasciateli raffreddare.
15. Adesso passate a preparare l'insalata.
16. Pulite la lattuga foglia per foglia sotto l'acqua corrente e asciugatela.
17. Pulite la rucola.
18. Mettete le verdure in una ciotola e conditele con un mix di olio, sale e pepe.
19. Mettete le verdure da parte e passate a preparare la salsa da condimento dell'insalata.
20. Grattugiate la scorza del limone e mettetela in una ciotola assieme allo yogurt greco.
21. Poi spremete il limone e aggiungete nella ciotola anche il succo.
22. Mescolate bene il tutto con un cucchiaio.
23. In un piatto da portata mettete sul fondo le verdure e l'avocado.
24. Mettete sopra i gamberi e finite con il condire il tutto con la salsa.

Gamberoni in salsa di yogurt al limone

TEMPO DI PREPARAZIONE: 20 minuti +1 ora di marinatura
TEMPO DI COTTURA: 5 minuti
CALORIE: 280 a porzione
MACRONUTRIENTI: CARBOIDRATI: 4 GR; PROTEINE: 36 GR; GRASSI: 14 GR

INGREDIENTI PER 1 PERSONA

- 4 gamberoni
- 2 limoni
- 40 gr di yogurt greco
- Peperoncino q.b.
- Zenzero q.b.
- erba cipollina q.b.
- Qualche foglia di menta
- 1 ciuffo di prezzemolo
- Sale e pepe q.b.
- Olio di oliva q.b.

PREPARAZIONE

1. Iniziate la ricetta pulendo i gamberoni.
2. Senza staccare la testa e senza sgusciarli praticate un'incisione dorsale ai gamberoni per eliminare il filamento nero.
3. Aiutatevi con la lama del coltello o con uno stuzzicadenti.
4. Poi lavateli sotto acqua corrente. Metteteli da parte ad asciugare.
5. Preparate adesso la marinata per i gamberoni.
6. Versate in una ciotola olio di oliva, il succo del limone, il sale e pepe. Amalgamate bene il tutto.
7. Immergete i gamberoni nella marinata e fate in modo che vengano ricoperti per bene.
8. Coprite la ciotola con i gamberi e la marinatura con pellicola trasparente e lasciate riposare in frigo per un'ora.
9. Nel frattempo, preparate la salsa allo yogurt.
10. Tagliate l'altro limone spremetene metà e filtratene il succo.
11. Lavate e mondate menta, erba cipollina e prezzemolo e poi tritate il tutto molto finemente.
12. Adesso versate lo yogurt greco in una ciotola.
13. Aggiungete le erbe tritate, il pepe, il succo di limone e amalgamate bene tutti gli ingredienti.
14. Passata l'ora togliete i gamberi dal frigo.

15. Riscaldate la griglia e appena e calda inserite i gamberoni a cuocere senza la marinatura.
16. Lasciate cuocere due minuti per lato facendo attenzione a non farli cuocere troppo.
17. Togliete i gamberi dal fuoco.
18. Prendete un piatto da portata e sul fondo disponendo un'insalata a tuo piacimento.
19. Adagiate sopra l'insalata i gamberoni e cospargete il tutto con la salsa allo yogurt.

Gamberoni marinati al limone e zenzero con rucola

TEMPO DI PREPARAZIONE: 20 minuti +1 ora di marinatura
TEMPO DI COTTURA: 5 minuti
CALORIE: 285 a porzione
MACRONUTRIENTI: CARBOIDRATI: 5 GR; PROTEINE: 36 GR; GRASSI: 14 GR

INGREDIENTI PER 2 PERSONE

- 8 gamberoni
- 2 limoni
- 1 spicchio di aglio
- Zenzero in polvere q.b.
- Erba cipollina q.b.
- Qualche foglia di menta
- 1 ciuffo di prezzemolo
- 50 gr di rucola
- Aceto di mele q.b.
- Sale e pepe q.b.
- Olio di oliva q.b.

PREPARAZIONE

1. Per prima cosa pulite bene i gamberoni.
2. Senza staccare la testa e senza sgusciarli praticate un'incisione dorsale ai gamberoni per eliminare il filamento nero.
3. Aiutatevi con la lama del coltello o con uno stuzzicadenti.
4. Poi lavateli sotto acqua corrente.
5. Metteteli da parte ad asciugare.
6. Preparate adesso la marinata per i gamberoni.
7. In una ciotola mettete l'olio di oliva, il succo del limone, il sale, pepe e lo spicchio di aglio tritato.
8. Amalgamate bene il tutto.
9. Immergete i gamberoni nella marinata e fate in modo che vengano ricoperti per bene.
10. Coprite la ciotola con i gamberi e la marinatura con pellicola trasparente e lasciate riposare in frigo per un'ora.
11. Nel frattempo, quando starà per passare l'ora, fate riscaldare la griglia.
12. Passata l'ora togliete i gamberi dal frigo.
13. Non appena la griglia sarà ben calda mettete a cuocere i gamberoni senza la marinatura.
14. Lasciate cuocere due minuti per lato facendo attenzione a non farli cuocere troppo.
15. Togliete i gamberi dal fuoco.
16. Nel frattempo, lavate la rucola e conditela con sale olio e aceto di mele.
17. Prendete un piatto da portata e sul fondo disponendo l'insalata di rucola.
18. Adagiate sopra l'insalata i gamberoni.
19. Potete servire.

Capesante gratinate al pistacchio

TEMPO DI PREPARAZIONE: 20 minuti
TEMPO DI COTTURA: 12 minuti
CALORIE: 205 a porzione

MACRONUTRIENTI: CARBOIDRATI: 3 GR; PROTEINE: 10 GR; GRASSI: 14 GR

INGREDIENTI PER 2 PERSONE

- 4 capesante
- 4 rametti di prezzemolo
- 1 spicchio di aglio
- 40 gr di farina di pistacchio
- Pepe nero macinato al momento
- Sale q.b.
- 1 cucchiaio di olio di oliva

PREPARAZIONE

1. Per prima cosa, aprite le capesante.
2. Fatelo, usando un coltello per far forza fra le due valve, quindi staccatele dal guscio, eliminate la parte filamentosa e la parte scura aiutandovi con delle forbici da cucina.
3. Lavate bene sotto acqua fresca corrente, con molta attenzione perché spesso sono presenti residui di sabbia.
4. Lavate bene anche il guscio, se è molto sporco utilizzate una paglietta.
5. Lavate anche il prezzemolo, e tritate finemente e foglie con la mezzaluna su un tagliere, assieme allo spicchio d'aglio spellato.
6. Mescolate in un piatto, la granella di pistacchio, il trito di aglio e prezzemolo, una macinata di pepe, un pizzico di sale e l'olio.
7. Disponete le capesante in una teglia da forno e distribuite su ognuna un po' di ripieno.
8. Le capesante devono essere ben cosparse.
9. Ungete con un filo d'olio e infornare in forno preriscaldato a 200° C per 12 minuti circa.
10. A fine cottura devono essere ben gratinate, ma non eccedere con i tempi perché se cuociono troppo diventano dure e gommose.
11. Servite le capesante gratinate al pistacchio, ancora calde.

Capesante in padella

TEMPO DI PREPARAZIONE: 15 minuti
TEMPO DI COTTURA: 5 minuti
CALORIE: 135 a porzione
MACRONUTRIENTI: CARBOIDRATI: 1 GR; PROTEINE: 12 GR; GRASSI: 6 GR

INGREDIENTI PER 2 PERSONE

- 6 capesante
- 1 tazzina di succo di limone
- 1 ciuffo di prezzemolo
- 1 spicchio di aglio
- Olio di oliva q.b.
- Sale e pepe q.b.

PREPARAZIONE

1. Per prima cosa, aprite le capesante.
2. Fatelo, usando un coltello per far forza fra le due valve, quindi staccatele dal guscio, eliminate la parte filamentosa e la parte scura aiutandovi con delle forbici da cucina.

3. Lavate bene sotto acqua fresca corrente, con molta attenzione perché spesso sono presenti residui di sabbia.
4. Dopo averle staccate dal guscio, massaggiate le capesante con sale e pepe, per condirle.
5. Fatto questo, scaldate una padella con un filo di olio e aggiungete l'aglio.
6. Fate soffriggere poco tempo l'aglio ed inserite le capesante per un minuto e mezzo circa per lato.
7. Aggiungete il succo di limone e fate sfumare.
8. Lavate e tritare il prezzemolo fresco, nel frattempo.
9. Completate la cottura delle capesante, aggiungendo il prezzemolo fresco tritato.
10. Servite le capesante cotte e ancora calde.

Capesante saltate con spinaci e pinoli

TEMPO DI PREPARAZIONE: 15 minuti
TEMPO DI COTTURA: 5 minuti
CALORIE: 260 a porzione
MACRONUTRIENTI: CARBOIDRATI: 5 GR; PROTEINE: 16 GR; GRASSI: 15 GR

INGREDIENTI PER 2 PERSONE

- 6 capesante
- 100 gr di spinaci per insalata
- 20 ml di olio di oliva
- Un cucchiaio di succo di limone
- Pinoli q.b.
- Sale e pepe q.b.

PREPARAZIONE

1. Per prima cosa, aprite le capesante e toglietele dal proprio guscio.
2. Per farlo usate un coltello per far forza fra le due valve, quindi staccatele dal guscio, eliminate la parte filamentosa e la parte scura aiutandovi con delle forbici da cucina.
3. Lavate bene sotto acqua fresca corrente, con molta attenzione perché spesso sono presenti residui di sabbia.
4. Dopo averle staccate dal guscio, sciacquate e asciugatele bene.
5. Massaggiate le capesante con sale e pepe, per condirle.
6. Adesso, lavate bene gli spinaci da insalata e fateli sgocciolare.
7. Riscaldate una padella a fiamma moderata con l'olio d'oliva.
8. Aggiungete le capesante e fatele saltare velocemente, 2 minuti per lato (attenzione: diventano dure e secche con una cottura prolungata).
9. Togliete dal fuoco e mettete da parte.
10. Rimettete sul fuoco la stessa padella aggiungendo nuovamente l'olio di oliva (ma stavolta a fuoco vivo) raschiando bene il fondo con un cucchiaio di legno.
11. Rosolate gli spinaci mescolando per 2-3 minuti fino a quando appassiscono.
12. Salate e pepate.
13. Aggiungete i pinoli e irrorate con il succo di limone.
14. Potete servire distribuendo gli spinaci su un piatto da portata.
15. Adagiare le capesante sugli spinaci e servite.

CAPITOLO 10 - RICETTE DI CONTORNI

Asparagi speziati al formaggio

TEMPO DI PREPARAZIONE: 15 minuti
TEMPO DI COTTURA: 5 minuti
CALORIE: 80 Calorie a porzione
MACRONUTRIENTI: CARBOIDRATI: 2 GR; PROTEINE: 7 GR; GRASSI: 4 GR

INGREDIENTI PER 4 PERSONE

- 12 Asparagi
- La buccia e il succo di 1 limone
- 1 cucchiaio Burro o di olio d'oliva
- Paprika piccante q.b.
- Sale e pepe nero q.b.
- Curcuma q.b.
- 2 cucchiai di Parmigiano grattugiato

PREPARAZIONE

1. Per prima cosa, lavate bene gli asparagi ed eliminate la parte più dura del fondo, di circa 2 cm, tagliandola via.
2. Lavate bene anche il limone, asciugatelo e grattugiatene la buccia.
3. Prendete la scorza del limone e mettetela in una ciotola da parte.
4. In un piattino mettete insieme il sale, il pepe e le spezie.
5. Passate ogni asparago nelle spezie, in modo da insaporirlo del tutto.
6. Mettete il burro oppure l'olio d'oliva in una padella larga e riscaldalo fino a farlo bollire, a medio calore.
7. Aggiungete gli asparagi e fateli cuocere per 1-2 minuti su ciascun lato o fino a quando non si saranno leggermente ammorbiditi.
8. Devono comunque rimanere croccanti.
9. Servite gli asparagi croccanti in un vassoio, cosparsi con scorza di limone, parmigiano e succo di mezzo limone.

Cavoletti di Bruxelles in brodo

TEMPO DI PREPARAZIONE: 10 minuti
TEMPO DI COTTURA: 25 minuti
CALORIE: 60 Calorie a porzione
MACRONUTRIENTI: CARBOIDRATI: 3 GR; PROTEINE: 4 GR; GRASSI: 1 GR

INGREDIENTI PER 3 PERSONE

- 300 gr di cavoletti di Bruxelles
- ½ cipolla rossa
- 125 ml di brodo vegetale
- Olio d'oliva q.b.
- Sale e pepe Nero q.b.
- Rosmarino q.b.

PREPARAZIONE

1. Iniziate pulendo i cavoletti eliminando alla base le foglie esterne.
2. Tagliate i cavoletti a pezzettini di grandezza più o meno uguale.

3. Pulite e mondate anche la cipolla e tritatela finemente.
4. Nel frattempo, fate scaldare il brodo vegetale in un pentolino. Deve essere caldo.
5. Fate scaldare una padella antiaderente con un po' d'olio d'oliva e quando sarà calda, mettete a soffriggere la cipolla con il rosmarino.
6. Quando la cipolla sarà ben dorata, potete buttare in padella i cavoletti di Bruxelles.
7. Aggiustate di sale e pepe e mescolate in modo da combinare tutti i sapori.
8. Dopo aver mescolato, versate il brodo caldo in padella e fate cuocere per circa 15 minuti.
9. Verificate la cottura dei cavoletti: inserendo una forchetta, devono risultare morbidi.
10. Servite il contorno ancora caldo.

Broccoli al grana padano

TEMPO DI PREPARAZIONE: 10 minuti
TEMPO DI COTTURA: 20 minuti
CALORIE: 150 Calorie a porzione
MACRONUTRIENTI: CARBOIDRATI: 5 GR; PROTEINE: 13 GR; GRASSI: 6 GR

INGREDIENTI PER 2 PERSONE

- 400 gr di broccoli
- 50 gr di grana padano grattugiato
- 15 ml di olio d'oliva
- 1 pizzico Noce moscata
- 1 pizzico Pepe bianco
- 1 pizzico di paprika
- 1 pizzico Sale
- 1/2 bicchiere Acqua (oppure latte scremato)

PREPARAZIONE

1. Per prima cosa, pulite i broccoli, rimuovendo le foglie esterne e ricavandone solo le cimette.
2. Cuocete al vapore le cimette di broccoli per circa 15 minuti.
3. Verificate il loro grado di cottura: dovranno risultare belli morbidi.
4. Trasferiteli in una ciotola capiente e schiacciateli leggermente con un cucchiaio.
5. Aggiungete il formaggio grattugiato, il sale, il pepe, un po' di noce moscata, la paprika e un cucchiaio di olio d'oliva.
6. Mescolate nuovamente per amalgamare gli ingredienti.
7. Continuate a mescolare finché non avrete ottenuto un composto omogeneo e quanto più uniforme possibile.
8. Versate questo composto in un pentolino e aggiungete mezzo bicchiere d'acqua (o del latte scremato, se preferite) e fate cuocere per circa 5 minuti, mescolando continuamente.
9. Servite i broccoli al formaggio filante ancora caldi.

Zucchine gratinate alle mandorle

TEMPO DI PREPARAZIONE: 10 minuti
TEMPO DI COTTURA: 25 minuti
CALORIE: 100 Calorie a porzione
MACRONUTRIENTI: CARBOIDRATI: 3 GR; PROTEINE: 3 GR; GRASSI: 9 GR

INGREDIENTI PER 2 PERSONE

- 300 gr Zucchine
- 20 ml Olio extravergine d'oliva
- 20 gr di farina di mandorle
- 20 gr di Parmigiano reggiano grattugiato

- 1 pizzico Erba cipollina
- Sale e pepe q.b.
- 1 pizzico Salvia

PREPARAZIONE
1. Per prima cosa, lavate le zucchine.
2. Tagliatele poi a rondelle, facendo attenzione a non tagliarle in maniera troppo sottile.
3. Ungete una teglia da forno con uno dei cucchiai di olio d'oliva
4. Adagiate sulla teglia le zucchine, cercando di non sovrapporle tra loro.
5. Adesso preriscaldate il forno a 200°C.
6. Mescolate in un piatto la farina di mandorle insieme al formaggio grattugiato.
7. Aggiungete un pizzico di sale, il pepe, un po' di salvia e l'erba cipollina.
8. Mescolate ancora per amalgamare la vostra panatura.
9. Disponete il composto così ottenuto sulle zucchine, cercando di distribuirlo uniformemente.
10. Aggiungete l'altro cucchiaio di olio sopra le zucchine e fate cuocere per circa 20 minuti, o comunque, fino a doratura.
11. Trascorso il tempo indicato, sfornate e servite dopo aver fatto intiepidire per qualche minuto.

Zucchine trifolate alla paprika

TEMPO DI PREPARAZIONE: 5 minuti
TEMPO DI COTTURA: 10/12 minuti
CALORIE: 75 Calorie a porzione
MACRONUTRIENTI: CARBOIDRATI: 5GR; PROTEINE: 1 GR; GRASSI: 4 GR

INGREDIENTI PER 2 PERSONE
- 3 zucchine
- 1 spicchio di Aglio
- 1 cucchiaio di Olio d'oliva
- 200 ml di acqua
- 1 rametto di Prezzemolo
- 1 cucchiaino di paprika (dolce o piccante)
- Sale e pepe nero q.b.

PREPARAZIONE
1. Per prima cosa, sbucciate e tritate lo spicchio di aglio.
2. Lavate e mondate anche le zucchine, affettatele o tagliatele a dadini.
3. Nel frattempo, fate scaldare una pentola con olio d'oliva e, appena caldo, fate soffriggere l'aglio
4. Dopo che si sarà leggermente abbrustolito, tiratelo fuori dalla padella.
5. Potete inserire le zucchine.
6. Lavate e tritate il prezzemolo e unitelo alle zucchine, assieme al sale, il pepe nero.
7. Mescolate tutti gli ingredienti ed infine inserite la paprika ed insaporite le zucchine.
8. Buttate i 200 ml di acqua, coprite la padella col coperchio e continuate a cuocerle per 10 minuti.
9. L'acqua si deve essere asciugata e le zucchine devono essere cotte.
10. Lasciate intiepidire e servite.

Finocchi speziati

TEMPO DI PREPARAZIONE: 10 minuti
TEMPO DI COTTURA: 20/25 minuti
CALORIE: 70 Calorie a porzione
MACRONUTRIENTI: CARBOIDRATI: 6 GR; PROTEINE: 2 GR; GRASSI: 1 GR

INGREDIENTI PER 2 PERSONE
- 400 gr Finocchi
- 10 ml olio d'oliva
- 2 cucchiaini curry

- 1 pizzico di paprika piccante
- 1 pizzico sale
- 1 pizzico pepe

PREPARAZIONE

1. Per iniziare la ricetta potete lavare il finocchio ed eliminare la barba e le estremità più dure.
2. Dopodiché potete tagliarlo a fettine e risciacquarlo ulteriormente.
3. Preriscaldate, nel frattempo, il forno a 200°.
4. Disponete le fettine di finocchio su una teglia rivestita di carta forno, facendo attenzione a non sovrapporle tra loro
5. Aggiungete adesso un pizzico di sale, un po' di pepe e due cucchiaini rasi di curry ed infine, la paprika piccante.
6. Versate l'olio a filo sulla superficie.
7. Cuocete i finocchi speziati per circa 20 minuti, o fino a doratura.
8. Servite non appena si saranno intiepiditi.

Finocchi gratinati al forno

TEMPO DI PREPARAZIONE: 5 minuti
TEMPO DI COTTURA: 20 minuti
CALORIE: 105 Calorie a porzione
MACRONUTRIENTI: CARBOIDRATI: 2 GR; PROTEINE: 6 GR; GRASSI: 8 GR

INGREDIENTI PER 2 PERSONE

- 400 gr di finocchi
- 30 gr di fontina grattugiata (o formaggio preferito)
- 10 gr di burro o olio
- Sale e pepe q.b.

PREPARAZIONE

1. Per prima cosa, fate preriscaldare il forno a 200° C.
2. Lavate poi bene i finocchi, eliminando la barbetta.
3. Tagliateli in fette sottili, così cucineranno meglio e prima.
4. Prendete una pirofila e spennellatela con poco olio o burro.
5. Iniziate a comporre il finocchio gratinato mettendo un primo strato di finocchi.
6. Proseguite con uno strato di fontina grattugiata, sale e pepe, poi ancora finocchi, formaggio, sale e pepe.
7. Infornate per circa 20 minuti.
8. Servite i finocchi gratinati caldi e con formaggio filante.

Verza saltata all'aglio

TEMPO DI PREPARAZIONE: 10 minuti
TEMPO DI COTTURA: 30 minuti
CALORIE: 65 Calorie a porzione
MACRONUTRIENTI: CARBOIDRATI: 4 GR; PROTEINE: 4 GR; GRASSI: 1 GR

INGREDIENTI PER 2 PERSONE

- 400 gr di verza
- 20 ml di Olio d'oliva
- Sale e pepe q.b.
- 1 spicchio di aglio

PREPARAZIONE

1. Per prima cosa, lavate il cespo di verza sotto acqua corrente.
2. Separate le varie foglie e poi asciugatele con cura.
3. Se volete potete utilizzare della carta assorbente da cucina.
4. Tagliatele a striscioline spesse circa 2 cm.
5. Nel frattempo, in una padella antiaderente riscaldate l'olio con uno spicchio d'aglio spellato.
6. Fate soffriggere l'aglio e, quando si sarà indorato, rimuovetelo e aggiungere la verza.

7. Fate appassire a fiamma dolce per circa 10-15 minuti; la verza dovrà ammorbidirsi completamente.
8. Regolate di sale e pepe.
9. Mescolate e ultimate la cottura.
10. Gli ultimi 5-10 minuti, alzate un po' la fiamma e lasciate che la verza si abbrustolisca un pò.
11. Servite la verza appena intiepidita

Spinaci filanti

TEMPO DI PREPARAZIONE: 10 minuti
TEMPO DI COTTURA: 20 minuti
CALORIE: 130 Calorie a porzione
MACRONUTRIENTI: CARBOIDRATI: 3 GR; PROTEINE: 14 GR; GRASSI: 5 GR

INGREDIENTI PER 4 PERSONE

- 600 gr di spinaci freschi
- 100 ml di Succo di limone
- 30 ml olio d'oliva
- 1 mozzarella
- Sale e pepe q.b.

PREPARAZIONE

1. Sciacquate le foglie di spinaci freschi sotto acqua corrente e fateli cuocere al vapore
2. Fateli cuocere per una decina di minuti, giusto il tempo di farli appassire.
3. Nel frattempo, riscaldate una padella antiaderente con un po' di olio.
4. Aggiungete gli spinaci, un pizzico di sale e uno di pepe.
5. Versate il succo di limone.
6. Cuocete per pochi minuti.
7. Dopo 3 minuti, potere aggiungere la mozzarella.
8. Mescolate fino a quando la mozzarella non si sarà sciolta del tutto.
9. Servite gli spinaci filanti ancora caldi.

Pizza finta di spinaci e carciofi

TEMPO DI PREPARAZIONE: 40 minuti
TEMPO DI COTTURA: 25 minuti
CALORIE: 400 Calorie a porzione
MACRONUTRIENTI: CARBOIDRATI: 8 GR; PROTEINE: 13 GR; GRASSI: 21 GR

INGREDIENTI PER 6 PERSONE

Per la Base:

- 250 gr di farina di mandorle
- ½ cucchiaino di sale
- ½ cucchiaino lievito in polvere
- 1 cucchiaino di aglio in polvere
- 2 uova
- 20 gr di olio di cocco o olio extravergine di oliva

Per il condimento:

- 1 cucchiaio olio di cocco o olio d'oliva
- ½ cipolla gialla tagliata a pezzetti
- 1 spicchio di aglio
- 120 gr di spinaci freschi tagliati grossolanamente
- 100 gr di cuori di carciofi sott'olio ben scolati e tagliati grossolanamente
- Sale e pepe nero q.b.

PREPARAZIONE

1. Per prima cosa occupatevi della base della pizza.
2. Mescolate insieme tutti gli ingredienti secchi in una grande ciotola.

3. Aggiungete le uova, una alla volta, mescolando bene tra una e l'altra, prima con una forchetta poi con le mani.
4. Aggiungete l'olio e impastate ancora bene.
5. Impastate fino ad ottenere un composto liscio ed omogeneo.
6. Compattate l'impasto in una palla e posizionatelo al centro di un pezzo di carta da forno.
7. Ora occupatevi delle verdure.
1. Lavate e sciacquate per bene gli spinaci freschi.
2. Prendere i carciofi sott'olio e fateli scolare per bene.
3. Adesso prendete sia gli spinaci, che i carciofi, e tagliateli in maniera grossolana.
4. Nel frattempo, fate scaldare una padella grande a fuoco medio aggiungendo l'olio di cocco (o di oliva).
5. Una volta calda, versate la cipolla e cuocetela, mescolando di tanto in tanto, per 3-5 minuti o fino a quando la cipolla non diventa trasparente.
6. Aggiungete l'aglio e fate cuocere per un altro minuto.
7. Mettete in padella anche gli spinaci, mescolate bene, coprite e fate cuocere per 3-4 minuti finché non si siano appassiti.
8. Aggiungete i cuori di carciofi.
9. Cuocete per altri 3 minuti, mescolando di tanto in tanto, poi condite con sale e pepe nero a piacere.
10. Con un matterello, nel frattempo che le verdure si cuociano, stendete la base della pizza.
11. Lo spessore della pizza dovrebbe essere di 4-6 mm, a seconda della teglia che avete scelto.
12. Rimuovete la parte superiore della carta da forno e trasferite la base per pizza, con la carta da forno inferiore, in una teglia da pizza.
13. Ripiegate i bordi verso l'interno, per formare il tipico contorno della pizza.
14. Bucherellate leggermente l'impasto con una forchetta o con uno stuzzicadenti.
15. Fatela cuocere per prima 15 minuti nel forno preriscaldato a 180 gradi.
16. Passato il quarto d'ora, tirate fuori la pizza e cospargetela sopra con il mix di spinaci e carciofi.
17. Infornate la pizza per altri 5-8 minuti, quindi tagliatela a fette e servitela calda.

Tortine di uova e spinaci

TEMPO DI PREPARAZIONE: 10 minuti
TEMPO DI COTTURA: 25 minuti
CALORIE: 100 Calorie a porzione
MACRONUTRIENTI: CARBOIDRATI: 6 GR; PROTEINE: 12 GR; GRASSI: 8 GR

INGREDIENTI PER 4 PERSONE

- 60 gr di foglie di Spinaci freschi
- 12 Uova
- ½ Cipolla grande tagliata finemente
- 150 gr di parmigiano Reggiano grattugiato
- Olio d'oliva per ungere la padella e la teglia

PREPARAZIONE

1. Preriscaldate, per prima cosa, il forno a 180° C e ungete bene una teglia per tortine con olio d'oliva.
2. Mettete in una grande padella antiaderente un cucchiaio d'olio di oliva e fate scaldare a fuoco medio.

3. Quando l'olio inizia a scaldarsi e diventa più fluido, aggiungete la cipolla distribuendola con un cucchiaio di legno.
4. Appena comincia a sfrigolare abbassate la fiamma.
5. Quando la cipolla inizia a diventare dorata, aggiungete gli spinaci e mescolate
6. Fate cuocere per circa 3 minuti o finché gli spinaci non si siano del tutto appassiti.
7. Togliete dal fuoco e lasciate raffreddare per cinque minuti.
8. In una grande ciotola, sbattete le uova con una frusta fino a renderle spumose.
9. Aggiungete il formaggio grattugiato e continuate a sbattere per un minuto.
10. Aggiungete gli spinaci e la cipolla e mescolate bene per amalgamare il tutto.
11. Versate il composto in una teglia per tortine, facendo attenzione a non riempire eccessivamente gli stampi.
12. Cuocete per 15 minuti circa.
13. Verificate sempre la cottura.
14. Appena cotte, toglietele dal forno e lasciatele raffreddare per 5 minuti.
15. Per rimuovere le tortine dalla teglia, fate scorrere delicatamente un coltello intorno a ciascun di esce finché non riuscite a staccarle.
16. Servite subito.

Funghi trifolati

TEMPO DI PREPARAZIONE:20 minuti
TEMPO DI COTTURA: 15 minuti
CALORIE: 60 Calorie a porzione
MACRONUTRIENTI: CARBOIDRATI: 2 GR; PROTEINE: 9 GR; GRASSI: 5 GR

INGREDIENTI PER 4 PERSONE

- 800 gr di funghi champignon
- 10 gr di prezzemolo tritato
- 2 spicchi di aglio
- 40 ml olio extravergine di oliva o burro
- 100 ml succo di limone
- Sale e pepe nero q.b.

PREPARAZIONE

1. Per prima cosa, pulite i funghi da eventuale terriccio.
2. Tagliate ora i funghi a fettine sottili.
3. Aromatizzate, in una ciotola, i funghi con olio, sale, pepe, aglio schiacciato e prezzemolo.
4. Fate scaldare una padella con olio d'oliva e quando l'olio sarà caldo, fate rosolare l'aglio solo per un minuto.
5. Passate poi i funghi in padella a fiamma forte per una decina di minuti.
6. Bagnate con succo di limone e completate la cottura con un po' di acqua.
7. Coprite con il coperchio fino a quando i funghi non saranno del tutto cotti.
8. Servite come contorno, appena intiepiditi.

Funghi ripieni

TEMPO DI PREPARAZIONE:5 minuti
TEMPO DI COTTURA: 20 minuti
CALORIE: 90 Calorie a porzione
MACRONUTRIENTI: CARBOIDRATI: 4 GR; PROTEINE: 9 GR; GRASSI: 10 GR

INGREDIENTI PER 2 PERSONE

- 5 funghi grandi
- 1 uovo
- 1 cucchiaino ricotta
- 20 gr di grana padano grattugiato
- 4 fettine sottili scamorza affumicata
- Sale e pepe q.b.

PREPARAZIONE

1. Pulite dal terriccio i funghi e rimuovete il gambo.
2. Tenete da parte 4 funghi, il quinto taglialo a pezzetti piccoli insieme ai gambi e fateli saltare almeno 5 minuti in padella (per il ripieno ti serviranno circa 40 gr di funghi cotti).
3. Preriscaldate il forno a 200º C.
4. In una ciotola inserite l'uovo, la ricotta, il grana grattugiato, il sale, il pepe e i funghi cotti.
5. Unite il tutto e versate nei funghi senza spingere troppo per non rischiare di romperli.
6. Rivestite una teglia con della carta forno e posizionatevi sopra i funghi.
7. Tagliate la scamorza e mettete una fettina sopra ogni fungo ripieno
8. Fate cuocere per circa 20 minuti, o fino a quando i funghi non saranno cotti, e la scamorza del tutto sciolta.
9. Servite ancora caldi e filanti.

Fagiolini e scalogno saltati

TEMPO DI PREPARAZIONE:5 minuti
TEMPO DI COTTURA: 20 minuti
CALORIE: 60 Calorie a porzione
MACRONUTRIENTI: CARBOIDRATI: 2 GR; PROTEINE: 1 GR; GRASSI: 3 GR

INGREDIENTI PER 2 PERSONE

- 600 gr di fagiolini molto sottili
- Uno scalogno
- qualche foglia di menta
- mezzo cucchiaino di sale
- pepe nero q.b.
- olio di oliva q.b.

PREPARAZIONE

1. Per prima cosa, lavate bene i fagiolini in acqua corrente e spuntateli da ambedue i lati.
2. Fate scaldare una pentola con dell'acqua e portate ed ebollizione.
3. Buttate i fagiolini nell'acqua calda e fateli lessare per circa 13 minuti circa.
4. Fateli scolare, appena cotti, e lasciateli raffreddare.
5. Nel frattempo, sbucciate e tritate lo scalogno, molto finemente.
6. Fate scaldare una padella con dell'olio dell'oliva.
7. Appena l'olio sarà ben caldo aggiungere lo scalogno, il sale ed il pepe.
8. Unite anche le foglie di menta ben lavate e mescolate.
9. Alla fine, aggiungete i fagiolini e fateli saltare, insieme agli altri ingredienti per 3-4 minuti.
10. Non appena saranno pronti, lasciateli raffreddare e servite come contorno.

Insalata di peperoni, Songino e scalogno

TEMPO DI PREPARAZIONE: 10 minuti
CALORIE: 110 a porzione
MACRONUTRIENTI: CARBOIDRATI: 6 GR; PROTEINE: 2 GR; GRASSI: 2 GR

INGREDIENTI PER 2 PERSONE

- 100 gr di Songino
- 1 peperone giallo
- Il succo di mezzo limone
- 1 piccolo scalogno
- 1 cucchiaio di olio di oliva
- Sale q.b.
- Pepe q.b.

PREPARAZIONE

1. Lavate il Songino in abbondante

acqua fredda e poi mettetelo ad asciugare stendendolo su un telo da cucina.
2. Passate adesso al peperone. Lavatelo e asciugatelo. Poi tagliatelo a metà, togliete il picciolo, i semi e i filamenti bianchi laterali. Poi tagliate il peperone a striscioline sottili.
3. Sbucciate, lavate e asciugate lo scalogno. Poi tritatelo molto finemente.
4. In una ciotola versate il sale, il pepe e il succo di limone. Sbattete con una forchetta fino a quando non si sarà emulsionato bene il tutto.
5. Versate l'olio e continuate a sbattere. Aggiungete lo scalogno tritato e finite di amalgamare l'emulsione.
6. Mescolate assieme in una ciotola il Songino e il peperone e poi trasferiteli in un piatto da portata.
7. Cospargete le verdure con l'emulsione agli scalogni e servite.

Insalata di peperoni con noci e feta

TEMPO DI PREPARAZIONE:5 minuti
TEMPO DI COTTURA: 20 minuti
CALORIE: 160 Calorie a porzione
MACRONUTRIENTI: CARBOIDRATI: 6 GR; PROTEINE: 11 GR; GRASSI: 10 GR

INGREDIENTI PER 2 PERSONE

- 1 peperone rosso
- 1 peperone giallo
- 50 gr di feta tagliata a cubetti
- Qualche rametto di finocchio selvatico
- Sale e pepe q.b.
- Olio di oliva q.b.
- 20 gr di noci sbriciolate

PREPARAZIONE

1. Iniziate la ricetta con i peperoni.
2. Private i peperoni del picciolo, eliminate i semi e il filamento bianco e poi lavateli sotto acqua corrente.
3. Asciugateli e tagliateli in 8 falde.
4. Preriscaldate il forno a 180°C.
5. Spennellate i peperoni con olio di oliva, salate e pepateli e poi metteteli in una teglia da forno.
6. Infornate fate cuocere i peperoni per almeno mezzora.
7. Saranno cotti quando si sarà formata la crosticina bruna all'esterno.
8. Tirateli fuori dal forno e fateli raffreddare.
9. Dopo che si saranno raffreddati, spellate e tagliate i peperoni a listarelle.
10. Componete l'insalata con i peperoni, che andrete a condire con olio e sale, i cubetti di feta e infine, la granella di noci sparsa sopra.

Involtini di lattuga con formaggio, avocado e pomodoro

TEMPO DI PREPARAZIONE: 20 minuti
CALORIE: 250 Calorie a porzione
MACRONUTRIENTI: CARBOIDRATI: 7 GR; PROTEINE: 11 GR; GRASSI: 9 GR

INGREDIENTI PER 2 PERSONE

- 6 foglie Lattuga
- 100 gr di Formaggio tipo Edammer o fontina
- 2 fette di cetriolo sbucciato
- 1 Avocado piccolo tagliato a fettine sottili
- 1 pomodoro tagliato a fettine sottili
- 1 cucchiaino senape
- 1 cucchiaino di olio di oliva

- 1 cucchiaino peperoncino

PREPARAZIONE

1. Per prima cosa, lavate e sciacquate le foglie di lattuga. Lasciatele asciugare per bene.
2. Lavate anche i pomodori e i cetrioli ed affettateli o tagliateli a fettine sottili.
3. Sbucciate ed estraete la polpa dall'avocato, rimuovendo il nocciolo centrale.
4. Tagliate anche l'avocado a fettine sottili.
5. Stendete poi un foglio di carta da forno sul piano di lavoro e posizionateci sopra le foglie di lattuga, senza lasciare spazi vuoti.
6. Al centro dello strato di lattuga metti la senape, poi il formaggio, il cetriolo' avocado e il pomodoro.
7. Aggiungete l'olio d'oliva e cospargete con il peperoncino.
8. Iniziate ad arrotolare la lattuga il più strettamente possibile, anche aiutandovi con la carta da forno.
9. Quando arrivate a metà della lunghezza della lattuga, piegate i bordi delle foglie verso il centro e continuate ad arrotolare l'involtino.
10. Dopo avere formato il rotolo, avvolgetelo strettamente nella carta forno.
11. Tagliate a metà e servite subito.

CAPITOLO 11 - RICETTE DI PIATTI VEGETARIANI

Piatto vegetariano mediterraneo

TEMPO DI PREPARAZIONE: 10minuti
CALORIE: 197 Calorie a porzione
MACRONUTRIENTI: CARBOIDRATI 7 GR; 14 GR DI PROTEINE; 11 GR DI GRASSI

INGREDIENTI PER 2 PERSONE

- 1 cetriolo
- 1 pomodoro grande
- 1 mozzarella
- 6 noci
- 6 olive verdi
- Origano essiccato q.b.
- Sale q.b.
- Pepe q.b.
- Olio di oliva 20 ml

PREPARAZIONE

1. Lavate e asciugate il cetriolo. Poi tagliatelo in tante piccole rondelle.
2. Lavate e asciugate il pomodoro e poi tagliatelo prima a metà e poi a fettine sottili.
3. Scolate la mozzarella da tutta l'acqua di conservazione e poi tagliatela a fettine sottili.
4. Aprite le noci e poi tritatele molto grossolanamente.
5. Lavate e asciugate le olive.
6. Prendete un tagliere di legno e mettete prima il cetriolo e il pomodoro. Aggiustate di sale e pepe.
7. Mettete adesso la mozzarella e infine le olive.
8. Cospargete il tutto con le noci tritate e spolverizzate con l'origano essiccato. Finite la preparazione condendo il tutto con l'olio di oliva.

Pomodoro, formaggio e noci

TEMPO DI PREPARAZIONE: 10minuti
CALORIE: 226 Calorie a porzione
MACRONUTRIENTI: CARBOIDRATI 4 GR; 6 GR DI PROTEINE; 17 GR DI GRASSI

INGREDIENTI PER 2 PERSONE

- 150 gr di pomodori maturi
- Un cetriolo da 100 gr
- 20 gr di noci sgusciate
- 80 gr di stracchino
- Un piccolo peperone rosso
- 20 ml di olio di oliva
- 20 ml di aceto di mele
- Origano essiccato q.b.
- Sale q.b.
- Pepe q.b.

PREPARAZIONE

1. Lavate e asciugate i pomodori. Poi tagliateli a spicchi.

2. Lavate e asciugate il cetriolo e sbucciatelo con un pelapatate. Poi tagliatelo piccoli cubetti.
3. Lavate e asciugate il peperone, togliete il picciolo, i semi e i filamenti bianchi e poi tagliatelo a filetti sottili.
4. Tritate molto grossolanamente le noci.
5. Prendete un'insalatiera e mettete le verdure e le noci all'interno.
6. Tagliate lo stracchino a cubetti e mettetelo nell'insalatiera assieme alle verdure.
7. Spolverizzate con sale e pepe.
8. In una ciotolina mescolate assieme olio e aceto.
9. Servite l'insalata cosparsa con l'emulsione all'aceto.

Sfoglie di zucchine

TEMPO DI PREPARAZIONE: 5 minuti
TEMPO DI COTTURA:10 minuti
CALORIE: 180 a porzione
MACRONUTRIENTI: CARBOIDRATI: 9 GR; PROTEINE: 4 GR; GRASSI: 12 GR

INGREDIENTI PER 4 PERSONE

- 6 zucchine di medie dimensione
- Farina di mandorle q.b.
- Olio d'oliva q.b.
- Curry q.b.
- Peperoncino q.b.
- Origano q.b.
- Sale q.b.

PREPARAZIONE

1. Per prima cosa lavate bene le zucchine ed asciugatele.
2. Dopodiché tagliatele a rondelle sottili, oppure per lungo.
3. Adesso andrete a preparare un'emulsione a base di olio d' oliva e spezie: origano, peperoncino e curry.
4. Aggiungere un pizzico di sale e mescolate per bene.
5. Potete bagnare ciascuna rondella o fetta di zucchina con l'olio aromatizzato.
6. L'ideale sarebbe utilizzare un pennello e "spennellare" ciascuna fetta sulla parte posteriore e su quella anteriore.
7. Passate le sfoglie di zucchine ben oleate velocemente nella farina di mandorle.
8. Nel frattempo, fate preriscaldare il forno a 200°C.
9. Allestite una teglia con della carta da forno.
10. Adagiate le vostre fette di zucchine sulla teglia, ben separate le une dalle altre.
11. Fate cuocere per circa 25 minuti, ponendo la teglia al centro del forno.
12. Trascorso il tempo di cottura, lasciate raffreddare le sfoglie di zucchine per qualche istante e servitele in un piatto da portata.

Cavolfiore gratinato

TEMPO DI PREPARAZIONE: 10 minuti
TEMPO DI COTTURA: 55 minuti
CALORIE: 280 a porzione
MACRONUTRIENTI: CARBOIDRATI: 5 GR; PROTEINE: 13 GR; GRASSI: 22 GR

INGREDIENTI PER 4 PERSONE

- 1 cavolfiore medio cotto a vapore o lessato
- 60 gr di pecorino romano (o parmigiano) grattugiato
- 100 ml di panna da cucina
- 2 cucchiai d'olio d'oliva
- Aglio in polvere q.b.
- sale e pepe nero q.b.

PREPARAZIONE

1. Per prima cosa, pulite e tagliate il cavolfiore.
2. Fatelo lessare in acqua bollente per circa 40 minuti
3. Quando sarà pronto lasciatelo raffreddare per una mezzoretta.
4. Nel frattempo, fate preriscaldare il forno a 180° C.
5. Dopo che si sarà raffreddato schiacciate direttamente in una teglia il cavolfiore; non deve diventare una purea soltanto ridursi di volume.
6. Condite con 40 gr di pecorino (o parmigiano) grattugiato, il pepe, l'olio e un pizzico di aglio in polvere, mescolate e regolate di sale.
7. Per ultimo aggiungete la panna da cucina sopra, e fate il gratin con i restanti 20 gr di formaggio grattugiato
8. Adesso potete far cuocere il cavolfiore in forno preriscaldato a 180° C per 15 minuti circa, fino a quando il formaggio non si sarà del tutto sciolto.
9. Servire direttamente caldo.

Pizza di cavolfiore

TEMPO DI PREPARAZIONE: 15 minuti
TEMPO DI COTTURA: 30 minuti
CALORIE: 140 a porzione
MACRONUTRIENTI: CARBOIDRATI: 6 GR; PROTEINE: 10 GR; GRASSI: 5 GR

INGREDIENTI PER 2 PERSONE

- Un cavolfiore (solo i fiori)
- parmigiano reggiano grattugiato
- 1 uovo grande
- 1 mozzarella
- Salsa di pomodoro
- Origano
- Sale e pepe q.b.
- 2 fette di speck.
- Olio d'oliva q.b.

PREPARAZIONE

1. Lavate il cavolfiore e tagliatelo in modo da ricavarne solamente i fiori.
2. Frullate i fiori di cavolfiore, in un mixer, fino a renderli quasi polvere.
3. Aggiungete l'uovo, il parmigiano, l'origano, il sale e il pepe.
4. Mescolate fino a quando non otterrete un impasto omogeneo.
5. Posizionate della carta forno su una teglia per pizza di 24 cm di diametro.
6. Adesso, stendete sulla teglia l'impasto ottenuto cercando di ridurlo a 1/2 cm di spessore.
7. Lasciate cuocere la pizza di cavolfiore in forno a 190 gradi per 20 minuti circa.
8. Fatela cuocere fino a quando la base di cavolfiore non si sarà dotata su entrambi i lati.
9. Una volta che si sia ben dorata, potete aggiungere il pomodoro e la mozzarella.
10. Fate cuocere per altri 8/10 minuti, fino a quando la mozzarella non si sarà del tutto sciolta.
11. Una volta tolta definitivamente dal forno, lasciate leggermente raffreddare.
12. Per la guarnizione finale, condite la pizza di cavolfiore con goccia di olio d'oliva e le fettine di speck.
13. Potete tagliare e servire.

Cavolo rosso con feta e salsa alla senape

TEMPO DI PREPARAZIONE: 15 minuti
TEMPO DI COTTURA: 30 minuti
CALORIE: 250 a porzione
MACRONUTRIENTI: CARBOIDRATI: 8 GR; PROTEINE: 12 GR; GRASSI: 23 GR

INGREDIENTI PER 3 PERSONE

- 1 cavolo rosso
- 1 cucchiaino di sale
- 10 Olive (verdi o nere)
- 100 gr di Formaggio feta
- 20 gr di Noci

Per il condimento:

- 5 cucchiai di olio d'oliva
- 2 cucchiai di Aceto di mele
- 1 cucchiaio di succo di limone
- 2 Cucchiai di mix di erbe italiane
- sale e pepe q.b.

Per la salsa alla senape:

- 2 cucchiai di aceto di mele
- 1 cucchiaino di senape
- sale e pepe q.b.

PREPARAZIONE

1. Per prima cosa, pulite il cavolo rosso.
2. Togliete le foglie esterne dal cavolo rosso e tagliatelo in quarti, eliminando il gambo.
3. Tagliate poi il cavolo rosso con l'affettaverdure in strisce sottili.
4. Adesso mettete le strisce di cavolo rosso in una grande ciotola e iniziate a mescolarlo con un 1 cucchiaino di sale.
5. Ora con le mani, meglio con i guanti da cucina (il cavolo rosso potrebbe macchiare), impastate vigorosamente.
6. Questo renderà il cavolo rosso molto più "friabile".
7. Continuate con la preparazione dell'insalata sbriciolando la feta e snocciolando le olive.
8. Dopo aver snocciolato le olive potete tagliarle a metà.
9. Nel frattempo, preparate il condimento per l'insalata.
10. Mescolate l'olio d'oliva con l'aceto di mele, condite bene con sale e pepe e aggiungete il mix di erbe italiane.
11. Ora spargete l'emulsione direttamente sul cavolo rosso e aggiungete anche le olive e la feta
12. Mescolate il tutto per bene.
13. Preparate infine la salsa alla senape mescolando, in una ciotolina, la senape col sale pepe e l'aceto di mele.
14. Servite l'insalata con questa salsa di accompagnamento e le noci sbriciolate.

Broccoli arrosto con salsa alla senape

TEMPO DI PREPARAZIONE: 5 minuti
TEMPO DI COTTURA: 10/15 minuti
CALORIE: 95 a porzione
MACRONUTRIENTI: CARBOIDRATI: 5 GR; PROTEINE: 7 GR; GRASSI: 3 GR

INGREDIENTI PER 2 PERSONE

- 1 broccolo piccolo
- 15 ml di olio d'oliva
- aglio in polvere q.b.
- sale e pepe q.b.

per la salsa alla senape:

- 2 cucchiai di senape
- Un cucchiaino di aceto di mele
- Un pizzico di sale
- paprika piccante q.b.

PREPARAZIONE

1. Per prima cosa, togliete le foglie esterne dal broccolo, ricavatene i fiori e lavateli.
2. Sciacquate i fiori del broccolo e lasciateli asciugare.
3. Nel frattempo, preriscaldate un griglia e mettete del sale sulla sua superficie.

4. Mettete i broccoli ad arrostire per almeno una decina di minuti, fino a quando non si saranno abbrustoliti per bene.
5. Nel frattempo, preparate la salsa alla senape.
6. In una ciotolina mescolate la senape con l'aceto di mele, la paprika e il pizzico di sale.
7. Lasciate riposare la salsa in frigo. La riprenderete nel momento di servire.
8. Appena cotti, togliete i broccoli dalla griglia e lasciateli raffreddare.
9. Quando si saranno intiepiditi, serviteli su un piatto da portata con la salsa alla senape.

Peperoni ripieni di verdure e formaggio

TEMPO DI PREPARAZIONE: 15 minuti
TEMPO DI COTTURA: 50 minuti
CALORIE: 420 a porzione
MACRONUTRIENTI: CARBOIDRATI: 9 GR; PROTEINE: 31 GR; GRASSI: 26 GR

INGREDIENTI PER 2 PERSONE

- 250 gr di Funghi champignon
- 2 peperoni grandi (rossi o gialli)
- 1 cipolla
- 3 spicchi d'aglio
- 3 pomodori
- Paprika q.b.
- 100 gr di formaggio tipo fontina
- 100 di formaggio grattugiato (grana o parmigiano)
- 2 Cucchiai di olio di oliva
- Sale e pepe q.b.

PREPARAZIONE

1. Per iniziare la ricetta potete lavare i peperoni, tagliarne la parte superiore e privarli dei semi.
2. Dopodiché procedete a farli lessare in acqua salata, in posizione verticale possibile, per circa 5 minuti.
3. Passati i cinque minuti scolate i peperoni.
4. Nel frattempo, sbucciate e tagliate a dadini la cipolla e l'aglio e fateli soffriggere in padella con i due cucchiai di olio d'oliva.
5. Pulite e tritate anche i pomodori ei funghi e aggiungeteli nella padella.
6. Fate soffriggere per circa 5-10 minuti, fino a quando la maggior parte dell'acqua nelle verdure sarà evaporata.
7. Regolate di sale e pepe.
8. Nel frattempo, fate preriscaldare il forno a 180 gradi.
9. Tagliate a dadini la fontina e mescolatela con le verdure calde e il formaggio grattugiato in padella.
10. Mettete i peperoni nella teglia e con un cucchiaio aggiungete il ripieno di verdure e formaggio ai peperoni.
11. Fate cuocere in forno per circa 25-30 minuti finché i peperoni non saranno leggermente dorati in cima e il formaggio completamente sciolto.
12. Servite i peperoni ripieni direttamente caldi.

Frittata di funghi e cipollotti

TEMPO DI PREPARAZIONE: 10 minuti
TEMPO DI COTTURA: 15 minuti
CALORIE: 340 a porzione
MACRONUTRIENTI: CARBOIDRATI: 5 GR; PROTEINE: 23 GR; GRASSI: 29 GR

INGREDIENTI PER 4 PERSONE

- 500 gr di funghi porcini
- 4-5 cipollotti
- Un ciuffo di prezzemolo fresco
- 1 spicchio di aglio
- 8 uova
- 80 ml di panna da cucina
- Sale e pepe q.b.
- Olio d'oliva q.b.
- 100 gr di emmenthal grattugiato

PREPARAZIONE

1. Per preparare frittata ai funghi iniziate facendo riscaldare il forno a 190° C.
2. Nel frattempo, pulite e mondate per bene i funghi poi tritateli grossolanamente.
3. I funghi più piccoli lasciateli interi.
4. Lavate e mondate anche i cipollotti e tagliateli a pezzi di circa 5 cm di lunghezza.
5. Sciacquate il prezzemolo e asciugatelo.
6. Adesso potete tritare quest'ultimo molto grossolanamente.
7. Sbattete le uova in una ciotola, aggiungendo la panna, il sale, il pepe, il prezzemolo ed il formaggio grattugiato.
8. Riscaldate l'olio ed il burro in una padella antiaderente.
9. Versate i funghi, sempre pochi alla volta, a fiamma viva, e fateli dorare per bene.
10. Una volta dorati, tirateli fuori dalla padella e metteteli da parte.
11. Sbucciate l'aglio e schiacciatelo.
12. Fatelo rosolare nell'olio caldo della padella.
13. Rosolatelo insieme con i cipollotti a fiamma moderata, poi aggiungete i funghi e la miscela con le uova.
14. Mettete direttamente la padella nel forno caldo e fate cuocere per circa 10 minuti.
15. Appena la frittata sarà cotta tiratela fuori dal forno.
16. Potete tagliarla e servirla ancora calda-

Frittata di funghi e fontina

TEMPO DI PREPARAZIONE: 15 minuti
TEMPO DI COTTURA: 15 minuti
CALORIE: 280 a porzione
MACRONUTRIENTI: CARBOIDRATI: 5 GR; PROTEINE: 22 GR; GRASSI: 15 GR

INGREDIENTI PER 1 PERSONA

- 2 uova
- 25 ml di latte
- Un noce di burro
- 80 gr di funghi champignon
- 50 gr di fontina
- 1 spicchio d'aglio
- 1 ciuffetto di prezzemolo tritato
- Olio di oliva q.b.
- Sale e pepe q.b.

PREPARAZIONE

1. Iniziate col preparare i funghi.
2. Pulite bene i funghi da eventuale terriccio e poi tagliateli a fettine sottili.
3. In una padella fate riscaldare un po' di olio e poi mettete lo spicchio d'aglio.
4. Fate rosolare l'aglio fino a che non diventa dorato e poi toglietelo dalla padella.
5. Tolto l'aglio mettete i funghi nella padella.
6. Fateli rosolare un po' e poi unite il prezzemolo tritato e il sale.
7. Cuocete i funghi per 10 minuti.
8. Quando saranno ben cotti rimuoveteli dalla padella e metteteli da parte.

9. In una ciotola sbattete le uova insieme ad un pizzico di sale e il latte.
10. Prendete una padella e mettete a sciogliere una noce di burro.
11. Quando si sarà sciolto del tutto aggiungete le uova e lasciatele cuocere per 2 minuti solo da un lato.
12. A questo punto aggiungete al centro dell'omelette i funghi e la fontina tagliata a pezzetti.
13. Con l'aiuto di una spatola, piegate i bordi dell'omelette verso l'interno e lasciatela cuocere per almeno altri due minuti.
14. Quando la frittata sarà cotta mettetela in un piatto da portata e servitela calda e filante.

Frittata di ricotta e spinaci

TEMPO DI PREPARAZIONE: 15 minuti
TEMPO DI COTTURA: 10 minuti
CALORIE: 240 a porzione
MACRONUTRIENTI: CARBOIDRATI: 5 GR; PROTEINE: 20 GR; GRASSI: 13 GR

INGREDIENTI PER 2 PERSONE

- 4 uova
- 30 ml di latte
- 200 gr di spinaci lessati
- 100 gr di ricotta vaccina
- Noce moscata q.b.
- Sale e pepe q.b.
- Olio di oliva q.b.

PREPARAZIONE

1. Iniziate la ricetta sbattendo, in una ciotola, uova, latte sale e pepe.
2. In un'altra ciotola mettete la ricotta e conditela con un pizzico di sale, un filo di olio di oliva ed un pizzico di noce moscata.
3. Riscaldate una padella a fuoco medio fino a quando non sarà molto calda.
4. A questo punto aggiungete un filo di olio e appena sarà leggermente caldo versate le uova.
5. Cuocete per 3 minuti e poi mettete al centro dell'omelette la ricotta e gli spinaci già lessati.
6. Fate cuocere per un paio di minuti da un lato, poi con cautela girate la frittata.
7. Fate cuocere per un paio di minuti dall'altro lato e poi ripetete la stessa operazione con l'altra omelette.
8. Mettete l'omelette su un piatto da portata e servite ben calda.

Insalata di asparagi menta e feta

TEMPO DI PREPARAZIONE: 20 minuti
TEMPO DI COTTURA: 15 minuti
CALORIE: 150 a porzione
MACRONUTRIENTI: CARBOIDRATI: 3 GR; PROTEINE: 8 GR; GRASSI: 9 GR

INGREDIENTI PER 2 PERSONE

- 1 kg, di asparagi verdi
- 4 cucchiai di aceto di mele
- 4 cucchiai di olio d'oliva
- Sale e pepe q.b.
- 4 cucchiai di semi di sesamo (bianchi o neri)
- 200 gr di feta
- Menta q.b.

PREPARAZIONE

1. Per prima cosa, lavate e mondate gli asparagi.
2. Dopo averli puliti e mondati inseriteli in una pentola per cottura a vapore.

3. Fate cuocere gli asparagi a vapore per circa 10-15 minuti.
4. Preparate, nel frattempo il condimento per l'insalata.
5. Mescolate insieme l'aceto con l'olio, sale e il pepe.
6. Sciacquate gli asparagi appena cotti sotto l'acqua corrente fredda.
7. Poi fateli sgocciolare per bene e tagliateli a pezzi.
8. Conditeli con il condimento precedentemente preparato e metteteli da parte.
9. Fate indorare i semi di sesamo in una padella.
10. Appena indorati fateli intiepidire da parte.
11. Adesso potete tagliare la feta a dadini.
12. Tritate anche le foglie di menta.
13. Adesso potete comporre l'insalata.
14. Mettete insieme in una ciotola grande il sesamo, il formaggio feta, la menta e gli asparagi.
15. Regolate di sale e pepe e servite subito in tavola.

Carciofi gratinati

TEMPO DI PREPARAZIONE: 15 minuti
TEMPO DI COTTURA: 40 minuti
CALORIE: 260 a porzione
MACRONUTRIENTI: CARBOIDRATI: 9 GR; PROTEINE: 11 GR; GRASSI: 12 GR

INGREDIENTI PER 4 PERSONE

- 4 Carciofi
- 150 gr di mozzarella
- 20 gr di parmigiano Reggiano
- 1 limone
- Sale e pepe q.b.
- Prezzemolo macinato fresco q.b.
- Olio d'oliva q.b.
- Burro q.b.

PREPARAZIONE

1. Per prima cosa fate preriscaldare il forno a 180° C.
2. Allo stesso tempo, pulite i carciofi privandoli delle foglie più dure, tagliateli in due parti (anche il gambo se è tenero) e togliete loro la barba interna.
3. Metteteli a bagno per una decina di minuti in acqua acidulata con succo di limone.
4. Dopodiché passate a sbollentarli per 6-7 minuti in acqua salata.
5. Passato questo tempo, tirateli fuori dall'acqua calda e fateli scolare per bene.
6. Adesso potete tagliare a la mozzarella fettine sottili.
7. Tritate anche il prezzemolo.
8. Ungete una pirofila con 2 cucchiai d'olio (o se preferite mettete della carta forno).
9. Mettete i carciofi direttamente sulla pirofila.
10. Cospargete ogni carciofo con il parmigiano e disponetevi sopra una fettina di mozzarella.
11. Aromatizzare con il prezzemolo tritato.
12. Aggiungete sopra dei fiocchetti di burro e fate gratinare nel forno caldo per 30 minuti.
13. Non appena saranno pronti potete servire i carciofi gratinati direttamente caldi.

Finocchi al forno con mozzarella

TEMPO DI PREPARAZIONE: 15 minuti
TEMPO DI COTTURA: 20 minuti
CALORIE: 160 a porzione
MACRONUTRIENTI: CARBOIDRATI: 3

GR; PROTEINE: 10 GR; GRASSI: 7 GR

INGREDIENTI PER 2 PERSONE

- 4 grossi finocchi da tavola
- Il succo di un Limone
- Olio d'oliva q.b.
- 250 gr di mozzarella
- Sale e pepe q.b.

PREPARAZIONE

1. Iniziate la ricetta mondando e lavando i finocchi.
2. Dopo averli mondati tagliateli in due parti.
3. Mettete da parte il verde dei finocchi.
4. Portate a ebollizione un tegame con acqua e sale e fatevi sbollentare i finocchi per circa 8-10 minuti.
5. Toglieteli dall'acqua con una schiumarola e adagiateli in uno stampo per sformati (con la parte tagliata rivolta in su) unta con poco olio d'oliva.
6. Nel frattempo, tritate il verde dei finocchi che avevate messo da parte.
7. Conditelo con sale e pepe.
8. Preparate la salsa per i finocchi con 3 cucchiai d'olio, 2 cucchiai di succo di limone, sale, pepe, il verde dei finocchi tritato finemente e condite.
9. Tagliate a fettine la mozzarella e distribuitela sui finocchi.
10. Passate sopra la salsina appena preparata
11. Mettete lo stampo in forno preriscaldato a 200 gradi, e fatelo cuocere finché non vedrete sciogliere e indorare la mozzarella.
12. Ci vorranno all'incirca 10 minuti.
13. Vi consigliamo sempre di verificare voi stessi il grado di cottura e, in questo caso, di doratura del formaggio.
14. Appena i finocchi saranno pronti, servite subito.

Cavoletti di Bruxelles alle mandorle

TEMPO DI PREPARAZIONE: 10 minuti
TEMPO DI COTTURA: 10 minuti
CALORIE: 90 a porzione
MACRONUTRIENTI: CARBOIDRATI: 2 GR; PROTEINE: 4 GR; GRASSI: 5 GR

INGREDIENTI PER 4 PERSONE

- 500 gr di cavolini di Bruxelles congelati
- 4 cucchiaio di burro
- 125 ml di acqua
- Sale q.b.
- Noce moscata q.b.
- 5 cucchiai di farina di mandorle

PREPARAZIONE

1. Per prima cosa, fate sciogliere due cucchiai di burro in padella, unite i cavoletti di Bruxelles e spolverizzate con un pizzico di noce moscata.
2. Quindi coprite il fondo della pentola con acqua salata e fate cuocere per circa 8-10 minuti a fuoco medio.
3. Cuocete fino a quando si saranno scottati.
4. Nel frattempo, fate sciogliete il restante burro in un'altra padella e incorporate la farina di mandorle.
5. Fatela rosolare per qualche minuto mescolando.
6. Quando saranno cotti, potete scolare i cavoletti di Bruxelles e metterli in una ciotola da portata.
7. Aggiungete la farina di mandorle tostata ai cavoletti di Bruxelles.
8. Mescolate il tutto per bene.
9. Potete servire.

Verdure saporite

TEMPO DI PREPARAZIONE: 15 minuti

TEMPO DI COTTURA: 20 minuti
CALORIE: 120 a porzione
MACRONUTRIENTI: CARBOIDRATI: 9 GR; PROTEINE: 3 GR; GRASSI: 4 GR

INGREDIENTI PER 3 PERSONE

- 1/2 cavolo cappuccio
- 2 peperoni piccoli
- 3 carote
- Paprika dolce q.b.
- 1 cipolla
- 4 spicchi d'aglio
- 20 ml di salsa di soia
- 2 cucchiaio di brodo vegetale in polvere
- 2 cucchiai di olio d'oliva

PREPARAZIONE

1. Per prima cosa mettete una pentola a bollire con dell'acqua.
2. Dopo che sarà arrivata ad ebollizione, potete immergere il brodo vegetale in polvere e fare insaporire l'acqua con esso.
3. Se volete saltare questo passaggio, potete utilizzare del brodo vegetale pronto.
4. Nel frattempo, pelate e tritate la cipolla, l'aglio e le carote.
5. Lavate anche i peperoni e tagliateli a cubetti.
6. Per quanto riguardai il cavolo, togliete le foglie esterne e il gambo.
7. Adesso sciacquatelo brevemente sotto l'acqua fredda.
8. Tagliatelo direttamente a strisce.
9. Scaldate una padella con dell'olio d'oliva
10. Fate soffriggere la cipolla fino a dorarla leggermente.
11. Quindi aggiungete i peperoni, le carote e il cavolo nella padella.
12. Infine, aggiungete l'aglio e fate soffriggere il tutto per circa 5 minuti.
13. Versate il brodo vegetale nelle verdure, per farle insaporire per bene e lasciate sfumare
14. Versate infine la salsa di soia e lasciate cuocere a fuoco lento per circa 15 minuti fino a quando il liquido non sarà quasi completamente evaporato.
15. Servite le verdure cotte direttamente calde.

Asparagi alla senape

TEMPO DI PREPARAZIONE: 10 minuti
TEMPO DI COTTURA: 15 minuti
CALORIE: 105 a porzione
MACRONUTRIENTI: CARBOIDRATI: 2 GR; PROTEINE: 10 GR; GRASSI: 9 GR

INGREDIENTI PER 2 PERSONE

- 1 mazzo di asparagi
- 20 ml di senape
- 40 g di parmigiano grattugiato
- Foglie di menta q.b.
- Sale e pepe q.b.
- Olio d'oliva q.b.
- 1 cucchiaino di aceto di mele

PREPARAZIONE

1. Per prima cosa, preparate gli asparagi.
2. Eliminate la parte dura degli asparagi e pareggiarli.
3. Se sono molto grossi, pelarli dalla parte del gambo.
4. Fateli saltare in padella qualche minuto con le foglie di menta e le scaglie di parmigiano.
5. Nel frattempo, fate preriscaldare il forno a 180º C.

6. Togliete gli asparagi dalla padella e metteteli in una teglia da forno a cuocere per 10 minuti.
7. Preparate la salsa alla senape, mescolando, la senape con l'olio d'oliva e l'aceto di mele
8. Servite gli asparagi appena cotti con la salsa alla senape.

Insalata di zucchine e formaggio

TEMPO DI PREPARAZIONE: 15 minuti
TEMPO DI COTTURA: 10 minuti
CALORIE: 150 a porzione
MACRONUTRIENTI: CARBOIDRATI: 2 GR; PROTEINE: 8 GR; GRASSI: 8 GR

INGREDIENTI PER 4 PERSONE

- 200 gr di zucchine
- 200 gr di formaggio quartirolo (o feta)
- 1 peperoncino intero
- 1 spicchio d'aglio
- 4 rametti di timo
- 3 cucchiai di olio d'oliva

PREPARAZIONE

1. Per prima cosa, pulite e mondate le zucchine.
2. Tagliatele a rondelle.
3. Scaldate con dell'olio d'oliva una padella antiaderente e rosolatevi da entrambi i lati le zucchine.
4. Fatele cuocere finché non si saranno indorate.
5. Non appena si saranno cotte, toglietele dalla padella e lasciatele raffreddare.
6. Nel frattempo, tagliate il formaggio a cubetti dica. 1,5 cm e metteteli in una scodella.
7. Private il peperoncino dei semi e tagliatelo a fettine sottili.
8. Mescolate il peperoncino tagliato con l'aglio.
9. Dopodiché utilizzateli per insaporire il formaggio.
10. Aggiungete le foglie di timo.
11. Preparate l'insalata di zucchine e formaggio, con le zucchine raffreddate ed il formaggio condito.
12. Servite subito.

Insalata di cetrioli e finocchi con stracchino e salsa allo yogurt

TEMPO DI PREPARAZIONE: 15 minuti
CALORIE: 140 a porzione
MACRONUTRIENTI: CARBOIDRATI: 5 GR; PROTEINE: 12 GR; GRASSI: 9 GR

INGREDIENTI PER 2 PERSONE

- 150 gr di finocchi
- 150 gr di cetrioli
- 100 gr di yogurt greco
- 2 cucchiai d'aceto di mele
- ½ mazzetto di prezzemolo
- ½ mazzetto d'aneto
- Sale e pepe q.b.
- 50 gr di stracchino

PREPARAZIONE

1. Per prima cosa, lavate e tagliate i finocchi a fettine sottili.
2. Pelate a piacere i cetrioli.
3. Dimezzateli per il lungo e affettateli sottili.
4. Nel frattempo, preparate la salsa allo yogurt, mescolando lo yogurt con l'aceto.
5. Mettete da parte 1/3 delle erbe aromatiche.

6. Tritate finemente quelle restanti e unitele alla salsa allo yogurt.
7. Condite ulteriormente con sale e pepe.
8. Mescolate la salsa con le verdure.
9. Come tocco finale distribuite lo stacchino con un cucchiaino sui piatti.
10. Completate con le erbe messe da parte spezzettate.

Lattuga saltata con uova cetriolini e yogurt

TEMPO DI PREPARAZIONE: 20 minuti
TEMPO DI COTTURA: 6 minuti
CALORIE: 270 a porzione
MACRONUTRIENTI: CARBOIDRATI: 5 GR; PROTEINE: 16 GR; GRASSI: 13 GR

INGREDIENTI PER 2 PERSONE

- 2 uova
- 4 cespi piccoli di lattuga romana
- 2 cucchiai d'olio d'oliva
- 2 cetriolini sott'aceto
- 2 cucchiai di yogurt greco
- 2 cucchiai di aceto di mele
- 1 cucchiaio di maionese
- Sale e pepe q.b.

PREPARAZIONE

1. Per prima cosa occupatevi delle uova.
2. Portate l'acqua a ebollizione, aggiungete le uova e fatele cuocere per 6 minuti.
3. Le uova non dovranno essere del tutto sode.
4. Non appena cotte, fatele raffreddare sotto l'acqua fredda.
5. Nel frattempo, lavate e dimezzate i cespi di lattuga per il lungo.
6. Fate scaldare l'olio in una padella antiaderente.
7. Rosolate i cespi sulla superficie di taglio a fuoco medio per circa 3 minuti.
8. Togliete la lattuga dalla padella e mettetela direttamente sui piatti da portata.
9. Lavate e tagliate i cetriolini a dadini e mescolateli con lo yogurt e la maionese.
10. Aggiungete 2 cucchiai d'aceto nei cetriolini in salsa.
11. Aggiustate di sale e pepe.
12. Servite l'insalata con la salsa di cetriolini e le uova dimezzate.

Crema di avocado al latte di mandorla

TEMPO DI PREPARAZIONE: 15 minuti + 20 minuti riposo in frigo
CALORIE: 210 a porzione
MACRONUTRIENTI: CARBOIDRATI: 6 GR; PROTEINE: 12 GR; GRASSI: 21 GR

INGREDIENTI PER 4 PERSONE

- 1 avocado
- 1 cetriolo
- Succo di un limone
- 1 scalogno
- 100 ml di latte di mandorla
- 1 spicchio d'aglio
- 1 mazzetto di coriandolo
- 1 cucchiaino di sale
- 400 ml di brodo di vegetale freddo

PREPARAZIONE

1. Per prima cosa, dimezzate l'avocado, snocciolatelo e staccate la polpa dalla buccia.
2. Tagliate il cetriolo a fette.
3. Sminuzzate lo scalogno.
4. Trasferite tutti gli ingredienti avocado, scalogno, cetriolo, succo di limone,

latte di mandorla, brodo vegetale, sale, aglio e coriandolo con steli compresi, e brodo in un recipiente graduato.
5. Mettete a riposare in frigo per 20 minuti circa.
6. Passato questo tempo, prendete gli ingredienti e frullateli con un frullatore a immersione.
7. Regolate la crema di avocado di sale e servite.

Cavolo rapa con Philadelphia

TEMPO DI PREPARAZIONE: 15 minuti
TEMPO DI COTTURA: 10 minuti + 6 ore di riposo in frigo
CALORIE: 260 a porzione
MACRONUTRIENTI: CARBOIDRATI: 8 GR; PROTEINE: 14 GR; GRASSI: 13 GR

INGREDIENTI PER 2 PERSONE

- 250 gr di cavolo rapa
- 75 ml di panna da cucina
- 1 bustina di gelatina in polvere
- 100 g di Philadelphia active (o formaggio spalmabile classico)
- La scorza grattugiata di ½ limone
- Sale e pepe q.b.
- 1 mazzetto di basilico
- 2 cucchiai d'aceto di mele
- 4 cucchiai d'olio d'oliva
- 400 g di pomodorini
- 1 cucchiaio di pepe rosso

PREPARAZIONE

1. Per prima cosa, lavate tagliate il cavolo rapa a pezzetti.
2. Fateli cuocere al vapore per una quindicina di minuti, finché non si saranno scottati.
3. Riducete a dadini 50 gr di cavolo rapa e mettete da parte.
4. Frullate il resto dei cavoli cotti con la panna, fino a ottenere una purea omogenea.
5. Rimettetela in pentola e aggiungete la gelatina in polvere.
6. Mescolate e fate bollire per 2 minuti.
7. Lasciate raffreddare la massa, finché il bordo non comincia a consolidarsi.
8. Incorporate il formaggio spalmabile e la scorza di limone grattugiata.
9. Condite con sale e pepe.
10. Distribuite la massa negli stampi e livellate. Fate consolidare in frigorifero per ca. 6 ore.
11. Per l'insalata di pomodori, tritate il basilico e mescolatelo con l'aceto e l'olio.
12. Salate leggermente.
13. Tagliate i pomodori a fettine.
14. Mescolateli con i dadini di cavolo rapa messi da parte e con la metà della salsa.
15. Unite anche il peperoncino alla salsa.
16. Non appena toglierete gli stampi dal frigo, capovolgeteli e serviteli con l'insalata.
17. Irrorate il tutto con la salsa e gustate subito.

Frittata di albumi e zucchine

TEMPO DI PREPARAZIONE: 15 minuti
TEMPO DI COTTURA: 30 minuti
CALORIE: 180 a porzione
MACRONUTRIENTI: CARBOIDRATI: 3 GR; PROTEINE: 12 GR; GRASSI: 5 GR

INGREDIENTI PER 2 PERSONE

- 4 albumi
- 1 zucchina
- 1 spicchio di aglio
- 1 cucchiaio di latte
- 1 manciata di parmigiano

- Sale e pepe q.b.
- olio extravergine di oliva q.b.
- paprika dolce q.b.

PREPARAZIONE

1. Per prima cosa lavate e mondate le zucchine.
2. Tagliatele a rondelle.
3. Nel frattempo, fate soffriggere lo spicchio d'aglio in una padella scaldata con dell'olio di oliva.
4. Non appena l'aglio si sarà soffritto, rimuovetelo e fate saltare le zucchine una decina di minuti.
5. Il tempo che cuociano le zucchine, sbattete gli albumi in un piatto e insieme al cucchiaio di latte, il pepe, la paprika e il sale.
6. Mescolate le zucchine saltate ed amalgamate bene.
7. Stendere a pioggia il parmigiano e mescolare per bene.
8. Scaldate in una padella antiaderente l'olio di oliva.
9. Quando l'olio sarà ben caldo, versare l'albume sbattuto con le zucchine.
10. Fate cuocere per 3-4 minuti per lato girando con un piatto come una frittata normale.
11. Servite la frittata ancora calda.

Parmigiana di zucchine alla menta

TEMPO DI PREPARAZIONE: 10 minuti
TEMPO DI COTTURA: 10 minuti
CALORIE: 120 a porzione
MACRONUTRIENTI: CARBOIDRATI: 2 GR; PROTEINE: 9 GR; GRASSI: 4 GR

INGREDIENTI PER 2 PERSONE

- 2 Zucchine
- 2 foglie di Menta
- Parmigiano grattugiato q.b.
- mezza Cipolla
- 20gr di dado vegetale in polvere.

PREPARAZIONE

1. Iniziate la ricetta dalle zucchine e la menta.
2. Pulite e tagliate a fettine le zucchine e le fogliolíne di menta.
3. Lavate e tritate anche la cipolla
4. In una pentola abbastanza grande, aggiungere un cucchiaino di olio e cipolla tritata.
5. Fate soffriggere leggermente la cipolla, dopodiché versate le zucchine.
6. Fate rosolare le zucchine qualche secondo, aggiungete mezzo bicchiere d'acqua e il dado vegetale in polvere, coprite con un coperchio e fate cuocere per una decina di minuti.
7. Quando le zucchine saranno cotte aggiustatele di sale.
8. Adesso aggiungete il pepe e la menta.
9. Impiattate le zucchine fumanti direttamente sui piatti da portata, posizionandole a strati con all'interno il parmigiano, in modo che quest'ultimo si sciolga.

Verdure saltate con salsa allo yogurt e maionese

TEMPO DI PREPARAZIONE: 10 minuti
TEMPO DI COTTURA: 5 minuti
CALORIE: 190 a porzione
MACRONUTRIENTI: CARBOIDRATI: 6 GR; PROTEINE: 10 GR; GRASSI: 11 GR

INGREDIENTI PER 2 PERSONE

- 200 gr di cavolfiore
- 50 gr di rucola
- 100 g di radicchio rosso

- 2 cucchiaino di olio d'oliva
- 1 cucchiaio di aceto di mele
- 1 cucchiaio di maionese
- 100 gr di yogurt greco
- Sale e pepe q.b.

PREPARAZIONE:
1. Per prima cosa, lavate il cavolfiore, scolatelo e tritartelo finemente in un frullatore ponendolo, poi, in una ciotola.
2. Scaldate un cucchiaino di olio in una padella antiaderente.
3. Non appena l'olio sarà caldo, fate cuocere, a fuoco lento, il cavolfiore finché non diventa dorato.
4. Aggiungete la rucola e il radicchio tagliato a strisce.
5. Salare e pepate.
6. Nel frattempo, preparate la salsa allo yogurt.
7. In una ciotola, mescolate, lo yogurt, la maionese l'aceto e il restante olio di oliva.
8. Regolate di sale e pepe.
9. Servite le verdure saltate con la salsa allo yogurt e maionese.

Bis di frittata radicchio e spinaci

TEMPO DI PREPARAZIONE: 10 minuti
TEMPO DI COTTURA: 20 minuti
CALORIE: 170 a porzione
MACRONUTRIENTI: CARBOIDRATI: 4 GR; PROTEINE: 7 GR; GRASSI: 11 GR

INGREDIENTI PER 2 PERSONE
- 4 uova
- 250 gr di radicchio
- 250 gr di spinaci già lessati
- Olio d'oliva q.b.
- Sale e pepe q.b.

PREPARAZIONE
1. Per prima cosa, in un piatto, sbattete 2 uova con un po' di sale e di pepe.
2. Fate la stessa cosa in un secondo piatto.
3. Lavate e tagliate a strisce sottili il radicchio.
4. Prendete anche gli spinaci già lessati e porli col radicchio in due contenitori separati.
5. Versate in entrambi i contenitori i due piatti distinti di uova sbattute
6. Versate dell'olio in una padella e fate scaldare.
7. Quando sarà ben caldo, aggiungete le uova sbattute e il radicchio.
8. Fate cuocere da entrambi lati finché la prima frittata non sarà ben dorata.
9. Ripetete il procedimento anche per la seconda frittata con gli spinaci.
10. Se volete risparmiare tempo, cuocete le frittate in due padelle separate.
11. Non appena le frittate saranno pronte, tagliatele in quadrati o come più preferite.
12. Servite le frittate ancora calde.

Insalata di uova e verdure grigliate

TEMPO DI PREPARAZIONE: 15 minuti
TEMPO DI COTTURA: 30 minuti
CALORIE: 200 a porzione
MACRONUTRIENTI: CARBOIDRATI: 10 GR; PROTEINE: 11 GR; GRASSI: 5 GR

INGREDIENTI PER 2 PERSONE
- 2 uova
- 100 gr di zucchine
- 100 gr di peperoni
- 100 gr di cavolfiore (solo fiori)
- 1 cucchiaino di olio d'oliva
- sale e pepe q.b.

PREPARAZIONE

1. Per prima cosa portate ad ebollizione una pentola con dell'acqua.
2. Fate cuocere le uova in acqua bollente per almeno 10 minuti.
3. Abbiate sempre cura che le uova siano completamente ricoperte dell'acqua.
4. Quando saranno cotte, ponetele in acqua fredda per bloccare la cottura e fatele rotolare su una superficie liscia schiacciandole delicatamente per rompere il guscio.
5. Sgusciatele e tagliatele a spicchi.
6. Nel frattempo, lavate le verdure e tagliatele a rondelle.
7. Del cavolfiore estraete solamente i fiori.
8. Fate cuocere le verdure su una griglia già calda su entrambi i lati e quando saranno pronte, ponetele su un piatto con al centro le uova.
9. Insaporite il tutto con sale e pepe.
10. Potete servire.

CAPITOLO 12 - RICETTE DI DESSERTS

Tortino al caffè e cioccolato

TEMPO DI PREPARAZIONE: 5 minuti
TEMPO DI COTTURA: 2 minuti
CALORIE: 250 a porzione
MACRONUTRIENTI: CARBOIDRATI: 5 GR; PROTEINE: 4 GR; GRASSI: 13 GR

INGREDIENTI PER 1 PERSONA
- 2 cucchiai e mezzo di farina di mandorle
- 1/2 cucchiaino di lievito in polvere
- 1-2 cucchiai di eritritolo in polvere
- 1 Uovo
- 30 gr di caffè liquido freddo
- 2 cucchiai di gocce di cacao fondente (almeno all'85% di cacao)

PREPARAZIONE
1. Mettete, per prima cosa, in una piccola ciotola, tutti gli ingredienti secchi tranne le gocce di cioccolato.
2. Mescola bene tutti gli ingredienti secchi.
3. Aggiungete adesso l'uovo e mescolate bene, poi aggiungete anche il caffè.
4. Mescolate il tutto fino ad ottenere un composto liscio e omogeneo.
5. Versa la pastella in una ciotola, per microonde.
6. Aggiungete, infine, le gocce di cioccolato.
7. Fate cuocere per 1-2 minuti alla potenza di 800 watt.
8. Verificate spesso la cottura
9. Essa sarà ultimata quando il dolce si staccherà dai bordi e inserendo al centro uno stuzzicadenti, questo deve uscire asciutto e pulito.
10. Nel caso non dovesse essere cotto, procedete per 30 secondi alla volta.
11. Servite il vostro tortino al caffè e cioccolato ancora caldo.

Torta di cioccolato e mandorle

TEMPO DI PREPARAZIONE: 15 minuti
TEMPO DI COTTURA: 20 minuti
CALORIE: 200 a porzione
MACRONUTRIENTI: CARBOIDRATI: 8 GR; PROTEINE: 7 GR; GRASSI: 12 GR

INGREDIENTI PER 2 PERSONE
- 50 gr di farina di mandorle fine
- 3 cucchiai di cacao amaro in polvere
- 1 cucchiaino di lievito in polvere
- 1/2 cucchiaino di sale
- 50 ml di latte
- 2 piccole uova
- 10 gocce di dolcificante

- 1/2 cucchiaino di vanillina

PREPARAZIONE

1. Per prima cosa, fate preriscaldare il forno a 180 gradi.
2. Ungete una teglia dal diametro di 18 cm circa e rivestitela con della carta forno.
3. Per quanto riguarda l'impasto, sbattete le uova in una ciotola.
4. Dopo che si saranno gonfiate, potete mettete insieme tutti gli altri ingredienti con esse.
5. Mescolate ed amalgamate molto bene tutti gli ingredienti, dopodiché distribuite l'impasto ottenuto nella teglia livellando bene.
6. Fate cuocere per circa 15/20 minuti sulla griglia centrale (alcuni forni richiedono più tempo di cottura, quindi continuate la cottura fino a quando non si solidifica la crosta, o mettete uno stuzzicadenti per verificare la cottura al centro della torta).
7. Lasciate raffreddare completamente la torta prima di servire.

Torta morbida al cioccolato fondente

TEMPO DI PREPARAZIONE: 15 minuti
TEMPO DI COTTURA: 30minuti
CALORIE: 200 a porzione
MACRONUTRIENTI: CARBOIDRATI: 5 GR; PROTEINE: 10 GR; GRASSI: 13 GR

INGREDIENTI PER 4 PERSONE

- 200 gr di cioccolato fondente da 85% in su
- 100 ml di olio d'oliva
- 3 uova
- 200 gr di farina di mandorle
- 2 cucchiai di cacao amaro
- sale q.b.
- yogurt greco q.b. (per decorare)

PREPARAZIONE

1. Per prima cosa dovete separare i tuorli dagli albumi in due ciotole diverse.
2. Fare preriscaldare il forno a 180°C.
3. Montate gli albumi a neve fermissima aggiungendo un pizzico di sale.
4. Spezzettare le tavolette di cioccolato fondente e fatela sciogliere a bagnomaria.
5. Sbattete i tuorli con l'olio di oliva e aggiungete il cioccolato fuso, la farina di mandorle e il cacao amaro.
6. Amalgamate bene il tutto con un cucchiaio di legno.
7. Aggiungete gli albumi montati mescolando dall'alto verso il basso, incorporando bene il tutto.
8. Il composto dovrà risultare umido, ma compatto.
9. Imburrate il fondo di una tortiera a cerniera e versateci il composto ottenuto.
10. Fate cuocere in forno per 30 minuti circa.
11. Verificate sempre la cottura con uno stuzzicadenti.
12. Fate raffreddare la torta al cioccolato, trasferitela delicatamente su un piatto per dolci e decoratela con uno strato di yogurt greco.

Torta di cioccolato con crema al formaggio

TEMPO DI PREPARAZIONE: 10 minuti
TEMPO DI COTTURA:25 minuti
CALORIE: 230 a porzione
MACRONUTRIENTI: CARBOIDRATI: 9 GR; PROTEINE: 7 GR; GRASSI: 13 GR

INGREDIENTI PER 3 PERSONE

per la torta:

- 20 gr di cacao amaro
- 30 gr di farina di cocco
- 2 albumi
- 10 gr di eritritolo (o dolcificante)
- 1 bustina di vanillina
- 1 cucchiaino di lievito in polvere
- Una tazzina di latte (possibilmente senza lattosio o scremato)

Per la crema al formaggio

- Philadelphia Active
- Gocce di dietor (o altro dolcificante)

PREPARAZIONE

1. Per iniziare la ricetta, fate riscaldare il forno a 180 gradi.
2. Adesso frullate tutti gli ingredienti secchi unendoli col latte e la vanillina.
3. In una ciotola a parte, montare a neve i due albumi.
4. Frullateli finché non siano ben montati a neve ed uniteli all'altro impasto.
5. Mettete l'impasto ottenuto in una teglia con della carta forno e lasciate cuocere per circa 20-25 minuti (controllate sempre il livello di cottura).
6. Nel frattempo, preparate la farcitura mescolando il Philadelphia con la vanillina.
7. Amalgamate bene.
8. Quando avrete tirato fuori la torta e lascato raffreddare per una mezzoretta potete tagliarla direttamente nel mezzo.
9. Spalmate la crema appena preparata nel mezzo della torta al cioccolato e richiudetela.
10. Potete servire la torta

Panna cotta alla vaniglia

TEMPO DI PREPARAZIONE: 2 minuti
TEMPO DI COTTURA:15 minuti + 6 ore di riposo in frigo
CALORIE: 160 a porzione
MACRONUTRIENTI: CARBOIDRATI: 8 GR; PROTEINE: 3 GR; GRASSI: 8 GR

INGREDIENTI PER 2 PERSONE

- 200 ml di panna a basso contenuto di zuccheri
- 8 cucchiaini di dolcificante (tipo dietor)
- 1 baccello di vaniglia
- 1 bustina di gelatina in polvere istantanea

PREPARAZIONE

1. Iniziate mettendo, in un pentolino mettete la panna, il dolcificante e il baccello di vaniglia.
2. Fate scaldare a fiamma bassa mescolando di continuo.
3. Non appena la panna arriva a bollore toglietela dal fuoco e aggiungete la gelatina in polvere istantanea.
4. Girate con un cucchiaio di legno per amalgamare bene la gelatina .
5. Versate la panna cotta in 2 pirottini di alluminio e mettetela a riposare in frigo per almeno 6 ore.
6. Appena è ora di servire la panna cotta mettete dell'acqua molto calda in un recipiente e immergete per qualche secondo il fondo dei pirottini.
7. Poi prendeteli e capovolgeteli su un piatto da portata.
8. Potete servire il vostro dolce.

Panna cotta al cocco

TEMPO DI PREPARAZIONE: 2 minuti
TEMPO DI COTTURA:15 minuti + 6 ore di riposo in frigo

CALORIE: 190 a porzione
MACRONUTRIENTI: CARBOIDRATI: 9 GR; PROTEINE: 4 GR; GRASSI: 9 GR

INGREDIENTI PER 2 PERSONE

- 200 ml di panna a basso contenuto di zuccheri
- 8 cucchiaini di dolcificante (tipo dietor)
- 1 bustina di gelatina in polvere istantanea
- 2 cucchiai di farina di cocco

PREPARAZIONE

1. Potete iniziare mettendo, in un pentolino mettete la panna e il dolcificante.
2. Fate scaldare a fiamma bassa mescolando di continuo.
3. Non appena la panna arriva a bollore toglietela dal fuoco e aggiungete la gelatina in polvere istantanea.
4. Aggiungete anche i due cucchiai di farina di cocco e mescolate bene
5. Girate con un cucchiaio di legno per amalgamare bene la gelatina e il cocco.
6. Versate la panna cotta in 2 pirottini di alluminio e mettetela a riposare in frigo per almeno 6 ore.
7. Appena è ora di servire la panna cotta mettete dell'acqua molto calda in un recipiente e immergete per qualche secondo il fondo dei pirottini.
8. Poi prendeteli e capovolgeteli su un piatto da portata.
9. Potete servire con un po' di farina di cocco sparsa sopra (facoltativo).

Panna cotta al cioccolato

TEMPO DI PREPARAZIONE: 10 minuti
TEMPO DI COTTURA:10 minuti + 6 ore di riposo in frigo

CALORIE: 180 a porzione
MACRONUTRIENTI: CARBOIDRATI: 6 GR; PROTEINE: 4 GR; GRASSI: 9 GR

INGREDIENTI PER 2 PERSONE

- 200 ml di latte di cocco senza zucchero
- 2 fogli di gelatina da10 gr
- 1 cucchiaio di cacao amaro
- 1 cucchiaio di eritritolo
- 5 gocce di stevia
- un baccello di vaniglia

PREPARAZIONE

1. Potete iniziare mettendo i fogli di gelatina ammollo in acqua fredda per 10 minuti.
2. Nel frattempo, mettete il latte di cocco in un pentolino insieme ai dolcificanti.
3. Lasciate un po' di latte da parte per amalgamare in seguito la gelatina.
4. Fate scaldare a fiamma bassa mescolando di continuo.
5. Non appena la panna arriva a bollore toglietela dal fuoco e aggiungete la gelatina in polvere istantanea.
6. Aggiungete anche il cacao e la vaniglia e mescolate bene.
7. Prima che arrivi ad ebollizione, togliete dal fuoco e versale la gelatina ben strizzata.
8. Aggiungete il resto del latte di cocco che avevate messo da parte, e mescolate bene, per far amalgamare la gelatina.
9. Versate la panna cotta in 2 pirottini di alluminio e mettetela a riposare in frigo per almeno 6 ore.
10. Appena è ora di servire la panna cotta mettete dell'acqua molto calda in un recipiente e immergete per qualche secondo il fondo dei pirottini.

11. Poi prendeteli e capovolgeteli su un piatto da portata.
12. Potete servire.

Coppette di mandorle e limone

TEMPO DI PREPARAZIONE: 15 minuti
TEMPO DI COTTURA: 3 minuti
CALORIE: 320 a porzione
MACRONUTRIENTI: CARBOIDRATI: 10 GR; PROTEINE: 8 GR; GRASSI: 20 GR

INGREDIENTI PER 4 PERSONE

- 200 gr di Farina di mandorle
- 20 gr Eritritolo (o dolcificante simile) in polvere
- 3 uova
- 1 cucchiaino Lievito in polvere
- Un pizzico di Sale
- 4 cucchiai Succo di limone
- 20 gr Burro fuso
- 1 cucchiaio di scorza di limone grattugiata

PREPARAZIONE

1. Iniziate mettendo la farina di mandorle, l'eritritolo, il lievito e il sale in una ciotola.
2. Mescolate ed amalgamate per bene tutti gli ingredienti.
3. In una ciotola a parte sbattete le uova, finché non si saranno gonfiate.
4. Aggiungete all'impasto di farina di mandorle il succo di limone, il burro fuso, le uova sbattute e la scorza di limone.
5. Mescolate fino a quando tutti gli ingredienti non si saranno ben amalgamati.
6. Ungi delle coppette da forno con un po' di burro.
7. Distribuisci la pastella uniformante nelle coppe.
8. Infornate nel microonde ad alta potenza (800 watt) per circa 1 minuto e mezzo.
9. Questo se decidete di cucinare una coppa alla volta.
10. Se optate, per risparmiare tempo, di cuocerle tutte insieme fatele cuocere per circa 3 minuti.
11. Infilate uno stuzzicadenti e se non esce asciutto, infornate ancora un altro minuto massimo fino a cottura ultimata.
12. Servite il dolce appena intiepidito.

Ciambelle al cacao glassate

TEMPO DI PREPARAZIONE: 15 minuti
TEMPO DI COTTURA: 25 minuti
CALORIE: 180 a porzione
MACRONUTRIENTI: CARBOIDRATI: 10 GR; PROTEINE: 5 GR; GRASSI: 16 GR

INGREDIENTI PER 4 PERSONE

- 100 gr di farina di mandorle
- 30 gr di semi di lino macinati q.b.
- 50 gr di eritritolo granulato
- 2 cucchiai di cacao amaro in polvere
- Una bustina di lievito in polvere
- 80 gr di burro
- 2 Uova
- 80 ml di latte

Per la glassa:

- Estratto di vaniglia q.b.
- 50 gr di eritritolo in polvere
- 15 gr di burro
- 2 cucchiai di panna liquida fresca

PREPARAZIONE

1. Per prima cosa, preriscaldate il forno a 180° C.

2. Preparate, nel frattempo, l'impasto delle ciambelle unendo tutti gli ingredienti secchi.
3. Aggiungete gli ingredienti liquidi ed iniziate a mescolarli con un cucchiaio di legno.
4. Amalgamate insieme il tutto per ottenere una pastella liscia.
5. Con l'impasto riempi gli stampi per ciambelle ed inforna per circa 20 minuti.
6. Per verificare la cottura, fate la prova dello stuzzicadenti.
7. Se si sfila asciutto e senza residui di pastella, allora le ciambelle sono pronte per uscire dal forno, in caso contrario aspettate altri 5 minuti e rifate il test.
8. Mentre le ciambelle si raffreddano, preparate la glassa.
9. Sciogliete il burro a bagnomaria oppure a temperatura bassissima al microonde in un contenitore adatto.
10. Il burro non deve bollire né diventare caldo ma deve solo essere sciolto.
11. Mescolate il burro fuso, il latte, la vaniglia e il colorante alimentare.
12. Ricopri le ciambelle con la glassa versandola a zig-zag e lascia raffreddare.
13. Se la glassa dovesse risultare troppo densa al punto da non riuscire a versarla con un cucchiaio, allora mettetela qualche secondo al microonde a temperatura bassa per farla diventare un po' più fluida.
14. Potete servire le vostre ciambelle glassate.

Biscotti al cioccolato e cocco

TEMPO DI PREPARAZIONE: 10 minuti
TEMPO DI COTTURA: 10 minuti
CALORIE: 75 a porzione
MACRONUTRIENTI: CARBOIDRATI: 8 GR; PROTEINE: 2 GR; GRASSI: 6 GR

INGREDIENTI PER 4 PERSONE

- 100 gr di farina di mandorle
- 30 gr di farina di cocco
- 60 gr di cacao amaro in polvere
- 1 cucchiaino Lievito in polvere
- 1/4 cucchiaino Sale
- 150 gr di eritritolo granulato
- 2 uova
- 60 gr burro
- 2 cucchiaini di vaniglia in polvere
- 90 gr di eritritolo in polvere

PREPARAZIONE

1. In una grande ciotola, mescolate la farina di mandorle, la farina di cocco, il cacao amaro, il lievito, e il sale.
2. Sciogliete il burro in un pentolino a fuoco bassissimo, oppure in una ciotola di ceramica o vetro a bassa potenza al microonde, senza farlo bollire.
3. In una ciotola separata, mescolate il burro fuso e l'eritritolo granulato fino a ottenere un composto leggero e spumoso.
4. Aggiungete le uova e la vaniglia al composto di burro e mescola bene in modo da amalgamare bene gli ingredienti.
5. Versate la miscela di ingredienti secchi sulla pastella liquida e mescolate per ottenere un impasto denso.
6. Ricoprite l'impasto con una pellicola trasparente e mettetelo in frigo a raffreddare per almeno un'ora.
7. Una volta raffreddato, l'impasto sarà pronto per essere lavorato.
8. Preriscaldate, nel frattempo, il forno a 180°C.

9. Rivestite due teglie con della carta da forno.
10. Mettete l'eritritolo restante in polvere in un piatto fondo.
11. Dividete l'impasto in circa 20 mucchietti e, con le mani, formate delle palline da 2.5 cm di diametro ciascuna, poi immergetele nel dolcificante.
12. Ricopritele completamente e poi posizionale sulle teglie preparate.
13. Infornate i biscotti per circa 9 minuti o fino a quando non sono quasi completamente asciutti al centro
14. Dopo che si saranno cotti, tirateli fuori dal forno e asciateli raffreddare sulla teglia.
15. Servite appena si saranno del tutto raffreddati

Dolce allo yogurt

TEMPO DI PREPARAZIONE: 15 minuti
TEMPO DI COTTURA: 35/40 minuti
CALORIE: 220 a porzione
MACRONUTRIENTI: CARBOIDRATI: 9 GR; PROTEINE: 8 GR; GRASSI: 15 GR

INGREDIENTI PER 5 PERSONE

- 150 gr di farina di mandorle
- 50 gr di farina di cocco
- 100 gr di burro
- 100 gr eritritolo in polvere
- 125 gr di yogurt greco
- 15 gr di lievito in polvere
- 3 uova
- 100 ml Latte di mandorle senza zucchero
- 1 pizzico sale

PREPARAZIONE

1. Per prima cosa fate preriscaldare il forno a 180°C.
2. Imburrate uno stampo del diametro di 22cm.
3. Mettere il dolcificante in un mixer e fatelo polverizzare 10 secondi alla massima velocità.
4. Deve diventare della consistenza dello zucchero a velo.
5. Aggiungete in una ciotola, il dolcificante polverizzato con le uova e sbatteteli per qualche minuto.
6. Non appena le uova siano diventate spumose, aggiungete le farine, lo yogurt, il burro, il latte e mescolate con un cucchiaio di legno o una spatola.
7. Unite infine il lievito facendolo passare a setaccio ed amalgamatelo bene con gli altri ingredienti.
8. Versate il composto nello stampo imburrato.
9. Fate cuocere per circa 35/ 40 minuti.
10. Verificate sempre lo stato di cottura.
11. Servite il dolce quando si sarà intiepidito.

Torta di ricotta e cocco con frutti rossi

TEMPO DI PREPARAZIONE: 15 minuti
TEMPO DI COTTURA: 40 minuti
CALORIE: 340 a porzione
MACRONUTRIENTI: CARBOIDRATI: 7 GR; PROTEINE: 11 GR; GRASSI: 19 GR

INGREDIENTI PER 3 PERSONE

- 35 gr di farina di cocco
- 100 gr farina di mandorle
- 120 ml latte vegetale di soia
- 90 gr di ricotta magra
- 180 gr albume
- La scorza di 1 limone
- ½ bustina lievito per dolci
- 100 gr di frutti rossi misti, anche surgelati

- 120 gr di eritritolo in polvere

PREPARAZIONE

1. Per prima cosa, fate preriscaldare il forno a 180°C.
2. Unite le due farine insieme al lievito.
3. Abbiate cura di mescolarle bene tra loro in modo che siano poi distribuite nell'impasto in modo omogeneo.
4. In un'altra ciotola mescolatele l'albume e ricotta montando leggermente il composto.
5. Aggiungete anche il dolcificante e la scorza di limone continuando a mescolare finché non avrete ottenuto un composto spumoso ed omogeneo.
6. A questo punto, potete unire le due farine poco alla volta continuando a mescolare.
7. il composto risulterà molto solido: aggiungete quindi il latte poco alla volta finché non otterrete una consistenza né troppo liquida né troppo dura (tipo impasto del ciambellone).
8. Incorporate delicatamente i frutti rossi all'impasto.
9. Versate l'impasto ottenuto nella tortiera foderata con carta forno.
10. Cuocete la torta per circa 40 minuti.
11. Fate sempre la prova dello stecchino prima di sfornare.
12. Se la torta è cotta, lasciatela raffreddare fuori dal forno
13. Servitela non appena si sarà raffreddata del tutto.

Mini torte al lampone

TEMPO DI PREPARAZIONE: 10 minuti
TEMPO DI CONDENSAMENTO: 3 ore
CALORIE: 75 a porzione
MACRONUTRIENTI: CARBOIDRATI:3 GR; PROTEINE: 1 GR; GRASSI: 7GR

INGREDIENTI PER 4 PERSONE

- 60 gr di burro
- 60 gr di olio di cocco
- 110 gr formaggio cremoso tipo Philadelphia a temperatura ambiente
- 40 gr eritritolo in polvere
- 15 lamponi freschi
- 2 cucchiaini di succo di limone

PREPARAZIONE

1. Per prima cosa fate sciogliere il burro in una ciotola adatta al microonde a bassa potenza.
2. Controllatelo ogni 10-20 secondi perché dovrete ottenere un burro fuso appena tiepido. mescolatelo spesso, fino a scioglierlo completamente.
3. Ripetete lo stesso procedimento con l'olio di cocco.
4. In una ciotola di medie dimensioni, versate il burro e l'olio di cocco sciolti, aggiungete il formaggio cremoso e mescolate bene.
5. Aggiungete anche il dolcificante, i lamponi e il succo di limone.
6. Mescolate bene tutti gli ingredienti.
7. Versate il composto in piccoli stampini di silicone e metteteli in freezer per almeno 3 ore, fino a che i dolcetti non si saranno induriti.
8. Per servire le mini-torte ai lamponi, tiratele fuori dal freezer 5 minuti prima del consumo.
9. Estraetele dagli stampi di silicone e mettetele in un piccolo vassoio, in un piatto oppure in piccoli pirottini di carta.
10. Servite le tortine fredde.

Torta ai mirtilli e noci

TEMPO DI PREPARAZIONE: 10 minuti
TEMPO DI COTTURA: 20 minuti
CALORIE: 240 a porzione
MACRONUTRIENTI: CARBOIDRATI:3 GR; PROTEINE: 7 GR; GRASSI: 22 GR

INGREDIENTI PER 8/10 PERSONE

- 100 gr di burro ammorbidito
- 4 cucchiai di eritritolo liquido
- 2 cucchiaini di cannella in polvere
- Un pizzico di noce moscata in polvere
- Un pizzico di sale
- 1 cucchiaino di aroma di mandorle
- 4 uova
- 200 gr di farina di mandorle
- 50 gr di noci tritate

PREPARAZIONE

1. Per prima cosa fate preriscaldare il forno a 180° C.
2. Foderate una tortiera a cerniera da 20 cm di diametro con carta da forno.
3. Imburrate bene i lati della tortiera.
4. Montate, in una ciotola, il burro con il dolcificante, fino a ottenere un composto chiaro e spumoso.
5. Aggiungete la cannella, la noce moscata, il sale e l'aroma di mandorle.
6. Amalgamate bene tutti gli ingredienti.
7. Aggiungete adesso le uova, una alla volta, continuando a frullare.
8. Fate cadere la farina di mandorle e mescolate fino a ottenere un composto liscio ed omogeneo.
9. Aggiungete infine le noci e i mirtilli rossi.
10. Mescolate nuovamente per combinare tutti gli ingredienti.
11. Versate il composto ottenuto nella tortiera.
12. Infornate e fate cuocere per 20 minuti circa.
13. Trascorso questo tempo, inserite uno stuzzicadenti al centro della torta e, se esce asciutto, la cottura sarà terminata.
14. Altrimenti fatela cuocere ancora per qualche altro minuto.
15. Servite la torta quando si sarà intiepidita.

Praline con gocce di cioccolato

TEMPO DI PREPARAZIONE: 10 minuti
TEMPO DI RIPOSO: 1 ora in freezer
CALORIE: 150 a porzione
MACRONUTRIENTI: CARBOIDRATI:5 GR; PROTEINE: 4 GR; GRASSI: 11 GR

INGREDIENTI PER 4 PERSONE

- 120 gr di Formaggio cremoso spalmabile
- 60 gr di burro ammorbidito
- 50 gr di eritritolo in polvere
- 40 gr di farina di mandorle
- 1/4 cucchiaino di estratto di vaniglia
- Un pizzico sale
- 50 gr di gocce di cioccolato fondente (deve essere al meno all'85% di cacao)

PREPARAZIONE

1. Iniziate la ricetta sbattendo, in una ciotola capiente, la crema di formaggio e il burro fino a quando non si saranno ben amalgamati.
2. Aggiungete l'eritritolo la farina di mandorle, l'estratto di vaniglia e il sale e mescolate fino ad ottenere un composto liscio.
3. Aggiungete metà delle gocce di cioccolato e mescolate fino a quando non saranno ben amalgamate.
4. Fate raffreddare il composto in freezer per circa un'ora per indurirlo un po' e

riuscire così a formare più facilmente le palline.
5. Passata l'ora tirate fuori l'impasto dal freezer e, con le mani, formate delle praline da circa 2,5 cm di diametro.
6. Se l'impasto vi sembra troppo morbido, aggiungete un altro po' di farina di mandorle.
7. Fate rotolare le praline in un piatto dove avrete messo il resto delle gocce di cioccolato, e cercate di ricoprirle il più possibile con le gocce.
8. Consumate immediatamente o conservate in un contenitore chiuso in frigorifero per 2-3 settimane.

Sbriciolata di mandorle con fragole e yogurt greco

TEMPO DI PREPARAZIONE: 15 minuti
TEMPO DI COTTURA: 12 minuti
CALORIE: 276 a porzione
MACRONUTRIENTI: CARBOIDRATI: 6 GR, PROTEINE: 13 GR, GRASSI: 18 GR

INGREDIENTI PER 2 PERSONE

- 30 gr di farina di mandorle
- 10 gr di farina di cocco
- 20 ml di olio di cocco
- 20 gr di stevia in polvere
- 15 gr di mandorle tagliate a lamelle
- Un pizzico di sale
- 50 gr di fragole
- 120 gr di yogurt greco bianco

PREPARAZIONE

1. Iniziate preriscaldando il forno a 160 gradi.
2. In una ciotola abbastanza capiente unite le due farine, la stevia l'olio di cocco, le lamelle di mandorle e il pizzico di sale.
3. Impastate gli ingredienti con le mani fino a quando non si saranno formati tanti granelli.
4. Versate il composto in una teglia ricoperta di carta forno e mettete a cuocere per 12 minuti, mescolando il composto di tanto in tanto per evitare che si bruci.
5. Nel frattempo, passate a preparare le base del dolce. Lavate e asciugate le fragole e poi tritatele a piccoli cubetti.
6. Mettete in due bicchieri 60 gr di yogurt greco e le fragole e poi metteteli in frigo a riposare.
7. Quando la granella di mandorle sarà cotta, toglietela dal forno e fatela raffreddare.
8. Appena fredda prendete i bicchieri con le fragole e lo yogurt dal frigo e cospargetele con la granella e poi servitele.

Budino di lamponi cheto

TEMPO DI PREPARAZIONE: 20minuti+ 2 ore di riposo in frigo
TEMPO DI COTTURA: 13 minuti
CALORIE: 160 a porzione
MACRONUTRIENTI: CARBOIDRATI: 4 GR, PROTEINE: 3 GR, GRASSI: 11 GR

INGREDIENTI PER 2 PERSONE

- 1 tuorlo
- 20 gr di eritritolo in polvere
- 120 gr di lamponi
- 15 gr di gelatina in fogli
- 50 ml di panna liquida

PREPARAZIONE

1. Lavate i lamponi sotto l'acqua corrente e poi asciugateli con carta assorbente.
2. Passateli attraverso un setaccio a maglie fitte.
3. Mettete in una ciotola piena di acqua

fredda la gelatina ad ammollare per una decina di minuti.

4. Mettete il tuorlo e la stevia in una ciotola e sbatteteli assieme con una frusta manuale. Sbattete fino a quando il composto non risulterà giallo chiaro e spumoso.
5. Versate la panna in una casseruola e appena inizierà a fare le prime bollicine aggiungete la crema all'uovo.
6. Mescolate di continuo e continuate la cottura per altri 8 minuti.
7. Scolate la gelatina, strizzatela e poi aggiungetela alla panna. Fatela sciogliere completamente mescolando di continuo in modo che non rimangano grumi.
8. Fate cuocere per altri 3 minuti e poi togliete la casseruola dal fuoco.
9. Lasciate la panna intiepidire mescolando spesso con un cucchiaio di legno.
10. Appena si sarà raffreddata, aggiungete alla panna la purea di lamponi, continuando sempre a mescolare.
11. Distribuite il composto in uno stampo da budino da 300 ml e mettete a riposare in frigo per 2 ore.
12. Passato il tempo di riposo, prendete lo stampo, capovolgetelo e poi decorate il budino con lamponi interi e foglie di menta.

Mousse al cioccolato cheto

TEMPO DI PREPARAZIONE: 20 minuti+ 60 minuti di riposo in frigo
CALORIE: 303 a porzione
MACRONUTRIENTI: CARBOIDRATI:7 GR, PROTEINE: 5 GR, GRASSI: 30 GR

INGREDIENTI PER 2 PERSONE

- 100 gr di ricotta di vaccina
- 100 ml di panna da montare non zuccherata
- 1 cucchiaino di estratto di vaniglia
- 30 gr di cacao amaro in polvere
- 30 gr di eritritolo
- Un pizzico di sale

PREPARAZIONE

1. Prendete una ciotola e mettete all'interno la ricotta. Con uno sbattitore elettrico cominciate a lavorare la ricotta fino a quando non avrete ottenuto una crema leggera e soffice.
2. Impostate lo sbattitore alla velocità minima e aggiungete prima l'estratto di vaniglia e poi la panna.
3. Mentre continuate a mescolare aggiungete il dolcificante e mescolate fino a quando non si sarà ben amalgamato.
4. adesso aggiungete il cacao in polvere e un pizzico di sale, aumentate la velocità dello sbattitore al massimo e continuate a mescolare per altri 2 minuti, o comunque fino a quando non avrete ottenuto un composto soffice e omogeneo.
5. Mettete la mousse a riposare in frigo un'ora e poi servitela in due bicchieri decorati con fragole o lamponi.

Biscotti allo zenzero cheto

TEMPO DI PREPARAZIONE: 20 minuti + una notte di riposo in frigo
CALORIE: 63 a porzione
MACRONUTRIENTI: CARBOIDRATI:1 GR, PROTEINE: 1GR, GRASSI: 6 GR

INGREDIENTI PER 15 BISCOTTI

- 60 ml di acqua
- 5 gr di zenzero

- 5 gr di chiodi di garofano
- 5 gr di cannella
- 55 gr di burro
- 70 gr di farina di mandorle
- 80 gr di eritritolo
- 25 gr di farina di cocco
- Un albume
- Mezzo cucchiaino di bicarbonato di sodio.

PREPARAZIONE

1. Mettete dentro una pentola l'acqua e le spezie. Mescolate spesso e appena sarà giunta ad ebollizione togliete dal fuoco.
2. Aggiungete il burro e mescolate fino a quando non si sarà completamente sciolto.
3. Prendete una ciotola mettete all'interno la farina di mandorle, quella di cocco, l'eritritolo, il bicarbonato e con un cucchiaio di legno, o con una spatola, mescolateli assieme.
4. Adesso aggiungete il composto di spezie e l'albume e mescolate.
5. Impastate il composto con le mani fino a quando non avrete ottenuto un impasto compatto e senza grumi.
6. Formate una palla con l'impasto, mettetela all'interno di un foglio di pellicola trasparente e lasciate riposare in frigo tutta la notte.
7. Passato il tempo di riposo preriscaldate il forno a 150 gradi.
8. Dividete a metà l'impasto e su una spianatoia stendete la prima metà con un mattarello.
9. L'impasto deve avere uno spessore di 3 millimetri.
10. Iniziate a tagliare l'impasto con delle formine per biscotti a vostro piacimento.
11. Ripete l'operazione con l'altra metà e mettete i biscotti su una teglia ricoperta di carta forno.
12. Cuocete i biscotti inizialmente per 7 minuti a 150 gradi poi abbassate a 100 gradi e fate cuocere per altri 25-30 minuti.
13. Togliete dal forno appena e lasciateli raffreddare completamente prima di servirli.

Gelato all'avocado

TEMPO DI PREPARAZIONE: 15minuti+ 2 ore di riposo nel freezer
CALORIE: 222 a porzione
MACRONUTRIENTI: CARBOIDRATI:6 GR, PROTEINE: 2 GR, GRASSI: 21 GR

INGREDIENTI PER 4 PERSONE

- 200 gr di avocado
- 150 ml di latte di mandorla non zuccherato
- 60 ml di panna fresca
- 40 gr di eritritolo
- mezzo lime

PREPARAZIONE

1. Sbucciate e tagliate in due l'avocado. Togliete il nocciolo, poi lavatelo e asciugatelo.
2. Mettete l'avocado nel bicchiere del frullatore. Aggiungete il latte di mandorle e la panna e frullate gli ingredienti a media velocità fino a quando non otterrete un composto liscio ed omogeneo.
3. Aggiungete lo zucchero e il succo del lime filtrato. Continuate a frullare per un altro minuto in modo che tutti gli ingredienti siano ben amalgamati.
4. Mettete il composto in un contenitore e mettetelo nel freezer per un'ora.
5. Poi trasferite il composto nella

gelatiera seguendo i tempi indicati nella gelatiera per preparare il gelato.

6. Appena pronto rimettete il gelato nel freezer per farlo rassodare e poi servitelo.

CAPITOLO 13 - RICETTE DI SMOOTHIES

Smoothie avocado e cetriolo

TEMPO DI PREPARAZIONE: 5 minuti
CALORIE: 141 a porzione
MACRONUTRIENTI: CARBOIDRATI: 5 GR; PROTEINE: 4 GR; GRASSI: 11 GR

INGREDIENTI PER 2 PERSONE

- 30 gr di foglie di cavolo
- 1 gambo di sedano
- Mezzo cetriolo
- 230 ml di latte di mandorle non zuccherato (o di latte parzialmente scremato)
- Il succo di mezzo limone
- 4 gocce di dolcificante o di stevia liquida

PREPARAZIONE

1. Iniziate con lo sbucciare l'avocado, tagliatelo a metà, lavate la metà che vi serve, asciugatela e poi tagliatela grossolanamente. Mettete l'avocado nel mixer del frullatore.
2. Togliete dal sedano i filamenti bianchi, lavatelo, asciugatelo e inseritelo nel mixer.
3. Lavate, asciugate e tagliate in grossi pezzi il cetriolo e mettetelo nel mixer.
4. Aggiungete adesso il latte di mandorla, il succo di limone e il dolcificante, azionate il mixer e frullate tutti gli ingredienti alla massima velocità.
5. Mescolate con una spatola per amalgamare bene.
6. Mettete il frullato in due bicchieri separati e servite con alcune foglie di menta come decorazione.
7. Se preferite non consumarlo subito potete metterlo in frigo e conservarlo per un paio di giorni.
8. Se volete dare una consistenza più cremosa e fresca allo Smoothie potete metterlo in freezer per un paio d'ore.

Smoothie lamponi, vaniglia e noccioline

TEMPO DI PREPARAZIONE: 5 minuti
CALORIE: 221 a porzione
VALORI NUTRIZIONALI: CARBOIDRATI: 4 GR; PROTEINE: 3 GR; GRASSI: 19 GR;

INGREDIENTI PER 2 PERSONE

- 80 gr di lamponi
- 1 fiala di essenza di vaniglia
- 20 gr di semi di lino
- 120 ml di latte di cocco, o latte di mandorle senza zucchero, o latte parzialmente scremato
- 20 gr di granella di nocciole
- 60 gr di cubetti di ghiaccio

PREPARAZIONE

1. Lavate e asciugate bene i lamponi e poi metteteli nel mixer.
2. Aggiungete i semi di lino, il latte, la vaniglia e i cubetti di ghiaccio.

3. Chiudete il tappo del frullatore e frullate, ad alta velocità, fino a quando non otterrete un composto compatto e fluido ma non troppo liquido.
4. Mettete lo Smoothie in due bicchieri e serviteli cosparsi di granella di noci e un piccolo ciuffo di panna montata fresca e non zuccherata.

Smoothie mirtilli e noci

TEMPO DI PREPARAZIONE: 5 minuti
CALORIE: 132 a porzione
VALORI NUTRIZIONALI: CARBOIDRATI:6 GR; PROTEINE:4 GR; GRASSI: 10GR;

INGREDIENTI PER 2 PERSONE
- 80 gr di mirtilli
- 60 gr di ghiaccio
- 30 gr di noci
- 60 gr di yogurt greco
- 120 ml di latte di mandorla non zuccherato
- 1 fialetta di essenza di vaniglia

PREPARAZIONE
1. Lavate bene i mirtilli sotto acqua corrente, asciugateli e metteteli nel mixer.
2. Aggiungete il resto degli ingredienti nel mixer e frullate il tutto alla massima velocità.
3. Mescolate con una spatola e distribuite lo Smoothie in due bicchieri separati.
4. Se non volete servirlo subito potete conservarlo in frigo al massimo per 24 ore.
5. Se lo servite subito potete decorare il vostro Smoothie con ciuffetti di panna montata non zuccherata.

Smoothie mandorle e cannella

TEMPO DI PREPARAZIONE: 5 minuti
CALORIE: 230 a porzione
VALORI NUTRIZIONALI: CARBOIDRATI:3 GR; PROTEINE:5 GR; GRASSI: 23GR;

INGREDIENTI PER 2 PERSONE
- 120 ml di latte di cocco non zuccherato
- 120 ml di latte di mandorle non zuccherato
- 20 gr di semi di Chia
- 20 gr di mandorle a lamelle
- 40 gr di cannella in polvere
- 200 gr di ghiaccio

PREPARAZIONE
1. Il procedimento per questo Smoothie è veramente semplice.
2. Mettete tutti gli ingredienti nel mixer, escludendo le mandorle a lamelle.
3. Azionate il mixer ad alta velocità e frullate il tutto.
4. Mescolate con una spatola per amalgamare bene gli ingredienti e poi servite in due bicchieri da frullato cosparsi di mandorle a lamelle.

Smoothie spinaci, semi di Chia e tè verde

TEMPO DI PREPARAZIONE: 5 minuti
CALORIE: 208 a porzione
VALORI NUTRIZIONALI: CARBOIDRATI:6 GR; PROTEINE:11GR; GRASSI: 14GR;

INGREDIENTI PER 2 PERSONE
- 120 gr di yogurt greco
- 230 ml di latte di mandorle senza zucchero o di latte parzialmente

scremato
- 30 gr di foglie di spinaci
- 30 gr di semi di Chia
- La metà di un avocado
- 30 gr di thè verde matcha in polvere
- 60 gr di ghiaccio
- 3 gocce di stevia liquida

PREPARAZIONE

1. Iniziate con gli spinaci. Lavate bene le foglie sotto acqua corrente e poi asciugatele con carta assorbente.
2. Sbucciate l'avocado, tagliatelo a metà e togliete il nocciolo. Lavate la metà che vi serve, asciugatela e poi tagliatela a pezzi abbastanza grossi.
3. Versate nella ciotola del mixer gli spinaci, l'avocado, i semi di Chia, lo yogurt, il latte, la stevia, e il ghiaccio.
4. Azionate il frullatore alla massima potenza e frullate per bene tutti gli ingredienti.
5. Mescolateli con una spatola in modo da amalgamarli per bene e poi servite in bicchieri individuali.

Smoothie fragole e limone

TEMPO DI PREPARAZIONE: 5 minuti
CALORIE: 79 a porzione
VALORI NUTRIZIONALI: CARBOIDRATI: 3GR; PROTEINE:6,6GR; GRASSI: 2GR;

INGREDIENTI PER 2 PERSONE

- 200 gr di fragole
- 20 gr di dolcificante o di stevia
- 1 limone
- 120 gr di yogurt greco
- 230 ml di latte di mandorle senza zucchero
- 60 gr di ghiaccio

PREPARAZIONE

1. Lavate e togliete la parte verde e le foglie delle fragole e poi tagliatele a metà.
2. Mettete le fragole nella ciotola del mixer.
3. Aggiungete lo yogurt, il ghiaccio, il latte di mandorla e il dolcificante.
4. Lavate e asciugate il limone. Tagliatelo a metà.
5. Tagliate un paio di rondelle da metà limone e poi filtrate il succo nella ciotola del mixer.
6. Azionate il mixer alla massima velocità fino a quando non otterrete un composto fluido ed omogeneo.
7. Mescolate il composto per amalgamarlo per bene e servite i vostri Smoothie in due bicchieri contornati con le rondelle di limone.

Smoothie ai frutti di bosco

TEMPO DI PREPARAZIONE: 5 minuti
CALORIE: 330 a porzione
VALORI NUTRIZIONALI: CARBOIDRATI 9 GR; PROTEINE: 12GR; GRASSI: 26GR;

INGREDIENTI PER 2 PERSONE

- 240 ml di latte di mandorle non zuccherato
- 100 gr di frutti di bosco misti
- 60 gr di ghiaccio
- Mezzo avocado
- 40 gr di spinaci
- 20 grammi di noci

PREPARAZIONE

1. Sbucciate e tagliate a metà l'avocado. Togliete il nocciolo e prendetene una metà. Lavatela e asciugatela e poi tagliatela molto grossolanamente.

2. Lavate e asciugate i frutti di bosco.
3. Mettete nella ciotola del mixer l'avocado, i frutti di bosco, le noci e il latte.
4. Lavate e asciugate gli spinaci e poi metteteli assieme agli altri ingredienti.
5. Frullate assieme tutti gli ingredienti con il frullatore ad alta velocità.
6. Quando il composto sarà omogeneo e ben amalgamato, spegnete il mixer, mescolate il tutto con una spatola o con un cucchiaio di legno e distribuite lo Smoothie in due bicchieri.
7. Servite con qualche ciuffo di panna montata non zuccherata e qualche frutto di bosco.

Smoothie cocco, more e menta

TEMPO DI PREPARAZIONE: 5 minuti
CALORIE: 320 a porzione
VALORI NUTRIZIONALI: CARBOIDRATI 10 GR; PROTEINE: 4 GR; GRASSI: 29 GR;

INGREDIENTI PER 2 PERSONE

- 120 ml di latte di cocco non zuccherato
- 70 gr di more
- 20 gr di farina di cocco
- 10 foglie di menta
- 60 gr di ghiaccio
- 2 gocce di stevia liquida

PREPARAZIONE

1. Lavate e asciugate le more e poi mettetele nella ciotola del mixer.
2. Aggiungete la farina di cocco e il latte di cocco.
3. Lavate le foglie di menta, asciugatele e mettete 8 foglie nel mixer.
4. Aggiungete le gocce di stevia, il ghiaccio e frullate tutto ad alta velocità.
5. Quando il composto avrà un aspetto cremoso e omogeneo spegnete il mixer.
6. Mescolate il composto con un cucchiaio di legno e poi dividetelo in due bicchieri.
7. Servite con le due foglie di menta che vi sono rimaste.

Smoothie spinaci e zenzero

TEMPO DI PREPARAZIONE: 5 minuti
CALORIE: 23a porzione
VALORI NUTRIZIONALI: CARBOIDRATI2GR; PROTEINE: 1GR; GRASSI: 1GR;

INGREDIENTI PER 2 PERSONE

- 120 ml di latte di mandorle non zuccherato
- 30 gr di foglie di spinaci
- 20 gr di zenzero fresco grattugiato
- 20 ml di succo di limone
- 10 cubetti di ghiaccio

PREPARAZIONE

1. Iniziate con gli spinaci. Lavateli bene sotto acqua corrente e poi asciugateli.
2. Mettete gli spinaci nel bicchiere del frullatore e poi aggiungete il latte di mandorle, il ghiaccio, il succo di limone e 20 gr di zenzero grattugiato.
3. Azionate alla massima velocità e frullate fino a quando non otterrete un frullato denso e omogeneo.
4. Dividete lo smoothie in due bicchieri e serviteli cosparsi con il resto dello zenzero grattugiato.

Smoothie yogurt greco e cetriolo

TEMPO DI PREPARAZIONE: 5 minuti

CALORIE: 56 a porzione
VALORI NUTRIZIONALI: CARBOIDRATI 4 GR; PROTEINE: 4GR; GRASSI: 2 GR;

INGREDIENTI PER 2 PERSONE

- 120 gr di yogurt greco
- 2 piccoli cetrioli
- 30 ml di latte di mandorle non zuccherato
- 6 cubetti di ghiaccio
- 4 foglie di menta

PREPARAZIONE

1. Sbucciate e lavate i cetrioli. Tagliateli grossolanamente e metteteli nel bicchiere di un frullatore.
2. Lavate e asciugate le foglie di menta e metteteli assieme ai cetrioli.
3. Aggiungete nel bicchiere anche lo yogurt greco e frullate ad alta velocita per un minuto.
4. Aggiungete adesso il latte di mandorle e il ghiaccio e fate ripartire il frullatore.
5. Frullate fino a quando non avrete ottenuto un composto denso e cremoso.
6. Se volete una consistenza più dura, tipo gelato, potete mettere lo smoothie in freezer per un'ora, altrimenti potete servire subito.

Smoothie caffè e avocado

TEMPO DI PREPARAZIONE: 5 minuti
CALORIE: 88 a porzione
VALORI NUTRIZIONALI: CARBOIDRATI: 1 GR; PROTEINE: 1 GR; GRASSI: 9 GR;

INGREDIENTI PER 2 PERSONE

- 120 ml di latte di mandorle non zuccherato
- 1 tazzina di caffè espresso
- Mezzo avocado
- 4 gocce di dolcificante
- 8 cubetti di ghiaccio

PREPARAZIONE

1. Sbucciate l'avocado.
2. Togliete il nocciolo e poi lavatelo e asciugatelo e mettetelo nel bicchiere del frullatore.
3. Aggiungete il latte di mandorle e il caffè e frullate il tutto alla massima velocità per un minuto.
4. Aggiungete adesso i cubetti di ghiaccio e il dolcificante e frullate fino a quando non avrete ottenuto un composto denso e omogeneo.
5. Mettete in due bicchieri e servite con dei ciuffetti di panna spray.

Smoothie avocado fragole e semi di Chia

TEMPO DI PREPARAZIONE: 5 minuti
CALORIE: 120 a porzione
VALORI NUTRIZIONALI: CARBOIDRATI: 3 GR; PROTEINE: 2 GR; GRASSI: 9 GR;

INGREDIENTI PER 2 PERSONE

- Mezzo avocado
- 50 gr di fragole
- 120 ml di latte di mandorla non zuccherato
- 10 gr di semi di Chia
- 8 cubetti di ghiaccio
- 3 gocce di dolcificante liquido

PREPARAZIONE

1. Lavate e asciugate le fragole.
2. Sbucciate e denocciolate l'avocado poi lavatelo e asciugatelo.
3. Mettete all'interno del bicchiere del frullatore tutti gli ingredienti e

azionatelo alla massima velocità
4. Frullate il tutto fino a quando non otterrete un composto cremoso ed omogeneo.
5. Se volete una consistenza tipo gelato potete mettere lo smoothie in freezer per un'oretta altrimenti servite subito con qualche ciuffo di panna montata.

PARTE TERZA

CAPITOLO 14 - PIANI ALIMENTARI

4 settimane di piani alimentari

In questo capitolo, vi mostriamo, nella pratica, in cosa consistono i piani alimentari della dieta chetogenica.
Qui, vi è stato preparato un piano dietetico di tipo chetogenico *standard* che segue la ripartizione dei macro e delle calorie giornaliere da assumere.
Essi sono divisi in 4 settimane.
La dieta chetogenica, come abbiamo ribadito più volte in precedenza, è una dieta che va seguita entro gli schemi, in questo caso quelli di questi piani alimentari.
Attenetevi ad essi il più possibile ed evitate eccessi e sgarri.

1. ***Prima settimana***

LUNEDÌ
COLAZIONE: 200 ml di latte di mandorle o di latte parzialmente scremato e un caffè non zuccherato
SPUNTINO: 60 gr di mirtilli
PRANZO:200 gr di gamberetti e 200 gr di zucchine
SPUNTINO: 20 gr di cioccolato fondente al 90%
CENA: 120 gr di vitello e 200 gr di funghi

MARTEDÌ
COLAZIONE: 2 uova strapazzate con un caffè con un ciuffo di panna spray non zuccherata
SPUNTINO: 30 gr di mandorle
PRANZO:150 gr di pollo con 200 gr di asparagi
SPUNTINO: 1 cheto smoothie
CENA: 200 gr di salmone e 200 gr di broccoli

MERCOLEDÌ
COLAZIONE: 2 uova in camicia e 100 gr di avocado

SPUNTINO: 30 gr di noci
PRANZO: 150 gr di tacchino e 200 grammi di insalata mista condita con olio di oliva e aceto di mele
SPUNTINO: uno yogurt greco
CENA: 120 gr di carne di maiale con 200 gr di funghi

GIOVEDÌ
COLAZIONE: 1 omelette ai funghi, 1 tè verde non zuccherato
SPUNTINO: 70 gr di fragole
PRANZO: 150 gr di pollo e 200 gr di spinaci
SPUNTINO: 100 gr di avocado
CENA: 2 hamburger di salmone e 200 gr di insalata verde mista

VENERDÌ
COLAZIONE: 120 gr di yogurt greco, 10 gr di semi di Chia, 50 gr di more
SPUNTINO: 30 gr di pistacchi
PRANZO: 150 gr di pollo e 200 gr di insalata di avocado e pomodori
SPUNTINO: 20 gr di cioccolato fondente 85%
CENA: 100 gr di stracchino e 150 zucchine e 50 gr di pomodori

SABATO
COLAZIONE: 1 omelette agli spinaci e un caffè con panna fresca non zuccherata
SPUNTINO: 70 gr di mirtilli
PRANZO: 200 gr di merluzzo e 200 gr di fagiolini
SPUNTINO: 1 yogurt greco e 20 gr di mandorle
CENA: 200 gr di tartare di salmone e avocado e 200 gr di insalata mista

DOMENICA
COLAZIONE: 2 biscotti cheto e 200 ml di latte parzialmente scremato
SPUNTINO: 70 gr di more
PRANZO: 150 gr di tacchino e 150 gr di peperoni
SPUNTINO: 1 cheto smoothie
CENA: 1 insalata mista fatta con 100 gr di tonno, 50 gr di avocado, 50 gr di pomodorini, 4 olive e 50 gr di lattuga condita con olio di oliva e aceto di mele

2. ***Seconda settimana***

LUNEDÌ
COLAZIONE: 1 tortina cheto e 200 ml di latte di mandorla non zuccherato
SPUNTINO: 70 gr di fragole
PRANZO:250 gr di insalata di pollo con pomodoro, avocado e lattuga, condita con olio di oliva e limone
SPUNTINO: 30 gr di parmigiano
CENA: una porzione di lasagna di zucchine e100 gr di pollo marinato

MARTEDÌ
COLAZIONE:2 uova strapazzate e 50 gr di mirtilli
SPUNTINO: 30 gr di pistacchi
PRANZO:1 zuppa di pesce e 200 gr di spinaci
SPUNTINO: 1 gelato all'avocado cheto
CENA: 200 gr di tonno e 200 gr di cavolfiore

MERCOLEDÌ
COLAZIONE: 1 omelette alle fragole cheto, 1 caffè con panna spray non zuccherata
SPUNTINO: 1 cheto smoothie
PRANZO:120 gr di filetto di manzo con 200 gr di funghi
SPUNTINO: 2 involtini di salmone
CENA: una insalata di pollo fatta con 150 gr di pollo, e 50 gr di avocado, 50 gr di pomodorini, 50 gr di scalogno, 50 gr di cetriolo e condita con olio di oliva e un cucchiaino di maionese

GIOVEDÌ
COLAZIONE: 1 omelette ricotta e spinaci e 50 gr di frutti di bosco misti
SPUNTINO: 30 gr di mandorle
PRANZO:200 gr di salmone e 200 gr di broccoli
SPUNTINO: 30 gr di parmigiano
CENA: una insalata fatta con 1 mozzarella, 100 gr di tonno, 50 grammi di cetriolo e 100 gr di pomodorini

VENERDÌ
COLAZIONE: 1 crespella cheto e 100 gr di fragole, 1 caffè amaro
SPUNTINO: 20 gr di cioccolato fondente al 90%
PRANZO: insalata di vitello fatta con 150 gr di vitello, 50 gr di avocado e 100 gr di peperoni condita con olio e aceto di mele
SPUNTINO: 1 budino cheto
CENA: 200 gr di salmone e 200 gr di asparagi

SABATO
COLAZIONE: 200 ml di latte di mandorla non zuccherato e 50 gr di lamponi
SPUNTINO: 1 yogurt Greco e 10 gr di semi di lino
PRANZO:150 gr di pollo e 200 gr di spinaci
SPUNTINO: 30 gr di pistacchi
CENA: 1 zuppa di gamberi e 200 gr di finocchi da cucina conditi con olio e limone

DOMENICA
COLAZIONE: 2 cheto frittelle e 50 gr di fragole
SPUNTINO: 1 yogurt Greco e 20 gr di mandorle
PRANZO:120 gr di lonza di maiale e 200 gr di broccoli
SPUNTINO: 1 panna cotta cheto
CENA: 200 gr di gamberi e 200 di insalata verde mista

3. *Terza settimana*

LUNEDÌ
COLAZIONE: 1 yogurt greco e 30 gr di cocco
SPUNTINO: 3 biscotti cheto
PRANZO:150 gr di tacchino e 200 gr di funghi
SPUNTINO: 1 cestino di avocado e gamberi
CENA: 200 gr di nasello e un'insalata fatta con 100 gr di fagiolini e 100 gr di pomodori condita con aceto di mele e olio di oliva

MARTEDÌ

COLAZIONE: 200 ml di latte parzialmente scremato e 30 gr di mirtilli
SPUNTINO: 2 uova al salmone
PRANZO: 2 hamburger di pollo e un'insalata di pomodorini e avocado
SPUNTINO: patatine di parmigiano 30 gr
CENA: 200 gr di branzino e un'insalata fatta con sedano, pomodori e cetrioli

MERCOLEDÌ
COLAZIONE: 1 panna cotta cheto e 30 gr di noci
SPUNTINO: 100 gr di avocado
PRANZO: 2 omelette prosciutto e formaggio e 200 gr di insalata mista
SPUNTINO: 30 gr di parmigiano
CENA: 150 gr di tacchino e 200 gr di asparagi

GIOVEDÌ
COLAZIONE: 1 smoothie cheto e 20 gr di pistacchi
SPUNTINO: 30 gr di pistacchi
PRANZO:120 gr di vitello e 200 gr di spinaci
SPUNTINO: 3 biscotti al limone cheto
CENA: 200 gr di orata e 200 gr di cavolfiore

VENERDÌ
COLAZIONE: 2 uova strapazzate un tè verde non zuccherato
SPUNTINO: 30 gr di noccioline
PRANZO:2 hamburger di tacchino e 200 gr di insalata di lattuga e pomodori
SPUNTINO: 1 snack cocco e cioccolato
CENA: una zuppa di pesce e 200 gr di zucchine

SABATO
COLAZIONE: 200 ml di latte di mandorle non zuccherato e un'insalata di frutta fatta con avocado mirtilli e fragole.
SPUNTINO: 30 gr di noci
PRANZO:200 gr di spaghetti di zucchine con gamberi e pomodorini
SPUNTINO: spuntino di frutti rossi e yogurt
CENA: 2 omelette ricotta e spinaci e 200 gr di broccoli

DOMENICA
COLAZIONE: 1 yogurt greco con 10 gr di semi di lino e 50 gr di fragole
SPUNTINO: 30 gr di mandorle
PRANZO: zuppa di pesce e 200 gr di spinaci
SPUNTINO: 2 involtini di prosciutto lattuga e salmone
CENA: 200 gr di salmone e 200 gr di asparagi

4. Quarta settimana

LUNEDÌ
COLAZIONE: 2 uova strapazzate e 20 gr di mandorle
SPUNTINO: 30 gr di cocco
PRANZO:120 gr di vitello e 200 gr di insalata di lattuga, pomodori e avocado
SPUNTINO:1 budino cheto
CENA: 120 gr di maiale e 200 gr si spinaci

MARTEDÌ
COLAZIONE: 2 crespelle cheto con fragole
SPUNTINO: 50 gr di avocado
PRANZO:2 uova in camicia e 200 gr di insalata di pomodori, rucola e funghi
SPUNTINO: 1 cioccolata calda cheto
CENA: 150 gr di tacchino e 200 gr di funghi

MERCOLEDÌ
COLAZIONE: 1 tortino cheto e 200 ml di latte di mandorla non zuccherato
SPUNTINO: 50 gr di more
PRANZO:2 crespelle cheto al salmone e 200 gr di spinaci
SPUNTINO: 2 foglie di lattuga farcite al tonno
CENA: 200 gr di merluzzo e 200 gr di insalata mista

GIOVEDÌ
COLAZIONE: 2 uova strapazzate e 50 gr di mirtilli

SPUNTINO: 1 yogurt Greco e 10 gr di semi di Chia
PRANZO:200 gr di spaghetti di zucchine con speck e pesto
SPUNTINO: 2 biscotti cocco e pistacchio cheto
CENA: 2 hamburger di salmone e un insalata con 100 gr di fagiolini e 100 gr di pomodori

VENERDÌ
COLAZIONE: 1 smoothie cheto e 20 gr di noci
SPUNTINO: 30 gr di mandorle
PRANZO:1 zuppa di verdure e uova
SPUNTINO: 1 avocado ripieno di gamberi
CENA: 200 gr di branzino e 200 gr di finocchi

SABATO
COLAZIONE: 1 omelette ai funghi e 20 gr di noccioline
SPUNTINO: 50 gr di lamponi
PRANZO:1 braciola di maiale e 200 gr di cavolfiore
SPUNTINO: 2 involtini speck e asparagi
CENA: 120 gr di filetto di vitello e 200 gr di funghi

DOMENICA
COLAZIONE: 1 tortino cheto al cioccolato e 200 ml di latte di mandorla non zuccherato
SPUNTINO: 1 cheto smoothie
PRANZO: una porzione di lasagne di zucchine e 100 gr di pollo alla griglia
SPUNTINO: 2 uova piccanti con salmone
CENA: 2 hamburger di pollo e 200 gr di peperoni

CAPITOLO 15 - FAQ SULLA DIETA CHETOGENICA

Per concludere la terza parte del libro, relativa ai piani alimentari e quindi per concludere la parte pratica, vi elenchiamo 15 domande che vengono rivolte spesso agli esperti nutrizionisti di dieta chetogenica.
Queste domande vanno a chiarire eventuali dubbi e perplessità relative a questo tipo di dieta.
Ecco di qui di seguito elencate:

Quanti chili si possono perdere seguendo una dieta chetogenica?

Sicuramente la dieta chetogenica è un ottimo rimedio per chi vuole perdere peso. Se infatti cercate informazioni sui social o nei motori di ricerca troverete tante storie di persone che hanno cambiato drasticamente la propria vita grazie a questa dieta. Quello che è certo è che la dieta chetogenica offre alti risultati se la quantità di grasso e di peso corporeo è eccessiva. Statisticamente un soggetto obeso può perdere anche 7-8 chili a settimana. Ma c'è di certo che più ci si avvicina al peso forma e meno peso si perde.

Per quanto tempo bisogna seguire la dieta chetogenica?

Di solito questa dieta dovrebbe essere seguita per non più di 12 settimane, per evitare il rischio di avere forti carenze nutrizionali.

La dieta chetogenica può aumentare i livelli di colesterolo?

Solitamente chi segue qualsiasi tipo di dieta si rende conto, dalle analisi del sangue, che i livelli di colesterolo migliorano drasticamente. I medici hanno sempre sottolineato il fatto che l'assunzione di troppi grassi aumenterebbe il livello di colesterolo nel sangue e di conseguenza aumenterebbe anche il rischio di malattie cardiache. Detto ciò, alcuni studi hanno dimostrato che pazienti sottoposti a regime chetogenico hanno riportato dati riguardanti livelli di colesterolo cattivo bassi e livelli di colesterolo buono aumentati. Questo perché il tipo di grassi utilizzati nella dieta chetogenica non sono grassi saturi ma grassi insaturi che abbassano i valori di colesterolo cattivo o LDL e alzano il livelli di colesterolo buono o HDL. Infatti, l'uso di grassi monoinsaturi come l'olio di oliva e l'avocado viene associata ad un aumento del colesterolo HDL che serve da protezione per l'apparato cardio-circolatorio.

Bisogna monitorare le calorie o i macronutrienti in una dieta chetogenica?

In realtà no perché essendo una dieta povera di carboidrati, automaticamente si va in deficit calorico. Per quanto riguarda i macronutrienti, nei piani alimentari c'è già inserito

lo standard di divisione dei macronutrienti. Quindi se ci si limita a mangiare i cibi *''keto friendly"* e a limitare al massimo l'assunzione di carboidrati non c'è bisogno di calcolare meticolosamente le calorie.
Ma, se vedete che non riuscite comunque a perdere peso e, come vi avevamo indicato negli errori da evitare lì sì che dovreste monitorare la situazione tenendo magari un diario alimentare.

Il mio corpo e soprattutto il mio cervello possono funzionare correttamente senza l'assunzione di carboidrati?

Il corpo umano, e il cervello in modo particolare, utilizzano quotidianamente come fonte di energia i carboidrati. Ma questo non significa che i carboidrati siano indispensabili per permettere il corretto funzionamento del nostro organismo. In realtà è il contrario. Infatti, il grasso è una fonte di energia più preziosa, soprattutto a lungo termine, per il nostro organismo. Alcune ricerche hanno infatti dimostrato che i grassi hanno qualità protettrici e riparative migliori dei carboidrati. Inoltre, altri studi mettono in evidenza che l'eccesso di carboidrati aumenta il rischio di infezioni e infiammazioni ed è causa molte volte di un invecchiamento precoce soprattutto a carico dei processi neurologici.

È vero che la chetosi è una condizione pericolosa per il nostro organismo?

Bisogna non confondere la chetosi con la chetoacidosi. La chetoacidosi è una condizione patologica che si verifica soprattutto nei pazienti che soffrono di diabete di tipo 1 e sono insulino-dipendenti. La chetoacidosi, quindi, è un aggravamento delle condizioni patologiche del diabete e che molto spesso risulta essere letale, condizione che non ha niente a che vedere con la chetosi nutrizionale che è un processo fisiologico completamente diverso e non potenzialmente letale come la chetoacidosi.

La dieta chetogenica è sicura se soffro di diabete di tipo 2?

Qualsiasi persona affetta da patologie metaboliche come il diabete, prima di iniziare qualsiasi tipo di protocollo alimentare, o ancora peggio diete fai da te deve sempre consultare il parere del proprio medico. Detto questo mentre è stato dimostrato che la dieta cheto è efficace per persone che soffrono di insulino-resistenza in quanto l'assunzione di pochi carboidrati abbassa drasticamente il livello di questo ormone nel sangue, chi soffre di diabete 2 dovrebbe sentire prima il parere del medico, perché in quasi tutti i casi di diabete si segue una cura farmacologica che abbassa già i livelli di insulina.

La dieta chetogenica fa bene a tutti?

Nessuna dieta è la dieta ideale per tutti. La nutrizione non è oggettiva, ma soggettiva. Un esperto non ti direbbe mai che una dieta è il modo corretto per alimentarsi in maniera universale. La dieta chetogenica è una dieta adatta ai soggetti che soffrono di gravi problemi di peso, per chi soffre di problemi cognitivi, per chi vuole migliorare alcune patologie, per chi soffre vuole migliorare la sensibilità all'insulina. Quindi se voleste seguire questa dieta per perdere 2 chili presi durante le feste non sarebbe di certo la soluzione migliore.

Ho dei crampi alle gambe, è possibile che sia a causa della dieta chetogenica?

Spesso molte persone che sono in chetosi riferiscono di avere crampi ai muscoli delle gambe. I crampi durante la chetosi di solito derivano dalla disidratazione e dalla perdita di minerali. Questo perché durante la chetosi si ha un drenaggio maggiore dei liquidi ed è questo il motivo per cui nelle prime settimane si perde più peso. La soluzione sarebbe quella di bere più acqua per ridurre il rischio di disidratazione e di perdita eccessiva di elettroliti.

La dieta cheto può causare problemi digestivi?

I cambiamenti alimentari solitamente causano sempre problemi digestivi. Se da un lato una dieta povera di carboidrati può migliorare problemi come l'esofagite, dall'altro uno degli effetti collaterali più comuni in questo tipo di dieta è la stitichezza. Questo è dovuto al fatto che non si assumono abbastanza fibre e non si assumono abbastanza fluidi.

Seguo la dieta chetogenica ma non perdo lo stesso peso, perché?

Uno dei motivi può essere che stai ancora assumendo troppi carboidrati, magari assumendo cibi già cotti che, come molti ignorano, contengono zuccheri aggiunti. Un altro motivo è che stai assumendo troppe calorie, magari illudendoti che se i cibi sono adatti alla dieta chetogenica ne puoi mangiare in quantità smisurata. Molti cibi utilizzati in questa dieta sono ricchi di grassi e di conseguenza di calorie, quindi, bisogna attenersi in maniera rigida alle quantità indicate nel piano alimentare. Un altro motivo potrebbe essere che soffri di qualche patologia metabolica, come l'ipotiroidismo, e non ne sei a conoscenza, per questo prima di iniziare questa dieta o qualsiasi altra dieta sono sempre necessari tutti i controlli del caso. Un altro motivo di solito e la pigrizia. Infatti, molte persone sono convinte che siccome seguono già una dieta non hanno bisogno di fare nient'altro. Anche se la dieta cheto è abbastanza restrittiva e efficace è necessario fare attività fisica per assicurarsi una perdita costante di peso ma anche per migliorare la salute dell'intero organismo.

Quale è la differenza tra la dieta chetogenica e le altre diete low carb?

La dieta chetogenica è una forma estrema di dieta a basso contenuto di carboidrati. Solitamente le diete low-carb permettono anche l'assunzione di 150 gr di carboidrati giornalieri mentre la chetogenica abbassa il limite a 50. Inoltre mentre le altre diete low-carb puntano l'attenzione e la compensazione con le proteine in questa dieta il ruolo primario delle proteine viene sostituito dai grassi.

Posso praticare il digiuno intermittente se seguo la dieta chetogenica?

Il digiuno intermittente è un aiuto extra se si vogliono aumentare i livelli di chetoni e bruciare ancora più grassi. Tuttavia, bisogna prima che il corpo si adatti alla dieta chetogenica prima di inserire il digiuno intermittente.

Le bevande come la coca cola zero si possono bere se seguo la dieta chetogenica?

Le bevande con zero zuccheri non intaccano l'apporto calorico o il numero di carboidrati che si assumono giornalmente con la dieta chetogenica, in quanto utilizzano zuccheri artificiali che contengo zero carboidrati. Tuttavia, essendo appunto non naturali, sarebbe meglio evitarli per evitare problemi alla salute.

La dieta chetogenica può provocare il cancro?

Alcuni studi clinici hanno dimostrato che non esiste nessuna correlazione tra dieta chetogenica e cancro, anzi ricerche recenti mostrano che la dieta chetogenica ha lievemente limitato la crescita delle cellule tumorali e che ha indotto un'accelerazione nei meccanismi di tossicità associati alla chemioterapia. Lungi dal dire che possa essere una soluzione a questo dolorosissimo male, il fatto che crei un ambiente metabolico sfavorevole alle cellule tumorali potrebbe essere un fattore coadiuvante per la terapia del paziente.

CONCLUSIONI

Arrivati alla fine di questo libro vi abbiamo fornito il quadro completo (che va dalla teoria alla pratica) sulla dieta chetogenica.
Vi abbiamo illustrato in cosa consiste la dieta chetogenica, quali sono i meccanismi alimentari adatti per attivare la chetosi e quindi come avviene la perdita di peso.
Con spiegazioni dettagliate, inoltre, abbiamo cercato di farvi comprendere il più possibile un concetto: questo concetto riguarda il fatto che adattarsi alla dieta chetogenica, permette non solo di poter diventare "più sani" con successo, ma anche come seguire un regime dietetico così restrittivo e la forza di volontà decisamente ferrea che ne richiede il successo, vi porterà ad utilizzare questa volontà e determinazione in ogni campo della vostra vita.
Gli obiettivi che raggiungerete con questa nuova disciplina alimentare vi saranno utili in altri aspetti della vostra vita.
L'approccio mentale di cui vi abbiamo parlato, vi tornerà utile quando vorrete raggiungere altri obiettivi ambiziosi.
Avendovi mostrato un modo decisamente efficace in cui non si può fallire, potete cominciare a rivoluzionare davvero la vostra vita.
Partendo magari, sì, dai chili in eccesso.
Grazie al fatto di ritrovandovi in forma e con un metabolismo accelerato, potrete regolarvi in seguito, sempre in maniera disciplinata e sana, su come gestire l'alimentazione.
Partendo dall'alimentazione riuscirete a gestire tutti gli altri campi in cui vi cimenterete con disciplina e dedizione.
È questo il fine ultimo della disciplina chetogenica, per concludere davvero: non solo, principalmente, quello di rimettervi in forma, ma di rendervi persone migliori in qualsiasi campo decidiate di dedicarvi.
E se riuscirete in questo intento avrete vinto sia voi che la dieta.

Dieta Risveglia Metabolismo

Brucia Calorie Mangiando! L'Unico Metodo in 5 Step per Evitare di Assimilare Tutto Ciò che Mangi.

100 Ricette Accelera Metabolismo + Piano Alimentare di 4 Settimane

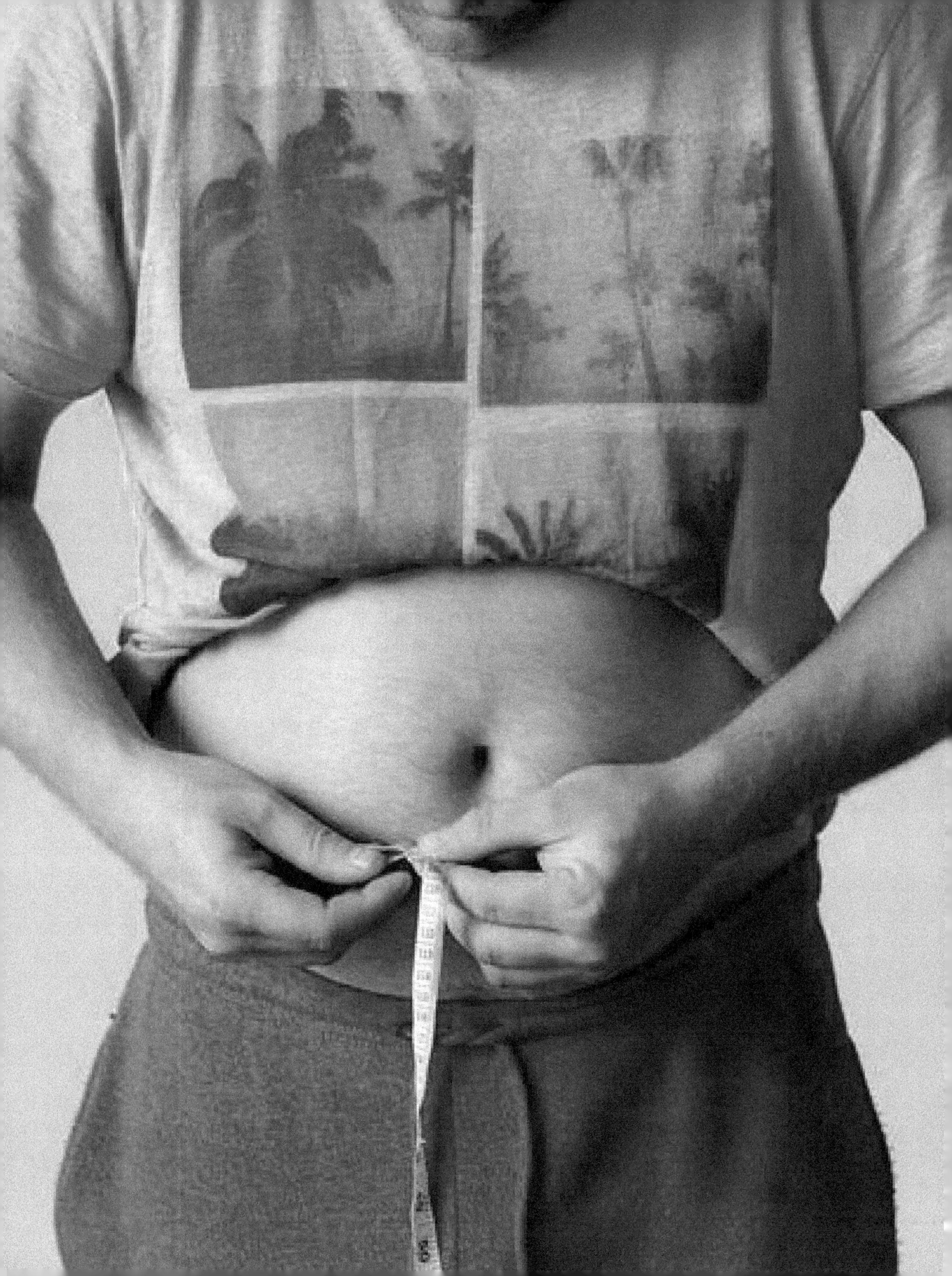

Introduzione

Quando si parla di dieta in generale e di come perdere peso, il discorso non prescinde mai da un termine a noi noto e cioè il metabolismo.
Metabolismo e dieta sono, in sostanza, due binomi inscindibili.
Questo perché è grazie ad un metabolismo perfettamente funzionante che vedremo l'efficacia di una dieta, in tempi più rapidi possibili
Perciò, la riuscita della dieta dipende in tutto e per tutto da un buon metabolismo.
Ma se esso dovesse essere più lento, o più pigro, rispetto alla norma è possibile che sia la dieta stessa ad intervenire per "risvegliarlo"?
La risposta è affermativa e rappresenta lo scopo che si è prefissato questo libro.
In questo testo, l'inscindibilità tra ciò che andremo a mangiare, e quindi la nostra dieta, ed il metabolismo verrà perfettamente spiegata e sviluppata.
Dicevamo che lo scopo ultimo di questa trattazione è dare una risposta affermativa all'esistenza del connubio tra dieta e metabolismo.
Un connubio che permetta la riuscita della prima e il risveglio con conseguente e facilitata perdita di peso del secondo.
Sarà quindi nostro compito quello di fornirvi tutte le informazioni necessarie, il supporto, gli strumenti e gli schemi pratici per costruire la vostra dieta risveglia metabolismo.
Un regime dietetico che non è sicuramente rigido come le cosiddette "diete *low carb*" ma che vi renderà il compito meno arduo.
Meno difficile perché la dieta non mirerà solo a farvi perdere il peso corporeo (di questo tipo di diete ne esistono già una moltitudine).
Ma una dieta che andrà a scavare a fondo e risolverà il problema dalla base: riattivare un metabolismo lento.
Perché è proprio questo quello che andremo a comprendere: che il nostro dimagrire/ingrassare o rimanere di un certo peso dipende proprio dal metabolismo e dal suo funzionamento.
La prima parte del testo sarà infatti tutta improntata sulla spiegazione teorica del funzionamento e delle basi del metabolismo stesso; questa spiegazione teorica verrà seguita dai benefici e dagli svantaggi che apporta una dieta risveglia metabolismo.
Nella seconda parte del testo, invece, si passerà da una parte teorica ad una decisamente più pratica, dove verranno forniti consigli e trucchi pratici non solo per approcciarsi al meglio a questo tipo di dieta, ma anche a come iniziare ad impostarla.
La terza parte del libro sarà invece tutta pratica: verranno fornite 100 ricette che vanno dalla colazione alla cena, per poter mettere in pratica tutte le informazioni recepite su questa dieta.

Nella parte finale, invece, per fornirvi un supporto maggiore, vi indicheremo un piano alimentare di 4 settimane basato su questa dieta.
Il libro si concluderà con delle FAQ con conseguenti brevi risposte sui maggiori dubbi che ruotano attorno a questa disciplina alimentare.
Alla fine della lettura sarete perfettamente in grado non solo di poter conoscere, ma di mettere in pratica la dieta risveglia metabolismo.

PARTE PRIMA: TEORIA SUL METABOLISMO E SULLA DIETA RISVEGLIA METABOLISMO

CAPITOLO 1 - IL METABOLISMO: LE BASI

Il metabolismo basale: di cosa si tratta

Come abbiamo già accennato nell'introduzione, quando si parla di una dieta e del suo successo non si può non pensare che tutto ciò sia legato indissolubilmente al metabolismo.

Il metabolismo è, di fatto, quello che permette alla dieta di poter funzionare con maggiore o minore successo.

In altre parole, è grazie ad esso e al suo meccanismo più o meno funzionante che riusciamo a perdere peso oppure no.

La cosa importante in questa primissima parte del testo è farvi comprendere le basi di questo meccanismo.

Per questo riteniamo, innanzitutto, di fondamentale importanza farvi conoscere le basi del metabolismo stesso.

Per prima cosa, vi parleremo del metabolismo in generale: vi faremo però, in questo caso, solo un cenno.

Quando parliamo di metabolismo in generale ci riferiamo, all'insieme di tutte le reazioni e trasformazioni chimiche che sono dedite al mantenimento vitale all'interno delle cellule degli organismi viventi. Queste reazioni chimiche permettono agli organismi di crescere e riprodursi, mantenere le proprie strutture cellulari e di rispondere a tutte le sollecitazioni dell'ambiente esterno circostante. La parola "metabolismo" può anche riferirsi a tutte quelle reazioni chimiche che avvengono negli organismi viventi, incluse la digestione e il trasporto di sostanze all'interno delle cellule e tra cellule differenti.

Quando si parla di metabolismo è fondamentale definire anche quello di tipo basale, cioè il dispendio e il fabbisogno energetico essenziale giornaliero, per poter capire meglio come funziona il nostro organismo.
Avendo descritto cos'è il metabolismo nel nostro corpo, dunque spenderemo qualche parola di più per il metabolismo che ci interessa ai fini della dieta risveglia metabolismo e cioè del metabolismo basale. Quando parliamo di esso ci riferiamo alla quantità di energia spesa da un singolo individuo in condizioni sia di riposo che di digiuno, comprese tutte le funzioni vitali.
Con tutte queste condizioni facciamo riferimento a quando l'individuo "è sveglio, in posizione supina, a digiuno, con temperatura corporea normale e in una temperatura ambientale tale da mantenere l'omeostasi termica ed in assenza di stress psicologici e fisici".
In queste condizioni definite appunto basali il metabolismo rappresenta la quantità di calorie richieste dall'organismo per mantenere le sue funzioni fisiologiche vitali (come la circolazione sanguigna, la respirazione, l'attività del cervello, attività metabolica, attività ghiandolare e mantenimento dell'omeostasi).
Al termine metabolismo basale viene spesso associato il termine tasso metabolico basale (BMR).
La maggior parte del dispendio calorico dipende dagli organi che contribuiscono per circa il 60% alla spesa energetica, pur rappresentando solo il 6% del peso corporeo. Gli organi che consumano più energia sono il cervello, il cuore, il fegato e i reni. La muscolatura scheletrica, invece, che rappresenta più del 40% del peso corporeo, contribuisce invece solamente al 16% della spesa energetica totale.
Perciò, è di fondamentale importanza conoscere il valore del nostro metabolismo basale ai fini di pianificare una dieta. Difatti, questo valore aiuta a comprendere quale sia il fabbisogno calorico giornaliero di ogni singola persona, evitando di ingerire più calorie di quante se ne riescano a bruciare.
In base a questo fabbisogno è possibile costruire, appunto, una dieta che permetta di ingerire meno calorie che il nostro metabolismo basale richiede.
Tutto questo al fine di creare quel deficit calorico che ci permette, matematicamente parlando, di perdere effettivamente peso.
Con quest'ultima affermazione, però, vengono fuori due verità piuttosto scomode: la prima riguarda il fatto che una dieta che funziona per qualcun altro non necessariamente funziona per noi.
Questo significa che, anche se la nostra amica ha perso venti kg con una dieta, non significa che per noi il discorso sia valido. Per questo, ribadiamo, la conoscenza del nostro metabolismo basale è fondamentale per capire quale regime alimentare sia più adatto a noi.

L'altra verità scomoda riguarda proprio il fatto che è il "deficit calorico" e nessun frullato o beverone miracoloso che ci farà perdere realmente peso in sicurezza. La perdita di peso è appunto un calcolo matematico, e qui entra per forza in gioco il calcolo del metabolismo basale. Se lo conosciamo potremo sapere, in sostanza, quale siano esattamente le calorie da ingerire per creare questo deficit e quindi la giusta sottrazione delle calorie che ci permetteranno di perdere conseguentemente peso.
Per questa ragione, chi ha un dispendio maggiore di energia è più portato a perdere peso.
Ed è sempre con questo ragionamento che la dieta dovrebbe essere accompagnata dall'attività fisica, per permettere un'accelerazione del metabolismo di base.
Anche perché, come spiegheremo nel prossimo capitolo, più massa magra si possiede più dispendio energetico, a livello di calorie, si avrà.
Ma tornando al nostro discorso, sapere di quante calorie necessita il nostro metabolismo basale abbiamo detto che costituisce la base fondamentale da cui partire.
Dunque, adesso, è altresì importante capire come calcolarlo.
Ma, come si calcola il proprio metabolismo basale?
Il metabolismo basale si calcola, in sostanza, in Kilocalorie e viene misurato il consumo energetico quando ci troviamo in situazione di riposo. Il metabolismo basale può quindi essere misurato calcolando il calore generato come effetto di reazioni biochimiche che avvengono all'interno dell'organismo attraverso la calorimetria. Essendo proporzionale alla massa magra, risulta evidente che il metabolismo basale sia maggiore negli uomini rispetto alle donne.
È risaputo, infatti, che l'uomo possiede una massa magra (muscoli) maggiore rispetto alle donne.
Tornando al discorso dei calcoli del proprio metabolismo basale, per conoscere i valori di esso bisogna effettuare i calcoli la mattina a digiuno, in una temperatura ambiente e in condizioni di assoluto riposo.
Il calcolo si effettua mediante un calorimetro che va a misurare quanto ossigeno viene impiegato in funzione delle kilocalorie di cibo assunto e metabolizzato.

Questo se si vuole, ovviamente, il calcolo preciso.
Esistono delle formule che aiutano nel calcolo, ma forniscono risultati piuttosto approssimativi.
Queste formule sono conosciute come "formule Harris & Benedict"
Tramite queste formule potrete calcolare, in questo modo, il vostro metabolismo basale:

- **uomo**: 66,5 + (13,75 x kg) + (5,003 x cm) – (6,775 x anni)
- **donna**: 65,1 + (9,563 x kg) + (1,850 x cm) – (4,676 x anni)

Abbiamo detto che questa formula risulta piuttosto approssimativa e su alcuni soggetti, tipo per chi è in sovrappeso, non può funzionare perché non tiene conto del rapporto massa grassa/massa magra.
Per questo è importante utilizzare il primo metodo.
Ricapitolando, da questo punto di partenza, e cioè dalla conoscenza del proprio metabolismo basale, si può iniziare a costruire la dieta che vada a risvegliare (e di conseguenza accelerare) il nostro singolo metabolismo.
Oltre a conoscere l'importanza del metabolismo basale e per avere una conoscenza globale di come funzioni il metabolismo per poterlo, appunto, riattivare, è importante capire come esso agisca sull'assimilazione, scomposizione e smaltimento dei vari macronutrienti.

Il metabolismo dei macronutrienti

Abbiamo detto che calcolare il nostro metabolismo basale è importante per costruire una dieta *ad hoc.* Ma è altresì utile comprendere come il metabolismo si comporta quando deve scomporre i vari macronutrienti.
Quando parliamo di macronutrienti ci riferiamo a tre grandi categorie di nutrienti che forniscono energia per la crescita e per mantenere il metabolismo stesso funzionante.
Le tre grandi categorie sono: carboidrati (o glucidi), proteine (o amminoacidi) e grassi (o lipidi).
Sono detti "macro" perché vengono assunti in quantità maggiore rispetto ai micronutrienti. Infatti, l'unità di misura utilizzata per queste sostanze è il grammo, mentre per i micronutrienti occorre utilizzare il milligrammo.
Facendo questa premessa, vogliamo spiegarvi il motivo per cui riteniamo questo discorso importante: calcolare la quantità dei macronutrienti è importante, se associata al fabbisogno calorico giornaliero, per poter avere un obiettivo di perdita di peso precisa grazie alla distribuzione giornaliera dei vari macronutrienti (proteine, carboidrati, grassi).
Anche qui la cosa è sempre soggettiva: quando facevamo l'esempio delle diete "*low carb*", dicevamo che non può essere adatta ad ogni singolo soggetto.
Per questo è fondamentale comprendere come funziona il metabolismo dei macronutrienti, perché ad un soggetto che ha problemi a scomporre i carboidrati, per esempio, può essere consigliato questo tipo di dieta. Ma molte di queste diete, essendo troppo ricche di grassi e proteine, non potrebbero andare bene ad un soggetto che ha problemi di reni, fegato o colesterolo.
Qui vogliamo farvi un piccolo appunto dicendovi che oltre a conoscere il calcolo del metabolismo basale, è necessario fare una serie di analisi e accertamenti per

comprendere se il nostro metabolismo è condizionato da patologie che non permettono la giusta assimilazione dei vari macronutrienti.
La descrizione che faremo sotto, infatti, rappresenta il metabolismo di essi in condizioni del tutto normali.
È logico dedurre che il mal funzionamento della scomposizione di uno di questi macronutrienti porta inevitabilmente a delle patologie metaboliche.

Il metabolismo dei carboidrati

Il metabolismo dei carboidrati, ovvero la glicolisi o la digestione e assimilazione dei carboidrati è di vitale importanza, in quanto essi rappresentano la maggior parte delle calorie che ingeriamo durante la giornata (soprattutto nella nostra dieta Mediterranea).
Capiamone il meccanismo.
Innanzitutto, c'è da dire che a livello biochimico, la digestione dei carboidrati inizia nella bocca ad opera della ptialina.
Senza dare troppe spiegazioni a livello chimico, in quanto non è nostra competenza, vi diciamo che la parola "glicolisi" stessa che deriva dalla lingua greca glyký s= dolce e lýsis= scissione rappresenta il processo di scomposizione e degradazione anaerobica del glucosio.
La glicolisi rappresenta anche la via principale del catabolismo del glucosio per tutte le cellule. Si ritiene anche che la glicolisi sia l'unica o principale fonte di energia metabolica per eritrociti, midollo renale, cervello, spermatozoi e di molti microorganismi anaerobi.
Ma quando parliamo di glicolisi ci riferiamo inevitabilmente ai glucidi. I glucidi sono, in pratica, gli zuccheri e lo scopo del loro equilibrio, è quello di fornire al tessuto nervoso, in condizioni di mancato apporto alimentare, la quantità di glucosio sufficiente per il suo funzionamento.
In sostanza, è grazie all'omeostasi (e cioè al proprio equilibrio) dei glucidi che il nostro sistema nervoso va avanti.
Il tessuto nervoso, infatti, per funzionare correttamente, è strettamente glucosio-dipendente. Ulteriore scopo di questa omeostasi glucidica è quello di immagazzinare in alcuni organi l'eccesso di alcune sostanze energetiche (appunto il glucosio) introdotte con gli alimenti, impedendo un eccessivo aumento della concentrazione del glucosio nel sangue (e cioè della glicemia).
Qui ci riferiamo al fegato che è in grado di immagazzinare glucosio sotto forma di glicogeno e di liberarlo sotto forma di glucosio. Ma è nel pancreas che il processo di omeostasi glucidica assume un ruolo fondamentale.
Questo perché la produzione di glucosio da parte del fegato, infatti, è regolata da due ormoni che sono l'insulina ed il glucagone. Questi due ormoni vengono prodotti dal

pancreas e sono fondamentali per questo processo. In altre parole, quando si ha carenza di insulina si verifica una liberazione di glucosio dal fegato nel sangue, che comporta aumento della glicemia (e quindi si è in uno stato di iperglicemia) nel sangue stesso. Mentre in assenza o carenza di glucagone si blocca la dismissione epatica di glucosio con conseguente riduzione dello stesso nel sangue (stato di ipoglicemia). L'utilizzazione del glucosio da parte di altri organi, chiamata periferica, inoltre, si riflette anch'essa in una riduzione della glicemia; ne consegue una riduzione dell'insulinemia (quantità di insulina in circolo), un aumento della glucagonemia (quantità di glucagone in circolo) ed un riaggiustamento del sistema attraverso un'aumentata dismissione epatica di glucosio.
In seguito ad un pasto, il glucosio assorbito dal tratto intestinale provoca un aumento della glicemia. I carboidrati (che sono polisaccaridi, ovvero formati da diversi tipi di zuccheri messi insieme), una volta giunti nell'intestino, vengono ridotti a monosaccaridi, che sono glucosio (80%), fruttosio (15%) e galattosio. Il fegato, che è liberamente permeabile al glucosio, sequestra circa il 50% di glucosio per convertirlo in glicogeno (azione controllata dall'insulina). Il glucosio non sequestrato dal fegato viene distribuito nel muscolo e nel tessuto adiposo. Quando la glicemia tende a scendere, si verifica un graduale aumento della produzione epatica di glucosio, contemporaneamente alla diminuzione dei livelli plasmatici di insulina e ad un aumento in particolare del glucagone.
Il metabolismo dei glucidi diventa fondamentale perché, se si ha un problema nel metabolizzare l'insulina, per esempio, diventa molto più facile per il soggetto ingrassare e ci vorrà sicuramente una dieta a più altro contenuto proteico.
Mentre per chi fa un intenso lavoro mentale e non ha problemi di metabolismo dei glucidi può permettersi una dieta con più zuccheri.
Per concludere il discorso sui carboidrati, abbiamo compreso che essi hanno una funzione energetica principale (costituendo essi la fonte energetica di più immediata utilizzazione) e strutturale per il funzionamento del nostro metabolismo.

Il metabolismo delle proteine

Quando si parla di metabolismo delle proteine, dobbiamo innanzitutto parlare di amminoacidi.
Il nostro organismo non è in grado di sintetizzare tutti gli amminoacidi di cui ha bisogno per la composizione delle diverse proteine, ma solo quelli essenziali.
Gli amminoacidi essenziali sono quegli amminoacidi necessari alla vita che un organismo vertebrato non è in grado di sintetizzare autonomamente in quantità sufficiente e deve pertanto assumere dall'esterno con l'alimentazione.
Per un adulto gli amminoacidi essenziali sono:

- Fenilalanina

- Isoleucina
- Leucina
- Lisina
- Metionina
- Treonina
- Triptofano
- Valina

Dal punto di vista nutritivo distinguiamo:

- Proteine complete (contengono tutti gli amminoacidi essenziali)
- Proteine incomplete (prive di alcuni amminoacidi essenziali)

Le proteine introdotte con l'alimentazione non possono essere accumulate nell'organismo, come invece accade per gli zuccheri (che si trasformano in glicogeno nel fegato e nel muscolo) e i grassi (che si accumulano sotto forma di trigliceridi).
Durante la digestione ogni proteina viene degradata in amminoacidi.
La digestione delle proteine, a differenza di quella dei glucidi che inizia nella bocca, comincia nello stomaco, dove l'azione enzimatica combinata di pepsinogeno e acido cloridrico porta alla formazione di oligopeptidi (corte catene di amminoacidi – meno di dieci unità). La digestione delle proteine viene completata dalla proteasi intestinali di origine pancreatica.
Il termine proteasi indica un enzima che sia in grado di catalizzare la rottura del legame peptidico tra il gruppo amminico e il gruppo carbossilico delle proteine.
Questa è in sintesi come avviene l'assimilazione delle proteine all'interno del nostro corpo.
Esse sono fondamentali per la preservazione della massa magra e come fonte di energia alternativa (e più duratura) agli zuccheri.
Le proteine vengono, inoltre, spesso definite i mattoni che compongono l'organismo. Questa similitudine richiama anzitutto la loro importante funzione strutturale. Le ritroviamo ad esempio in grandi quantità nella struttura di muscoli, ossa, unghie, pelle e nei capelli. È di fondamentale importanza quindi assumerne la giusta quantità giornaliera.

Metabolismo dei grassi

Il metabolismo dei lipidi permette di ottenere la quasi totalità del fabbisogno energetico perché, contrariamente a quanto si potrebbe pensare, il metabolismo degli zuccheri contribuisce solo per l'1%. In un organismo sano presenti circa 10Kg di riserve di lipidi, immagazzinate per lo più nel tessuto adiposo e in parte nelle cellule, come gocce. Muscolo cardiaco, reni, fegato e muscolo scheletrico, nella condizione di riposo, sono i principali consumatori di grassi.

Il metabolismo dei lipidi è un processo complesso che coinvolge differenti fasi:

- Esogena: assunzione di grassi attraverso l'alimentazione
- Endogena: produzione di lipidi all'interno del corpo
- Catabolica: scomposizione o trasformazione dei grassi in diverse strutture contenenti lipidi.

I grassi alimentari, nella forma di trigliceridi, colesterolo, colesteril-estere e acidi grassi, vengono assorbiti dall'intestino dopo tutti i vari passaggi del processo digestivo.

I trigliceridi presenti nell'organismo vengono introdotti attraverso il cibo oppure sintetizzati da adipociti o epatociti a partire dai carboidrati. Il metabolismo lipidico implica l'ossidazione degli acidi grassi sia per generare energia che per sintetizzare nuovi grassi da molecole più piccole; viene assimilato al metabolismo dei carboidrati perché i prodotti del glucosio, come l'acetil-coenzima A, possono essere convertiti in lipidi.

Il metabolismo dei lipidi inizia nell'intestino, dove i trigliceridi ingeriti vengono scomposti in acidi grassi a catena corta e poi in molecole di monogliceridi dalla lipasi pancreatica, un enzima che scompone i grassi dopo che questi sono stati emulsionati dai sali biliari.

Quando il cibo raggiunge l'intestino tenue sotto forma di chimo, le cellule intestinali rilasciano nella mucosa intestinale la colecistochinina, un ormone della digestione, che stimola a sua volta il rilascio della lipasi pancreatica e la contrazione della cistifellea per rilasciare i sali biliari nell'intestino.

La colecistochinina arriva fino al cervello, dove agisce da soppressore del senso di fame.

Gli acidi grassi liberi sono il risultato della scomposizione dei trigliceridi ad opera dell'azione combinata della lipasi pancreatica e dei sali biliari. Questi acidi grassi vengono trasportati attraverso la membrana intestinale e, una volta attraversata, si ricombinano di nuovo per formare nuove molecole di trigliceridi. Queste, all'interno delle cellule intestinali, sono assemblate a molecole di colesterolo in vescicole fosfolipidiche chiamate chilomicroni che permettono ai grassi e al colesterolo di muoversi all'interno dell'ambiente acquoso dei sistemi circolatorio e linfatico. I chilomicroni abbandonano le cellule epiteliali (enterociti) per esocitosi ed entrano nel sistema linfatico attraverso i villi intestinali; da qui vengono trasportati nel sistema circolatorio e possono così sia giungere al fegato che essere stoccati nelle cellule lipidiche (adipociti).

I lipidi sono disponibili nell'organismo attraverso tre diverse fonti: possono essere assunti con l'alimentazione, stoccati nei tessuti adiposi o sintetizzati nel fegato.

La lipolisi, in pratica, permette di ottenere energia dai grassi, degradando i trigliceridi per idrolisi in glicerolo e acidi grassi, rendendoli più semplici da processare per l'organismo.

Il metabolismo, come abbiamo visto, è un processo attraverso il quale il corpo genera energia partendo dalle sostanze che vengono ingerite. Se tutto viene svolto in maniera corretta, l'energia prodotta può essere utilizzata immediatamente o essere

immagazzinata per i momenti di bisogno. Al contrario, se si presentano dei problemi, possono insorgere alcune patologie.
Per quanto riguarda il metabolismo dei lipidi, le malattie ad esso associate, come quella di Gaucher e di Tay-Sachs, sono di origine ereditaria. Le due patologie sopra elencate sono dovute ad una carenza di enzimi preposti alla scomposizione dei lipidi; oppure, gli enzimi lavorano in maniera corretta e il corpo non riesce a convertire i grassi in energia. Questo provoca un pericoloso accumulo di grassi nell'organismo e, nel tempo, può danneggiare tessuti e cellule, specie nel cervello, nel sistema nervoso periferico, nel fegato, nella milza e nel midollo osseo.
Con il metabolismo dei grassi si conclude il nostro capitolo riguardante le basi del metabolismo.
Nel prossimo capitolo troverete una spiegazione, sempre teorica, sulle modalità in cui il nostro organismo assimila le calorie.

CAPITOLO 2- COME IL CORPO ASSIMILA LE CALORIE

La verità dietro l'assimilazione delle calorie

Una delle scomode verità di cui abbiamo parlato precedentemente, è proprio quella che una sola dieta non può essere valida per tutti.
Oltre a non essere valida per tutti, potrebbe essere salutare per qualcuno ma dannosa per qualcun altro.

L'altra scomoda verità è che solo col deficit calorico si può perdere realmente del peso corporeo.
Questa scomoda verità è legata quindi indissolubilmente al funzionamento del nostro metabolismo.
Queste due verità potrebbero trovare soluzione in una dieta risveglia metabolismo.
Per questo è importantissimo conoscere il funzionamento non solo in generale del metabolismo, ma soprattutto del nostro.
Quindi, quale verità più scomoda ci potrebbe essere che comprendere che alcune persone possono mangiare quantità industriali di cibo e rimanere comunque magre?
Tutto questo dipende (ed è inutile girarci intorno) dal metabolismo.
Ma il discorso non si può fermare solo alla mera affermazione del singolo e soggettivo metabolismo.
Il discorso deve essere approfondito spiegandovi, giustamente, quali sono i fattori (oltre al metabolismo basale) che si celano dietro un metabolismo più o meno veloce rispetto ad un altro.
Vi ribadiamo che più il metabolismo funziona correttamente, più è facile avere successo con la dieta.
Ma, quali sono questi fattori, lasciateci dire, "condizionanti"?

- Innanzitutto, dobbiamo citare l'età: dopo i 30 anni il metabolismo inizia gradualmente a rallentare, perdendo all'incirca fino all'8% ogni 10 anni. Al contrario nel primo anno di vita i bisogni energetici sono addirittura il doppio di quelli di una persona adulta. In altre parole, la spesa energetica basale è massima alla nascita (53 Kcal a 1 anno) e decresce fino a valori minimi dopo i 70 anni (31 Kcal a 75 anni). A parità di età, altezza e peso il metabolismo basale è minore nella donna rispetto agli uomini.

- Altezza: più si è alti più aumenta il BMR, quindi tra due persone di altezza diversa, ma ugualmente magre, quella più bassa avrà un metabolismo più lento.
- Ormoni: gli ormoni incidono direttamente sul metabolismo, soprattutto quelli della tiroide. Ad esempio, l'ipertiroidismo fa aumentare il metabolismo, mentre l'ipotiroidismo lo rallenta sensibilmente.
- Gravidanza e allattamento: negli ultimi periodi della gravidanza e durante l'allattamento, si ha un aumento dei bisogni energetici.
- Patologie: ci sono malattie che vanno ad agire direttamente sul metabolismo basale, come infezioni, neoplasie, ustioni e traumi.
- Temperatura esterna: caldo o freddo eccessivi possono alterare i valori del metabolismo basale. Si pensa che col freddo si bruci di più perché il raggiungimento dell'omeostasi (equilibrio di temperatura corporea) richieda molta più energia rispetto al periodo estivo.
- Alimentazione: incide molto il tipo di cibo ingerito, in termini sia qualitativi che quantitativi, così come il numero di pasti al giorno. L'introduzione di cibo determina, a sua volta, variazioni nella spesa energetica. Prove di laboratorio hanno dimostrato, infatti, che la spesa energetica aumenta dopo un pasto. Questo incremento può essere considerato come il lavoro richiesto per la digestione dei nutrienti SDA (Specific Dinamic Action) o DIT (Diet-Inducet Thermogenesis), che rappresenta circa il 5-10% della spesa energetica totale giornaliera.
- Sport e attività fisica aumentano il metabolismo basale. È risaputo che, una quota variabile della spesa energetica, è data dall'attività motoria AEE (Activity Energy Expenditure). Più alta è l'attività motoria giornaliera, maggiore sarà il consumo di calorie. La spesa energetica totale TDEE (Total Daily Energy Expenditure) è quindi data dalla spesa energetica basale, dall'energia spesa con l'attività motoria e dal lavoro richiesto per la digestione dei nutrienti.
- Massa magra: Più elevata è la massa magra, più calorie si consumano. Questa differenza inizia all'età di 3 anni e aumenta rapidamente alla pubertà, alla quale corrisponde l'aumento della muscolatura scheletrica nei maschi e di cellule adipose nelle femmine. Più è elevata la massa magra, rappresentata da ossa, muscoli, organi e acqua, più calorie si consumano a riposo e durante l'attività motoria. Quindi i muscoli bruciano calorie anche a riposo.
- Farmaci: gli studi hanno riscontrato come stimolanti e anfetamine aumentino il BMR, al contrario dei sedativi che lo abbassano.

Perché ad un soggetto allenato è permesso mangiare di più rispetto ad uno sedentario

Abbiamo compreso che tutti questi fattori indicati sopra possono influenzare il metabolismo basale. Abbiamo scoperto che una persona che fa attività sportiva, può permettersi di mangiare con meno problemi e in quantità maggiori rispetto ad una persona sedentaria.
È possibile comprendere questo concetto in altre parole?
Certamente. La spiegazione più semplice è che una persona che fa attività fisica, e che quindi ha un dispendio maggiore di energia, ha più possibilità di creare quel famoso deficit calorico nei confronti del metabolismo basale, rispetto ad una persona che sta seduta sul divano.
Inoltre, con l'attività fisica si ottiene un conseguente aumento di massa magra.
L'aumento della massa magra, come abbiamo visto già in precedenza, richiede in automatico un dispendio calorico maggiore.
Quindi, a conti fatti, senza affidarci al fato o alla fortuna, una persona che consuma più energia rispetto ad un'altra (come chi fa sport o è una persona molto attiva) è automaticamente facilitata nel perdere peso o semplicemente nel mantenerlo.
Perciò, sarebbe importante per chi ha un metabolismo basale lento, fare qualcosa per ripristinare il consumo energetico e smaltire le calorie di troppo.
Ci sono tanti accorgimenti che possono rivelarsi utili per mantenere il metabolismo attivo.
Una di queste è proprio legata allo scopo di questo libro: e cioè di seguire una dieta improntata a risvegliare un metabolismo decisamente più pigro.
Ma è altresì importante, provare a pareggiare i conti con chi ha un metabolismo più veloce grazie ad una consistente quantità di massa magra.
E questo lo si può fare solo con un'attività fisica adeguata.
Con questo paragrafo si conclude il secondo capitolo. Nel prossimo capitolo ci accingeremo ad illustrarvi quali siano i principali benefici della dieta risveglia metabolismo.

CAPITOLO 3- BENEFICI DELLA DIETA RISVEGLIA METABOLISMO

Comprendere la dieta risveglia metabolismo

Se con le spiegazioni dei primi due capitoli avete compreso di appartenere alla categoria dei meno fortunati a livello di metabolismo, potete passare ad avvicinarvi alla dieta risveglia metabolismo. Essa potrebbe davvero rappresentare una soluzione al problema di un metabolismo pigro che ha bisogno, appunto, di essere riattivato.
Prima di parlarvi dei benefici vogliamo darvi una piccola spiegazione riguardante proprio la dieta risveglia metabolismo.

Quando ci riferiamo a questa dieta intendiamo un regime alimentare che non corrisponde ad un regime dietetico vero e proprio, ma bensì di uno stile di vita che permette una sorta di "ri-educazione" del vostro metabolismo.
Non stiamo parlando quindi della classica dieta drastica sotto le 1000 calorie che vi farà magari perdere peso la prima settimana per poi farveli prendere con gli interessi perché, appunto, c'è sempre un problema di base e cioè un metabolismo che lavora poco.
La dieta risveglia metabolismo è stata una soluzione ideata, e improntata su questa tematica.
È stata una dieta frutto di anni di sviluppo e ricerca fatta da un medico nutrizionista, Maria Chiara Cuoghi, che ha cercato e trovato appunto una soluzione funzionale per un metabolismo poco attivo. È stata, inoltre, una soluzione studiata per permettere a chiunque di raggiungere una composizione corporea corretta e di mantenerla il più a lungo possibile.
Quindi più che di una dieta, si parla di un percorso, o di uno stile di vita più sano e consapevole non basato sulle privazioni ma su una gestione più corretta e bilanciata della propria alimentazione.

Per questo è importante conoscere il metabolismo e le sue fasi, ma soprattutto conoscere il proprio metabolismo basale, in modo da capire di cosa necessita il nostro corpo per funzionare al meglio.
Ma non conta solo questo. La dieta risveglia metabolismo tiene conto anche di altri fattori determinanti come ad esempio l'alcalinità. Nello specifico, con alcalinità ci riferiamo al grado di acidità nei cibi che ingeriamo. È stato scientificamente dimostrato che i cibi che possiedono un alto contenuto di acidità sono responsabili non solo di danneggiare la salute ma di compromettere la perdita di peso stessa.
Un altro fattore importante a cui fa riferimento la dieta risveglia metabolismo è il potere antiossidante che essa permette di raggiungere grazie ai cibi che propone di mangiare (come frutta e verdure fresca di stagione).
Altri fattori di cui questa dieta tiene conto sono il *nutrient timing* che altro non è che l'osservazione empirica dell'assunzione degli stessi cibi in differenti momenti della giornata (per comprendere che impatto metabolico differente possono avere sul nostro organismo) e l'indice glicemico che costituisce la capacità di un cibo di stimolare, se assunta, l'insulina da parte del pancreas. Quest'ultimo è molto importante per comprendere se si ha qualche disordine metabolico ed intervenire per diminuire la produzione eccessiva di insulina.
Dopo aver elencato tutti i fattori di cui la dieta risveglia metabolismo tiene conto, per comprendere ancora meglio questa dieta, esamineremo, nel prossimo paragrafo i principali benefici.

10 benefici della dieta risveglia metabolismo

Per comprendere al meglio la dieta risveglia metabolismo vogliamo illustrarvi i principali benefici che essa potrebbe apportare. Ne abbiamo individuati e sviluppati 10.
Essi possono essere così brevemente riassunti:

1. Dieta non dieta

Uno dei principali vantaggi di questo regime alimentare è che esso praticamente non rappresenta una dieta vera e propria, nel senso letterale del termine.
Come dicevamo sopra, più che una dieta drastica, la dieta risveglia metabolismo rappresenta una nuova disciplina alimentare volta a sistemare il metabolismo. Essa, quindi, non costituisce la classica dieta con schemi ben precisi da seguire, ma bensì uno stile di vita che potrebbe coinvolgere non solo voi stessi ma anche tutta la vostra famiglia. Creando un clima di collaborazione più positivo, sarete più portati ad avere successo nel raggiungimento del vostro obiettivo.

2. ***Non prevede restrizioni assurde***

Si sente spesso parlare di diete a basso contenuto di carboidrati, iperproteiche o iperlipidiche dove avviene una sempre costante demonizzazione dei glucidi, visti come nemico assoluto da combattere. Attenzione, sempre per la questione della soggettività e di alcune patologie metaboliche, esse possono tornare sicuramente utili. Ma è anche ben risaputo che, in condizioni di assoluta normalità, più ci si priva di qualcosa più si sarà tentati di assumerla in quantità maggiori, vanificando ogni sforzo. Tralasciando il fatto della volontà ferrea nell'affrontare questi regimi restrittivi, la dieta risveglia metabolismo richiede anch'essa buona volontà ma sicuramente meno restrizioni. Si parla di nuova disciplina alimentare e non di privazione totale di certi nutrienti. Perciò non vi richiederà delle grosse rinunce. E questo costituisce un grosso vantaggio per la sua riuscita.

3. ***Non rappresenterà fonte di stress per il conteggio calorico***

Anche se vi abbiamo detto che è importante conoscere il consumo calorico giornaliero, questo non è volto a imporvi uno schema rigido di calorie. A differenza delle altre diete, ed è proprio questo uno dei maggiori vantaggi della dieta risveglia metabolismo, essa non prevede il conteggio matematico delle calorie. Questo perché, come afferma la dott.ssa Cuochi, l'endocrinologia moderna ha fatto dei passi avanti dimostrando che il corpo umano non è semplicemente una "caldaia" brucia calorie ma che è molto più articolato e complesso. Per questo motivo potrebbe essere sbagliato, o addirittura controproducente, seguire un regime di vecchio stampo basato solo sul conteggio calorico che è sì importante per il deficit calorico. Controproducente perché deve tenere conto di tutti gli altri fattori che abbiamo già indicato.

4. ***È adatta a tutti***

Abbiamo affermato che non tutte le diete sono adatte a tutti. E su questo vogliamo essere coerenti. Ma si parla molte volte di diete basate su un unico alimento o sul sacrificio di un macronutriente. Ma una dieta, che come abbiamo detto non essere una dieta vera e propria ma bensì una disciplina alimentare che mira a risolvere il problema principale e cioè quello di far lavorare il metabolismo in maniera più efficiente, non è sicuramente rischiosa come altre diete. Ed è sicuramente più efficace oggettivamente.

5. ***È una disciplina che mira al lungo termine***

Essendo poco impositiva e restrittiva, la dieta risveglia metabolismo potrebbe rappresentare una soluzione di lungo termine. Perché essa non mira solamente a fare perdere peso, riattivando il metabolismo, nel breve e medio periodo, ma diventando uno stile di vita vero e proprio che agirà proprio sulla composizione corporea permetterà risultati più costanti nel tempo. Questo perché un metabolismo aggiustato continuerà ad esserlo per molto tempo grazie ad uno stile di vita salutare e disciplinato.

6. *Questa dieta vi darà maggior consapevolezza*

Quello a cui mira questa "dieta non dieta" è anche comprendere quello di cui un singolo soggetto ha davvero bisogno. Tutto questo porterà l'individuo stesso a intraprendere un percorso alimentare di auto consapevolezza che avrà come scopo quello di fornire tutti gli strumenti necessari per poter gestire in modo corretto e bilanciato la propria alimentazione. Con questo percorso di auto consapevolezza sarà possibile esaltare i propri pregi ed affrontare i propri limiti alimentari.

7. *È una disciplina salutare*

Anche se non si tratta di una dieta nel senso letterale del termine, stiamo comunque parlando di un regime sano e bilanciato, che non prevede l'eliminazione di macronutrienti o di nutrienti essenziali. Trattandosi di una disciplina che appunto prevede l'assunzione di tutti i nutrienti e dell'idratazione del nostro corpo apporterà solamente benefici a livello salutare.

8. *Porterà ad una sensazione di benessere generale*

Questa disciplina alimentare, oltre ad essere del tutto sana ed equilibrata, mira anche al benessere generale dell'individuo. Ciò significa che oltre ad una sana riformulazione corporea, avrete anche una maggiore vitalità ed energia. In aggiunta a tutto ciò, sentirete anche una sensazione di benessere psico-fisico in generale in quanto una migliore disciplina alimentare vi porterà a stare meglio psicologicamente e ad essere più sicuri di voi stessi.

9. *È detox*

Questo regime mira a cancellare, infatti, anni e anni di cibo spazzatura o di cibo poco salutare che hanno inevitabilmente "inquinato" in qualche modo il nostro corpo. Un corpo inquinato e sporco è un corpo che è inevitabilmente portato ad ammalarsi con maggior frequenza. Questa disciplina alimentare interviene anche per disintossicare il nostro organismo. Grazie ai cibi con forte potere ossidante che essa apporta e, gestendo alimentazione e idratazione nella maniera più corretta possibile, ci permetterà di ripulire il nostro corpo in modo da mantenerlo maggiormente in salute. Non solo. Grazie al potere antiossidante dei cibi permette di contrastare i radicali liberi preservando la giovinezza dei tessuti.

10. *Consentirà una perdita di peso vera e propria*

Come dicevamo sopra, la dieta risveglia metabolismo svolge la funzione di ripulire il nostro corpo da tossine e anni di eccessi alimentari. Ritrovando il proprio equilibrio, anche il metabolismo ripulito funzionerà maggiormente. Abbiamo menzionato la perdita di peso come ultimo beneficio non per ordine di importanza, anzi. Se una persona decide di cambiare abitudini alimentari è ovvio che si prefigge lo scopo di perdere peso. Anche se questa disciplina non impone l'ossessione di perdere chili in maniera super rapida, grazie al fatto che va proprio ad intervenire alla base del problema e cioè il metabolismo lento, vi permetterà davvero di realizzare un'effettiva perdita della massa grassa e di conseguenza del peso corporeo. Una dieta di questo tipo inoltre prevederà una preservazione ed una conseguente tonificazione della massa magra stessa.

11. Effetti indesiderati della dieta risveglia metabolismo

Dopo aver discusso e sviluppato i dieci principali benefici di questa dieta, è corretto mostrarvi dei possibili effetti collaterali legati a questa disciplina alimentare.
Parliamo di effetti indesiderati piuttosto che di svantaggi veri e propri, in quanto questa dieta non apporterà delle gravi ripercussioni su voi stessi.
Ma è possibile che si verifichino comunque degli effetti indesiderati, soprattutto se partite da un metabolismo basale abbastanza lento.
Ecco qui elencati in breve questi svantaggi:

12. Sensazione di malessere fisico

Se avete un metabolismo già lento in partenza, il vostro corpo non potrebbe essere così ricettivo al cambiamento alimentare. Questo potrebbe comportare una sensazione di malessere fisico con conseguente mal di testa, stanchezza o senso di spossatezza e mancanza di concentrazione.
C'è da dire che questo potrebbe essere un effetto collaterale legato praticamente a tutte le diete e al conseguente cambio di regime alimentare. Per molte persone il processo di disintossicazione da certi cibi dannosi potrebbe essere non del tutto indolore e comportare la comparsa di questi sintomi.

13. Non è una dieta ad effetto immediato

Abbiamo parlato di disciplina a lungo termine che permette di avere risultati duraturi a lungo. Il problema sorge, soprattutto per chi ha un metabolismo lento, nella tempistica. Potrete vedere dei risultati concreti dopo un tempo non abbastanza breve, e questo potrebbe portare a demotivarvi e a mollare tutto. Per ovviare a questo problema vi ricordiamo che la dieta risveglia metabolismo è una dieta volta ad ottenere e mantenere i risultati sul lungo termine.

14. Difficoltà a monitorare la situazione

Legata al fatto di non perdere peso immediatamente potrebbe esserci il mancato conteggio delle calorie. Senza di esso, cosa che non prevede di fare questa dieta, potreste incontrare difficoltà a creare il deficit calorico e, di conseguenza a dimagrire. Per ovviare a questo problema, potrete fare una piccola eccezione ed annotare comunque le calorie assunte durante la giornata.

Con l'elenco dei possibili effetti indesiderati si conclude la discussione generale sulla dieta risveglia metabolismo e la parte prima del testo.
Nel prossimo capitolo troverete delle indicazioni precise e dei consigli pratici per approcciarvi a questo tipo di disciplina alimentare.

PARTE SECONDA: DALLA TEORIA ALLA PRATICA

CAPITOLO 4- L'APPROCCIO A 5 STEP: TRUCCHI E CONSIGLI PRATICI

Dopo avervi fatto una completa descrizione sulla dieta risveglia metabolismo e dei suoi principali vantaggi ed effetti indesiderati, vi vogliamo fornire adesso un approccio infallibile a 5 step che vi permetterà di affrontare al meglio questo percorso.
Vediamoli insieme.

Partire con la giusta mentalità

Uno dei consigli più importanti che vogliamo darvi in merito all'approccio alla dieta risveglia metabolismo è partire col piede giusto. Col piede giusto intendiamo partire con una mentalità positiva e con la giusta determinazione e forza di volontà. Come ogni tipo di cambiamento, dobbiamo avere questo giusto approccio mentale anche per quanto riguarda la dieta risveglia metabolismo. Occorrerebbe, quindi, partire con l'effettiva volontà di stravolgere le nostre cattive abitudini alimentari a favore di abitudini molto più sane. In alte parole, sarà con la giusta determinazione che riusciremo a proseguire in questo percorso il più a lungo possibile. La determinazione coinvolge, ovviamente, anche l'obiettivo della perdita di peso: partire con la giusta mentalità significa anche non accelerare i tempi, perché dicevamo che questa dieta permette risultati duraturi nel lungo termine. Perciò mangiate correttamente ed evitate di digiunare per accelerare le cose. Una restrizione calorica eccessiva è del tutto controproducente.
Infatti, questo atteggiamento tende a ridurre l'attività metabolica come meccanismo di difesa dell'organismo che diminuisce il dispendio energetico e aumenta la capacità di assorbire i nutrienti contenuti nei cibi (capacità sviluppata nel tempo per resistere ai periodi di carestia energetica). Se ci si abitua a consumare di meno poiché viene introdotta energia in quantità inferiore a quella richiesta dall'organismo, per esempio consumando un pranzo a base di sola frutta, anche solo un piccolo sgarro alimentare sarà subito immagazzinato e diventerà molto più difficile da eliminare. Facendo così sarete fuorviati dallo scopo di questa dieta che è appunto quello di aggiustare il metabolismo.

Avere degli accorgimenti in più per il metabolismo lento

Per approcciarvi e seguire la disciplina riattiva metabolismo vi vogliamo fornire qualche consiglio in più, soprattutto se vi siete resi conto di avere un metabolismo piuttosto pigro. Prima di tutto, durante i pasti, vi vogliamo consigliare di mangiare lentamente. La prima digestione (soprattutto dei carboidrati, come dicevamo nel primo capitolo) avviene proprio nella bocca: se si mangia troppo velocemente, gli alimenti non vengono masticati correttamente, le difficoltà digestive aumentano e si ingoia aria che potrebbe causare gonfiore all'addome. Questo processo rallenta l'azione del metabolismo, che dovrà sopperire a delle richieste energetiche maggiori per la digestione laboriosa. Si consiglia pertanto di fare circa 40 masticazioni a boccone, di non riempire più di 1/3 i rebbi della forchetta e di consumare i pasti in non meno di 20 minuti.
Un altro buon consiglio è quello di mangiare poco ma spesso. Se si lascia passare troppo tempo tra un pasto e l'altro, il nostro corpo tenderà a diminuire l'attività metabolica per fronteggiare la temporanea carenza di nutrienti. Per questo motivo sono consigliati due spuntini al giorno, uno la mattina e uno al pomeriggio. Altra cosa importantissima è quella di non fare spuntini notturni o al di fuori di questi due consigliati. Troppi sgarri potrebbero compromettere il vostro percorso e, mangiare di notte, non è utile per perdere peso.

Tenere conto del livello ottimale di idratazione

Uno dei punti cardine di questa dieta, dicevamo nel capitolo precedente, è quello di mantenere un livello di idratazione costante e ottimale.
Il consiglio, quindi, di bere abbastanza acqua è di fondamentale importanza poiché il giusto apporto di essa è in grado di attivare i meccanismi metabolici della termogenesi. Vogliamo farvi però un piccolo appunto: l'effetto dell'acqua sul metabolismo è di breve durata, per questo motivo la raccomandazione è di berne almeno 2 litri al giorno distribuiti equamente durante la giornata. Insieme ad un abbondante apporto di acqua, si consiglia di consumare 2 porzioni di frutta e 3 di verdura al giorno, in modo che gli antiossidanti contenuti in questi alimenti favoriscano l'eliminazione di tossine che si accumulano nell'organismo a causa di inquinamento, conservanti e sofisticazioni alimentari. È proprio su questo fronte, vi ribadiamo, che agisce la dieta risveglia metabolismo: grazie ad un'alimentazione sana e la giusta idratazione, è possibile avere un effetto disintossicante su tutto il nostro corpo. Prima di concludere il discorso idratazione, vogliamo fornirvi un'ultima tip: se si fa fatica a bere la giusta quantità di acqua, sono ammessi anche tè, tisane e infusi non zuccherati.

Essere consapevoli del giusto apporto di macronutrienti

Anche se la dieta risveglia metabolismo non prevede il conteggio ossessivo delle calorie, è giusto consigliarvi di tenere sotto controllo la distribuzione dei macronutrienti.
Questo significa che, in un'alimentazione comunque sana, non potrete sbilanciarli a vostro piacimento, ma dovete seguire uno schema ugualmente.
Uno dei punti di questo schema è quello di mantenere un corretto apporto proteico. Un soggetto sedentario dovrebbe seguire un'alimentazione con un apporto di proteine che può variare da 0,8 a 1,1 grammi, a seconda dell'età, ma può arrivare anche a 1,2 - 2 grammi di proteine al giorno per kg di peso corporeo in relazione al tipo di attività fisica e lavorativa. Le proteine, inoltre, riescono ad aumentare il tasso metabolico anche del 30%. Assumerne la giusta quantità all'interno della propria dieta è fondamentale. Per quanto riguarda i carboidrati, sono sempre preferibili quelli associati alle fibre, per esempio pasta e pane di farina integrale, orzo, farro ecc., mentre è sconsigliato l'eccessivo consumo di zuccheri semplici soprattutto la sera. Un eccesso di carboidrati ad alto indice glicemico favorisce infatti l'accumulo di tessuto adiposo e potrebbe causare, nel lungo termine, l'insulino-resistenza. Tale condizione tende a ridurre l'attività metabolica e la termogenesi alimentare.
Anche il giusto apporto di lipidi è importante, ma quando parliamo di grassi buoni, parliamo di grassi insaturi come quelli contenuti nell'olio d'oliva (a crudo) e alimenti ricchi di Omega 3.

Attività fisica e riposo

Oltre a seguire questa dieta correttamente, ciò che possiamo consigliarvi, per mettervi almeno in pari a quelli considerati più fortunati a livello di metabolismo, è di fare attività fisica almeno 3 volte alla settimana, soprattutto al mattino.
Fare esercizio fisico è sempre fondamentale, perché per consentirci di muoverci il nostro organismo deve bruciare calorie. Alcuni trainer consigliano di farlo la mattina, ritenendolo ancora più efficace, perché il corpo appena risvegliato dal sonno è molto più ricettivo e il passaggio repentino dal sonno al moto costringerà il metabolismo ad una partenza accelerata.
In ogni caso, per un metabolismo più attivo è sempre consigliato di aumentare la massa magra. I muscoli bruciano calorie e quindi più sono sviluppati e più calorie bruceranno, anche stando a riposo. Il muscolo, infatti, è un tessuto vivo e in continuo rinnovamento, con richieste metaboliche nettamente superiori – quasi di 10 volte- a quelle del tessuto adiposo (grasso).
Pertanto si consiglia di praticare un minimo 3 ore di attività fisica a settimana, sia di tipo anaerobico che aerobico in modo da aumentare e tonificare la muscolatura.

L'attività aerobica insieme agli esercizi di tonificazione, in pratica, aiutano a stimolare la produzione di ormoni, favorendo la crescita della massa magra e di conseguenza un maggiore dispendio energetico.
Un'altra cosa importante da ricordare, oltre che l'attività fisica, è la corretta quantità di riposo. Questo perché dormire correttamente è un toccasana anche per il metabolismo stesso.
È stato dimostrato, infatti, che dormire troppo poco rallenta il metabolismo e aumenta lo stimolo della fame: una combinazione che ci porterà a mangiare molto e assimilare e bruciare poco, affaticando ulteriormente il metabolismo. Dormire il corretto numero di ore, non meno di 7 per una persona adulta, aiuterà a risvegliare il metabolismo.

Con quest'ultimo consiglio per approcciarvi al meglio alla dieta risveglia metabolismo, si conclude il discorso sull'approcciarsi ad essa per riuscirvi con successo.
Nel prossimo capitolo si parlerà, nella pratica, di come impostare questa dieta.

CAPITOLO 5- COME IMPOSTARE LA DIETA RISVEGLIA METABOLISMO

Eccoci arrivati al tema degli alimenti che servono per costruire la dieta risveglia metabolismo e quali alimenti sono da evitare assolutamente.
Inizieremo indicandovi schematicamente quali sono gli alimenti ideali per costruire una dieta risveglia metabolismo ottimali.

Quali alimenti inserire nella dieta risveglia metabolismo

Qui sotto troverete elencata una lista completa degli alimenti utili al fine di riattivare il metabolismo per la perdita costante di peso.
Essi sono:

Alimenti termogenici: cibi e sostanze che, una volta ingeriti, richiedono un consumo di energia maggiore da parte del corpo	Peperoncino zenzero robiola arancio amaro caffeina calcio piruvato semi di Chia carnitina ficus salice bianco
Mangiare cibi brucia-grassi: Alcuni cibi sono capaci di risvegliare il metabolismo e accelerare il consumo di grassi. Assunti nelle giuste quantità, possono essere alleati davvero preziosi per bruciare e perdere peso.	frutta secca cacao amaro l'aceto i cereali (soprattutto integrali) cannella Quinoa
Carboidrati:	farina d'avena pasta e pane integrali riso integrale

macronutriente che rimane essenziale anche per la dieta risveglia metabolismo. Da preferire integrali	farro
Bere tè o caffè: La teina e la caffeina, grazie al loro potere eccitante, aumentano il tasso metabolico di quasi il 10%. Non bisogna esagerare, perché la loro assunzione può avere anche delle controindicazioni. Ma assunti in quantità moderate, tè e caffè possono davvero aiutare ad attivare il metabolismo e a bruciare grassi.	Caffè Tè verde Tè nero Ricordatevi che devono essere tutti rigorosamente senza zucchero (si può al massimo utilizzare un cucchiaino di stevia come dolcificante)
Acqua e tisane: permettono il giusto di livello di idratazione e possono fungere da riattivatori del metabolismo.	Almeno 2 litri di acqua al giorno (o se non si arriva a questa quantità integrare con tè e tisane) Tisane digestive e infusi drenanti (come, ad esempio, le tisane al finocchio, zenzero, etc.) Tutte rigorosamente senza zucchero
Alimenti ricchi di iodio:	Salvo diversa indicazione medica, come nel caso dell'ipertiroidismo, consumare alimenti ricchi di iodio favorisce il buon funzionamento del metabolismo: pesce e crostacei, in particolare, ne sono molto sono ricchi, aiutano la funzionalità tiroidea e, di conseguenza, possono favorire anche l'attività metabolica. Lo stesso risultato si ottiene anche con gli alimenti piccanti
Frutta e verdura fresca di stagione: Sono consentite in quantità maggiori e rappresentano l'elemento chiave di questa dieta. Ricche di fibre e vitamine sono un toccasana per il metabolismo.	Verdura foglia verde (come ad esempio lattuga, rucola, broccoli, spinaci etc.) Funghi Carote Tutta la frutta di stagione (tranne quella ad alto indice glicemico)
Proteine di qualità il giusto apporto di proteine è fondamentale per assumere gli amminoacidi essenziali per la preservazione della massa magra e per un buon metabolismo,	pesce carni magre formaggi come il grana padano ad alto contenuto proteico legumi (tipo lenticchie) uova biologiche soia

Grassi buoni: solo grassi insaturi e non idrogenati	Olio d'oliva (a crudo) Frutta secca a guscio Alimenti contenenti Omega 3 (i grassi contenuti nel pesce, come tonno e salmone) Avocado

Gli alimenti vietati nella dieta risveglia metabolismo

Dopo avermi mostrato una tabella contenente tutti i cibi che vi serviranno per poter costruire la vostra dieta risveglia metabolismo, ecco una lista di quelli che sono assolutamente da evitare.

Zuccheri: apportano calorie inutili e nessun beneficio sul metabolismo	Zucchero semolato Zucchero di canna Miele Dolci
Cibi acidi: Tutti i cibi contenenti un ph fortemente acido che vanno ad incidere negativamente sul metabolismo	Cibi ad alto contenuto di zuccheri Prodotti da forno (come pizze, torte, biscotti) Salumi e affettati (a parte la bresaola e il prosciutto senza grassi e conservanti)
Alcolici e bevande gassate: Anche in questo caso calorie inutili, eccesso di zuccheri e portano problemi al fegato allo stomaco	Tutti gli alcolici Bevande zuccherate e gassate Succhi di frutta con alto tasso di zuccheri
Grassi idrogenati: Da evitare perché non solo fanno ingrassare ma creano danni alla salute e al metabolismo	Carni grasse Burro e margarina Fritture Latticini eccessivamente grassi
Alimenti ad alto indice glicemico: Sono alimenti che vanno ad aumentare l'insulina e quindi eccessivamente dannosi per il metabolismo	Farine 00 Farina di mais Pane bianco Cibi ad alto contenuto di zuccheri Patate Frutta ad alto indice glicemico (tipo banane uva kaki e fichi)

PARTE TERZA: RICETTE

Ecco illustratevi, in questa terza parte, tutte le ricette utili che potrete preparare. Si tratta di piatti sani e adatti a questo tipo di alimentazione.
Queste 100 ricette sono suddivise in colazione, spuntini e snacks, ricette di primi, ricette di secondi (carne e pesce), contorni, ricette vegetariane, desserts e, per finire, gli smoothie detox.

CAPITOLO 6- COLAZIONE

Frullato ai frutti di bosco

TEMPO DI PREPARAZIONE:10 minuti
CALORIE: 190
MACRONUTRIENTI: CARBOIDRATI:15 GR; PROTEINE: 8 GR; GRASSI: GR 2

INGREDIENTI PER 2 PERSONE

- 30 gr di more
- 30 gr di lamponi
- 30 gr di mirtilli
- 30 gr di ribes nero
- 120 ml di latte di mandorla non zuccherato
- 100 gr di yogurt greco

PREPARAZIONE

1. Lavate e asciugate more, lamponi, mirtilli e ribes.
2. Mettete i frutti di bosco, il latte di mandorla e lo yogurt nel bicchiere del frullatore.
3. Frullate il tutto alla massima velocità per 2 -3 minuti, il tempo necessario per avere un composto denso e omogeneo.
4. Mettete il frullato nei bicchieri, decorate con cannucce colorate e servite.

Frullato avocado fragole e basilico

TEMPO DI PREPARAZIONE:10 minuti
CALORIE: 160
MACRONUTRIENTI: CARBOIDRATI:9 GR; PROTEINE: 6 GR; GRASSI: GR 6

INGREDIENTI PER 2 PERSONE

- Un avocado di piccole dimensioni
- 100 gr di fragole
- 4 foglie di basilico
- 100 ml di latte di mandorla senza zuccheri aggiunti

PREPARAZIONE

1. Tagliate a metà l'avocado, togliete il nocciolo poi sbucciatelo, lavatelo e asciugatelo.
2. Tagliate l'avocado a pezzi e mettetelo nel bicchiere del frullatore.
3. Lavate e asciugate le fragole e tagliatele a metà.
4. Lavate e asciugate le foglie di basilico.
5. Mettete nel frullatore anche le fragole le foglie di basilico e il latte di mandorla e frullate il tutto ad alta velocità fino a quando

non otterrete un composto omogeneo.
6. Mettete il frullato nei bicchieri, decorate con le cannucce e se volete potete aggiungere qualche cubetto di ghiaccio.

Frullato mango e cocco

TEMPO DI PREPARAZIONE:10 minuti
CALORIE: 140
MACRONUTRIENTI: CARBOIDRATI: 11 GR; PROTEINE: 5 GR; GRASSI: GR 8

INGREDIENTI PER 2 PERSONE

- 100 gr di polpa di cocco
- 1 mango
- 120 ml di latte di mandorla non zuccherato
- 40 gr di mandorle tagliate a lamelle

PREPARAZIONE

1. Lavate e asciugate la polpa di cocco e poi tagliatela a pezzi.
2. Sbucciate il mango, lavatelo, asciugatelo e poi tagliatelo a cubetti.
3. Mettete il mando e il cocco nel bicchiere del mixer e aggiungete il latte di mandorla.
4. Frullate alla massima velocità fino a quando non avrete ottenuto un composto denso e omogeneo.
5. Mettete il frullato nei bicchieri, aggiungete le cannucce e decorate con le lamelle di mandorla.

Frullato melone e anguria

TEMPO DI PREPARAZIONE:10 minuti
CALORIE: 100
MACRONUTRIENTI: CARBOIDRATI: 9 GR; PROTEINE: 2 GR; GRASSI: GR 2

INGREDIENTI PER 2 PERSONE

- 100 gr di polpa di anguria
- 100 gr di polpa di melone
- 1 limone
- Latte di mandorla non zuccherato

PREPARAZIONE

1. Lavate e asciugate la polpa di anguria e quella di melone e poi tagliatele a pezzetti.
2. Lavate e asciugate il limone, grattugiate la scorza e filtrate il succo nel bicchiere del frullatore.
3. Aggiungete il latte di mandorla e la polpa di melone e anguria, azionate il frullatore e frullate fino a quando non otterrete un composto liscio e omogeneo.
4. Mettete il frullato nei bicchieri, mettete le cannucce, decorate con la scorza di limone grattugiata e servite.

Frullato limone kiwi e menta

TEMPO DI PREPARAZIONE:10 minuti
CALORIE: 90
MACRONUTRIENTI: CARBOIDRATI:7 GR; PROTEINE:4 GR; GRASSI: GR 1

INGREDIENTI PER 2 PERSONE

- 2 kiwi
- 1 limone
- 30 gr di zenzero fresco
- 1 arancia
- 100 ml di latte di soia

PREPARAZIONE

1. Sbucciate i kiwi, lavateli a togliete la parte bianca centrale. Tagliateli a pezzi.
2. Lavate lo zenzero, grattugiatelo e mettetelo assieme ai kiwi nel bicchiere del frullatore.
3. Lavate e asciugate l'arancia, grattugiate la buccia e filtrate il succo nel bicchiere del frullatore.

4. Aggiungete il latte di soia e frullate il tutto ad alta velocità per 2 minuti.
5. Mettete il frullato nei bicchieri, aggiungete le cannucce, dei cubetti di ghiaccio e poi decorate con la scorza grattugiata dell'arancia e servite.

Uova strapazzate con asparagi e cotto

TEMPO DI PREPARAZIONE:10 minuti
TEMPO DI COTTURA:20 minuti
CALORIE: 210
MACRONUTRIENTI: CARBOIDRATI: 3 GR; PROTEINE: 23 GR; GRASSI: GR 11

INGREDIENTI PER 2 PERSONE
- 200 gr di asparagi verdi
- Tre uova
- 100 gr di prosciutto cotto senza conservanti
- Sale e pepe q.b.
- Olio di oliva q.b.

PREPARAZIONE
1. Iniziate con gli asparagi.
2. Togliete il gambo e la parte finale più dura, lavateli e asciugateli.
3. Tagliate gli asparagi in pezzetti di 2-3 cm ciascuno.
4. Mettete una pentola con acqua e sale, e quando inizia a bollire fate lessare le punte di asparagi per 10 minuti.
5. Scolate adesso gli asparagi e teneteli da parte.
6. In una ciotola sgusciate le uova e sbattetele, con sale e pepe, con una forchetta.
7. Aggiungete il prosciutto cotto tagliato a pezzetti e le punte di asparagi.
8. Mescolate e amalgamate bene.
9. Fate riscaldare un filo di olio in una padella e poi versate le uova.
10. Fate cuocere mescolando di continuo per 5-6 minuti, in base a come preferite la cottura dell'uovo.
11. Mettete le uova strapazzate nei piatti da portata, cospargete con un po' di pepe nero e servite.

Uova strapazzate con polpa di granchio

TEMPO DI PREPARAZIONE:10 minuti
TEMPO DI COTTURA:5 minuti
CALORIE: 180
MACRONUTRIENTI: CARBOIDRATI: 2 GR; PROTEINE:25 GR; GRASSI: GR 4

INGREDIENTI PER 2 PERSONE
- 50 gr di polpa di granchio
- 3 uova
- 1 cucchiaio di latte
- Sale e pepe q.b.
- Olio di oliva q.b.
- Erba cipollina q.b.

PREPARAZIONE
1. In una ciotola sgusciate le uova. Sbattetele con una forchetta e poi aggiungete sale e pepe.
2. Fate riscaldare un po' di olio di oliva e poi aggiungete la polpa di granchio.
3. Fate insaporire un paio di minuti e poi versate le uova nella padella.
4. Mescolate di continuo in modo tale che le uova non si compattino e non formino una frittata.
5. Fate cuocere per 5 minuti, regolate di sale e pepe e poi mettete le uova nei piatti da portata.
6. Decorate con un po' di pepe nero e l'erba cipollina tritata e servite

CAPITOLO 7- SPUNTINI E SNACKS

Tartara di melone e crudo

TEMPO DI PREPARAZIONE:15 minuti
CALORIE: 245
MACRONUTRIENTI: CARBOIDRATI: 16 GR; PROTEINE: 18 GR; GRASSI: GR 11

INGREDIENTI PER 2 PERSONE

- 100 gr di prosciutto crudo
- Mezzo scalogno
- 1 fetta di melone
- Olio di oliva q.b.
- Pepe q.b.
- Aceto di mele q.b.
- erba cipollina q.b.

PREPARAZIONE

1. Sbucciate lo scalogno, lavatelo e poi tritatelo.
2. Togliete il grasso al prosciutto crudo e poi tagliatelo a pezzettini.
3. Sbucciate il melone, lavatelo, asciugatelo e tagliatelo a cubetti.
4. Mettete lo scalogno, il melone e il prosciutto in una ciotola e mescolateli.
5. Aggiungete l'erba cipollina, un cucchiaio di olio, uno di aceto, il pepe e mescolate il tutto.
6. Con l'aiuto di un coppapasta mettete al centro del piatto da portata la tartara di crudo.
7. Decorate con altra erba cipollina e servite.

Involtini di bresaola con ricotta

TEMPO DI PREPARAZIONE:10 minuti
CALORIE: 160
MACRONUTRIENTI: CARBOIDRATI: 4 GR; PROTEINE:18 GR; GRASSI: GR 5

INGREDIENTI PER 2 PERSONE

- 6 fettine di bresaola
- 50 gr di ricotta di vaccina fresca
- Erba cipollina
- prezzemolo tritato
- sale e pepe q.b.

PREPARAZIONE

1. Mettete la ricotta in una ciotola con l'erba cipollina, sale, pepe e il prezzemolo.
2. Mescolate e amalgamate il tutto.
3. Prendete le fette di bresaola e mettetele sopra un tagliere.
4. Spalmate la superficie con la ricotta e poi chiudetele arrotolandole su sé stesse.
5. Mettetele nei piatti da portata e servite.

Tartara di salmone, semi di finocchio e mela verde

TEMPO DI PREPARAZIONE:15 minuti+3 ore per l'abbattitura del salmone+1 ora di riposo in frigo
CALORIE: 329

MACRONUTRIENTI: CARBOIDRATI: 16 GR; PROTEINE: GR 25; GRASSI: 15 GR

INGREDIENTI PER 2 PERSONE

- Un filetto di salmone fresco da 300 gr
- Mezza mela verde
- 20 gr di scalogno tritato
- 20 ml di succo di limone
- 20 ml di salsa di soia
- 20 ml di aceto di mele
- Semi di finocchio q.b.
- Sale e pepe q.b.
- Olio di oliva q.b.

PREPARAZIONE

1. Prima di iniziare fate abbattere il salmone nel freezer per 3 ore.
2. Passato il tempo di abbattitura, prendete il filetto, togliete pelle e lische e poi lavatelo e asciugatelo.
3. Tagliate adesso il salmone in piccoli cubetti e poi metteteli in una ciotola.
4. Lavate la mezza mela, togliete i semi e poi tagliatela a cubetti e mettetela nella ciotola con il salmone.
5. Aggiungete anche lo scalogno e mescolate.
6. Mettete adesso un pizzico di sale e pepe e un po' di olio e mescolate ancora.
7. Aggiungete infine la sala di soia, l'aceto di mele e il succo di limone e amalgamate il tutto.
8. Mettete la tartara in due bicchieri, cospargetela con i semi di finocchio e poi lasciatela in frigo 1 ora prima di servirla.

Frittata al forno con zucchine gamberi e peperoni

TEMPO DI PREPARAZIONE:20 minuti
TEMPO DI COTTURA:25 minuti
CALORIE: 240
MACRONUTRIENTI: CARBOIDRATI:11 GR; PROTEINE: 26 GR; GRASSI: GR 12

INGREDIENTI PER 2 PERSONE

- 3 uova
- 1 zucchina
- 100 gr di gamberetti
- 1 peperone giallo
- Un cucchiaio di parmigiano grattugiato
- Sale e pepe q.b.
- Olio di oliva q.b.

PREPARAZIONE

1. Spuntate la zucchina, sbucciatela, lavatele e poi tagliatela a cubetti.
2. Sgusciate i gamberetti, togliete il filamento nero, lavateli sotto acqua corrente e poi asciugateli.
3. Togliete il picciolo al peperone, tagliatelo a metà, togliete i filamenti bianchi e i semi e poi lavatelo sotto acqua corrente. Tagliatelo a cubetti.
4. Sgusciate le uova in una ciotola e sbattetele con una forchetta.
5. Aggiungete la zucchina, i gamberetti,

il parmigiano e il peperone e mescolate per amalgamare bene.
6. Regolate di sale e pepe poi spennellate una teglia rotonda con un po' di olio e versate il composto all'interno.
7. Fate cuocere in forno a 200° per 25 minuti.
8. Appena finito il tempo di cottura, sfornatela, lasciatela riposare per 5 minuti, poi tagliatela a fette e servite.

Frittata di porri funghi e gamberi

TEMPO DI PREPARAZIONE:25 minuti
TEMPO DI COTTURA:20 minuti
CALORIE: 165
MACRONUTRIENTI: CARBOIDRATI: 3 GR; PROTEINE:22 GR; GRASSI: 5 GR

INGREDIENTI PER 2 PERSONE
- 2 uova
- 200 gr di gamberetti
- Un porro
- 50 gr di funghi champignon
- Olio di oliva q.b.
- Sale e pepe q.b.

PREPARAZIONE
1. Togliete il gambo e le foglie esterne più dure al porro, lavatelo e poi tagliatelo a rondelle.
2. Sgusciate i gamberi, togliete il filamento nero, poi lavateli e asciugateli.
3. Togliete la parte terrosa dei funghi, lavateli, asciugateli e poi tagliateli a fettine.
4. Sbattete le uova in una ciotola con una forchetta. Aggiungete sale e pepe e mescolate.
5. Mettete adesso il porro i funghi e i gamberi e mescolate bene per amalgamare il tutto.
6. Spennellate una teglia con olio di oliva. Versate il composto all'interno e fate cuocere a 180° per 20 minuti.
7. Appena la frittata sarà cotta, toglietela dal forno, lasciatela intiepidire un paio di minuti, poi tagliatela a fettine e servite.

Omelette con ricotta

TEMPO DI PREPARAZIONE: 5 minuti
TEMPO DI COTTURA: 10 minuti
CALORIE: 214
MACRONUTRIENTI: CARBOIDRATI:4 GR; PROTEINE:24 GR; GRASSI: GR 7

INGREDIENTI PER 2 PERSONE
- 120 gr di ricotta di vaccina
- 3 uova
- 2 ciuffi di prezzemolo
- Sale e pepe q.b.
- Olio di oliva q.b.

PREPARAZIONE
1. Mettete la ricotta in una ciotola.
2. Lavate e asciugate il prezzemolo e poi tritatelo finemente e mettetelo nella ciotola con la ricotta.

3. Aggiungete anche un pizzico di sale e pepe e poi mescolate per amalgamare bene.
4. In un ‘altra ciotola sbattete le uova con un pizzico di sale e pepe.
5. Prendete una padella e fate riscaldare un po' di olio di oliva. Appena sarà caldo mettete a cuocere metà delle uova.
6. Appena l’omelette sarà cotta, riempitela con metà della ricotta, chiudetela a metà e mettetela nel piatto da portata.
7. Ripetete la stessa operazione con l’altra metà delle uova.
8. Servite ancora calde.

CAPITOLO 8- PRIMI PIATTI

Minestrone di riso nero, con misto di verdure e timo

TEMPO DI PREPARAZIONE:20 minuti
TEMPO DI COTTURA:25-30 minuti
CALORIE: 360
MACRONUTRIENTI: CARBOIDRATI:48 GR; PROTEINE:6 GR; GRASSI: 3 GR

INGREDIENTI PER 2 PERSONE

- 1 litro di brodo vegetale
- 80 gr di riso venere
- 75 gr di verza
- 90 gr di polpa di zucca
- 1 pezzetto di scalogno
- 2 rametti di timo
- 75 gr di cavolfiore
- olio di oliva q.b.
- sale e pepe q.b.

PREPARAZIONE

1. Lavate e asciugate il timo e poi togliete gli aghi e metteteli in una ciotola ricoperti di olio.
2. Togliete il gambo al cavolfiore e tenete solo le cime. Lavatele e asciugatele.
3. Dividete le foglie di verza, lavatele e poi tagliatele a pezzettini.
4. Sbucciate lo scalogno, lavatelo e tritatelo.
5. Lavate la polpa di zucca e poi tagliatela a cubetti.
6. Mettete un filo di olio di oliva in un tegame, fate soffriggere per un minuto lo scalogno, poi aggiungete il cavolfiore. Mescolate e dopo 2 minuti aggiungete la zucca.
7. Passati i due minuti, aggiungete il riso, mescolate, regolate di sale e pepe e aggiungete il brodo.
8. Fate cuocere per una ventina di minuti, o fino a quando il riso non risulti morbido.
9. Aggiungete la verza e fate cuocere per altri 2 minuti.
10. Regolate se è necessario di sale e pepe e poi mettete il riso e le verdure nei piatti da portata.
11. Cospargete i piatti con un cucchiaino ciascuno di olio al timo e servite.

Vellutata di carote e riso venere

TEMPO DI PREPARAZIONE:15 minuti
TEMPO DI COTTURA:20 minuti
CALORIE: 133
MACRONUTRIENTI: CARBOIDRATI: 19 GR; PROTEINE: 3 GR; GRASSI:4 GR

INGREDIENTI PER 2 PERSONE

- 3 carote di piccole dimensioni
- Mezzo scalogno
- 1 foglia di alloro
- Un lime
- 30 gr di riso venere

- 300 ml di brodo vegetale
- 20 gr di zenzero in polvere
- Sale e pepe q.b.
- Olio di oliva q.b.

PREPARAZIONE

1. Portate ad ebollizione una pentola con acqua e sale, e poi mettete il riso a cuocere per 20 minuti.
2. Nel frattempo, sbucciate lo scalogno, lavatelo e poi tritatelo.
3. Lavate e asciugate l'alloro.
4. Sbucciate le carote, lavatele e poi tagliatele a pezzetti.
5. Mettete a riscaldare in una pentola un po' di olio di oliva e poi fate soffriggere lo scalogno con la foglia di alloro e le carote.
6. Mescolate, regolate di sale e pepe e poi aggiungete il brodo vegetale.
7. Continuate la cottura per 20 minuti.
8. Passati i 20 minuti, spegnete, lasciate intiepidire e poi aggiungete il succo filtrato del lime.
9. Frullate adesso il tutto aiutandovi con un mixer ad immersione.
10. Quando il riso sarà cotto, scolatelo e tenetelo da parte.
11. Mettete adesso nei piatti da portata la vellutata di carote, aggiungete il riso e decorate il piatto con un filo di olio di oliva e lo zenzero in polvere.

Zuppa fredda di peperoni

TEMPO DI PREPARAZIONE:10 minuti+60 minuti di riposo in frigo
TEMPO DI COTTURA:15 minuti
CALORIE: 180
MACRONUTRIENTI: CARBOIDRATI:16 GR; PROTEINE:1 GR; GRASSI: GR 2

INGREDIENTI PER 2 PERSONE

- 2 peperoni rossi
- 2 peperoni gialli
- 1 limone
- 1 rametto di timo
- 1 rametto di rosmarino
- Olio di oliva q.b.
- Sale e pepe q.b.
- Aceto di mele q.b.

PREPARAZIONE

1. Togliete il torsolo, i semi e i filamenti bianchi ai peperoni.
2. Lavateli asciugateli e poi tagliateli a striscioline.
3. Lavate e asciugate timo e rosmarino.
4. Spennellate una teglia e mettete all'interno i peperoni e le erbe aromatiche.
5. Condite con un po' di olio, sale e pepe, aggiungete un bicchiere d'acqua e poi fate cuocere in forno a 200° per 15 minuti.
6. Appena cotti, toglieteli dalla teglia e metteteli in una ciotola assieme al fondo di cottura.
7. Togliete solo le foglie dai rametti del timo e del rosmarino e inseriteli nella ciotola con i peperoni.
8. Frullate tutto con un frullatore ad immersione, fino a quando non otterrete un composto denso e omogeneo.
9. Condite con un po' di olio e un po' di

aceto balsamico.

10. Mettete adesso la zuppa in frigo a raffreddare per un'ora.
11. Appena sarà fredda toglietela dal frigo e mettetela nei piatti da portata.
12. Lavate e asciugate il limone e poi grattugiate la scorza nei piatti con la zuppa e servite.

Zuppa di piselli, pomodorini e calamaretti

TEMPO DI PREPARAZIONE:25 minuti
TEMPO DI COTTURA:15 minuti
CALORIE: 450
MACRONUTRIENTI: CARBOIDRATI: 25 GR; PROTEINE: 20 GR; GRASSI: GR 11

INGREDIENTI PER 2 PERSONE

- 300 gr di calamaretti già puliti
- 100 gr di pisellini surgelati
- 8 pomodorini ciliegia
- 2 cipollotti
- 600 ml di brodo di pesce
- 1 peperoncino
- Olio di oliva q.b.
- Sale e pepe q.b.

PREPARAZIONE

1. Lavate sotto acqua corrente i calamaretti, asciugateli con carta assorbente e poi tagliateli a pezzi non troppo piccoli.
2. Lavate e asciugate i pomodorini e poi tagliateli a cubetti.
3. Lavate e asciugate i cipollotti e poi tagliatelo a fettine sottili.
4. Lavate e asciugate il peperoncino e poi tagliatelo a pezzettini.
5. Mettete in una pentola abbastanza capiente un filo di olio di oliva.
6. Fate saltare per un minuto i cipollotti e poi mettete i pomodori e i pisellini.
7. Mescolate, regolate di sale e pepe, fateli insaporire un paio di minuti e poi aggiungete i calamaretti e il peperoncino. Mescolate fate insaporire e poi ricoprite il tutto con il brodo di pesce.
8. Fate cuocere per 15 minuti, regolate se è necessario di sale e pepe e poi spegnete.
9. Mettete la zuppa ancora calda nei piatti da portata e servite.

Zuppa di avocado e salmone

TEMPO DI PREPARAZIONE:15 minuti
TEMPO DI COTTURA:15 minuti
CALORIE: 398
MACRONUTRIENTI: CARBOIDRATI: 7 GR; PROTEINE:22 GR; GRASSI: 25 GR

INGREDIENTI PER 2 PERSONE

- 2 avocado
- 200 ml di brodo vegetale
- 100 gr di yogurt greco
- 1 limone
- 150 gr di salmone affumicato
- Sale e pepe q.b.
- Olio di oliva q.b.
- Erba cipollina tritata q.b.

PREPARAZIONE

1. Tagliate in due gli avocado, togliete il nocciolo centrale, sbucciateli, lavateli

e asciugateli.
2. Tagliate gli avocado a cubetti e metteteli in una ciotola con il succo di limone filtrato.
3. Fate riscaldare il brodo 5 minuti nel microonde, oppure 15 minuti in pentola.
4. Appena sarà caldo versatelo nella ciotola con l'avocado.
5. Aggiungete anche lo yogurt e con un frullatore ad immersione frullate il tutto.
6. Condite la zuppa con sale e pepe e un po' di olio di oliva.
7. Mettete poi sopra le fette di salmone affumicato arrotolate su sé stesse in modo da sembrare delle rosette e decorate con l'erba cipollina tritata. Servite subito.

Zuppa di vongole allo zafferano

TEMPO DI PREPARAZIONE:20 minuti+1 notte di riposo per le vongole
TEMPO DI COTTURA:15 minuti
CALORIE: 160
MACRONUTRIENTI: CARBOIDRATI: GR 10; PROTEINE: 20 GR; GRASSI: 4 GR

INGREDIENTI PER 2 PERSONE
- 500 gr di vongole
- 1 spicchio d'aglio
- 100 gr di pomodoro pelato
- 500 ml di brodo vegetale
- 1 bustina di zafferano
- Sale e pepe q.b.
- Olio di oliva q.b.
- Un ciuffo di prezzemolo tritato

PREPARAZIONE
1. Mettete le vongole in una ciotola con acqua e sale e lasciatele tutta la notte a spurgare.
2. Passato il tempo di riposo, sciacquatele sotto acqua corrente e poi mettetele in una padella e fatele aprire.
3. Quando si saranno completamente aperte toglietele dalla padella e in una ciotola filtrate il liquido di cottura.
4. Sbucciate e lavate l'aglio.
5. In una pentola mettete un po' di olio di oliva e quando sarà caldo mettete l'aglio a dorare.
6. Appena sarà dorato, togliete l'aglio e mettete a soffriggere il pomodoro per un paio di minuti. Aggiungete adesso le vongole, regolate di sale e pepe e mettete la bustina di zafferano.
7. Mescolate e fate amalgamare il tutto e poi aggiungete il brodo.
8. Fate cuocere per 10 minuti, mescolando di tanto in tanto.
9. Appena la zuppa sarà pronta, mettetela nei piatti da portata, decoratela con il prezzemolo tritato e servite.

Crema di spinaci con uovo in camicia

TEMPO DI PREPARAZIONE:15 minuti
TEMPO DI COTTURA:20 minuti
CALORIE: 208
MACRONUTRIENTI: CARBOIDRATI: 1

GR; PROTEINE:24 GR; GRASSI: 3 GR

INGREDIENTI PER 2 PERSONE

- 2 uova
- 400 gr di spinaci novelli
- 200 ml di brodo vegetale
- Sale e pepe q.b.
- Olio di oliva q.b.

PREPARAZIONE

1. Mondate gli spinaci, poi lavateli e asciugateli.
2. Mettete il brodo in una pentola e portatelo a bollore.
3. Aggiungete gli spinaci, regolate di sale e pepe e mescolate. Fate cuocere per 7 minuti e poi spegnete. Con un frullatore ad immersione frullate il tutto fino a quando non otterrete un composto omogeneo.
4. Mettete in un pentolino dell'acqua con un pizzico di sale e un cucchiaio di aceto.
5. Sgusciate le uova in due ciotoline separate
6. Quando l'acqua inizierà a bollire, abbassate la fiamma e con una frusta iniziate a girare l'acqua in modo da formare un vortice.
7. Immergetevi le uova una alla volta e fateli cuocere per 2 minuti.
8. Mettete nei piatti da portata la crema di spinaci, prelevate le uova dall'acqua aiutandovi con una schiumarola e mettetele sopra la crema di spinaci.
9. Condite con un filo di olio a crudo e servite.

Zuppa di lenticchie e zenzero

TEMPO DI PREPARAZIONE:15 minuti
TEMPO DI COTTURA:35 minuti
CALORIE: 165
MACRONUTRIENTI: CARBOIDRATI: 14 GR; PROTEINE: 6 GR; GRASSI: 3 GR

INGREDIENTI PER 2 PERSONE

- 120 gr di lenticchie
- Mezzo scalogno
- 400 ml di brodo vegetale
- 20 gr di zenzero fresco
- 1 cucchiaino di cumino
- 1 cucchiaino di concentrato di pomodoro
- Olio di oliva q.b.
- Sale e pepe q.b.

PREPARAZIONE

1. Sciacquate le lenticchie sotto acqua corrente e poi lasciatele scolare.
2. Sbucciate lo scalogno, lavatelo e poi tritatelo.
3. Mettete in una pentola un po' di olio di oliva e poi fate appassire lo scalogno per un paio di minuti.
4. Unite adesso lo zenzero grattugiato e il cumino e mescolate.
5. Aggiungete il concentrato di pomodoro e fate cuocere per altri 3 minuti.
6. Unite adesso le lenticchie e mescolate.

7. Regolate di sale e pepe e poi aggiungete il brodo vegetale.
8. Mettete un coperchio sulla pentola, lasciando un piccolo spiraglio, e fate cuocere le lenticchie per 30 minuti.
9. Controllate la cottura e se non sono ancora pronte proseguite per altri 5 minuti.
10. A fine cottura mettete la zuppa nei piatti da portata, condite con olio di oliva a crudo e servite.

Zuppa di farro e funghi

TEMPO DI PREPARAZIONE:15 minuti
TEMPO DI COTTURA:50 minuti
CALORIE: 346
MACRONUTRIENTI: CARBOIDRATI: 37 GR; PROTEINE:11 GR; GRASSI: 4 GR

INGREDIENTI PER 2 PERSONE

- 120 gr di farro decorticato
- 60 gr di funghi champignon
- Mezzo scalogno
- 1 carota
- 700 ml di brodo vegetale
- 2 foglie di alloro
- Un rametto di timo
- Sale e pepe q.b.
- Olio di oliva q.b.

PREPARAZIONE

1. Sbucciate la carota e lo scalogno, lavateli e poi tritateli.
2. Togliete la parte terrosa dai funghi, lavateli asciugateli e tagliateli a fettine.
3. Sciacquate il farro sotto acqua corrente e poi lasciatelo scolare.
4. Fate riscaldare un po' di olio in una pentola e poi mettete a rosolare la carota e lo scalogno.
5. Mescolate e poi aggiungete il farro.
6. Mescolate ancora e poi aggiungete i funghi e metà del brodo vegetale.
7. Coprite con un coperchio, lasciando un piccolo spazio e fate cuocere per 30 minuti a fuoco medio.
8. Lavate e asciugate le foglie di alloro e il timo e metteteli nella pentola, mettete il restante brodo e fate cuocere per altri 20 minuti.
9. Appena pronta versate la zuppa di farro nei piatti da portata, condite con olio e pepe e servite.

CAPITOLO 9 - SECONDI PIATTI

Secondi di carne

Pollo allo zenzero

TEMPO DI PREPARAZIONE:20 minuti
TEMPO DI COTTURA:20 minuti
CALORIE: 348
MACRONUTRIENTI:
CARBOIDRATI: 4 GR; PROTEINE: 56 GR; GRASSI:12 GR

INGREDIENTI PER 2 PERSONE

- 200 gr di petto di pollo
- 1 costa di sedano
- 1 carota
- Mezzo cucchiaino di curcuma
- Un cucchiaio di erbe aromatiche essiccate miste
- 30 gr di zenzero fresco
- Sale e pepe q.b.
- Aceto di mele
- Olio di oliva q.b.

PREPARAZIONE

1. Lavate e asciugate il pollo, togliete se presenti ossicini ed eccesso di grasso.
2. Sbucciate la carota e poi lavatela.
3. Fate cuocere il pollo a vapore condito con le erbe aromatiche, sale e pepe e mettete anche la carota. Fate cuocere per 20 minuti.
4. Appena sarà cotto, mettetelo in un tagliere e tagliatelo a pezzettini.
5. Tagliate la carota a rondelle.
6. Aggiungete nella ciotola con il pollo le carote e condite con lo zenzero grattugiato e la curcuma.
7. Pulite il sedano togliendo i filamenti bianchi e poi tagliatelo a pezzettini.
8. Mettetelo nella ciotola con il pollo e finite di condire con olio e aceto.
9. Mescolate e amalgamate il tutto e poi mettete il pollo e le verdure nei piatti da portata e servite.

Pollo alle mele

TEMPO DI PREPARAZIONE:20 minuti
TEMPO DI COTTURA:20-25 minuti
CALORIE: 390
MACRONUTRIENTI: CARBOIDRATI: 15 GR; PROTEINE: 53 GR; GRASSI:3 GR

INGREDIENTI PER 2 PERSONE

- Un petto di pollo da 400 gr
- 2 mele rosse
- 1 mela verde
- Un cucchiaio di erbe aromatiche miste
- 50 ml di aceto di mele
- Sale e pepe q.b.
- Olio di oliva

PREPARAZIONE

1. Lavate e asciugate il petto di pollo, togliete il grasso e gli ossicini e poi dividetelo a metà.

2. Sbucciate le mele, togliete il torsolo e i semi e poi tagliatele a fettine.
3. Prendete una teglia e spennellatela con olio di oliva.
4. Mettete all'interno il pollo e le mele, condite con un po' di olio, sale e pepe e cospargete con erbe aromatiche.
5. Bagnate il tutto con l'aceto di mele e fate cuocere in forno a 200° per 20 minuti.
6. Controllate la cottura e se non ancora cotto proseguite per altri 5 minuti.
7. Appena cotto, togliete dal forno, fate riposare 5 minuti e poi servite il pollo tagliato a fettine, contornato con le mele e cosparso con il fondo di cottura.

Zuppa di pollo e lattuga

TEMPO DI PREPARAZIONE:20 minuti
TEMPO DI COTTURA: 40 minuti
CALORIE: 120
MACRONUTRIENTI: CARBOIDRATI: 1 GR; PROTEINE:23 GR; GRASSI: 2 GR

INGREDIENTI PER 4 PERSONE

- 1 petto di pollo da 400 gr
- Mezzo scalogno
- 4 foglie di lattuga
- 30 gr di zenzero fresco grattugiato
- Un cucchiaio di aceto di mele
- Sale e pepe q.b.
- Olio di oliva q.b.

PREPARAZIONE

1. Eliminate dal pollo, se ancora presenti, ossicini, pelle e grasso. Lavatelo e asciugatelo e poi tagliatelo a cubetti.
2. Sbucciate lo scalogno, lavatelo e poi tritatelo.
3. Lavate e asciugate la lattuga e poi tagliatela a pezzetti.
4. Mettete in una casseruola a riscaldare un filo di olio di oliva e poi mettete lo scalogno ad appassire assieme allo zenzero.
5. Unite adesso il pollo, mescolate e fatelo rosolare per un paio di minuti.
6. Aggiungete l'aceto di mele e lasciatelo sfumare.
7. Aggiungete 500 ml di acqua al pollo, e mescolate. Portate ad ebollizione e poi aggiungete la lattuga.
8. Fate cuocere per altri 20 minuti e poi spegnete.
9. Regolate di sale e pepe, mescolate, poi mettete la zuppa nei piatti e servite.

Stufato di pollo con cipolle

TEMPO DI PREPARAZIONE:20 minuti
TEMPO DI COTTURA:30 minuti
CALORIE: 389
MACRONUTRIENTI: CARBOIDRATI: 13 GR; PROTEINE: 52 GR; GRASSI: 4 GR

INGREDIENTI PER 2 PERSONE

- Un petto di pollo intero da 400 gr
- 1 arancia
- 2 cipolle di piccole dimensioni
- Un cucchiaino di timo essiccato

- Un cucchiaino di rosmarino essiccato
- Un cucchiaino di maggiorana essiccata
- Sale e pepe q.b.
- Olio di oliva q.b.
- Erba cipollina q.b.

PREPARAZIONE

1. Togliete ossicini e grasso in eccesso al pollo, poi lavatelo, asciugatelo e tagliatelo a cubetti.
2. Mettete i cubetti all'interno di una ciotola e poi filtrate il succo dell'arancia all'interno.
3. Aggiungete sale e pepe e lasciate marinare i bocconcini di pollo per un'ora.
4. Sbucciate le cipolle, lavatele e poi tagliatele a cubetti.
5. Appena sarà passato il tempo di marinatura, prendete una pentola e mettete a riscaldare un po' di olio di oliva.
6. Appena sarà caldo mettete a rosolare le cipolle un paio di minuti e poi aggiungete le erbe aromatiche.
7. Mescolate, amalgamate bene e poi aggiungete i cubetti di pollo.
8. Fateli insaporire, regolate di sale e pepe e poi aggiungete metà del liquido di marinatura.
9. Fate cuocere per 20 minuti e poi aggiungete l'altra metà del liquido di marinatura e un bicchiere di acqua.
10. Fate cuocere altri 10 minuti, mescolando di tanto in tanto e poi spegnete.
11. Versate il pollo nei piatti da portata, cospargete con il fondo di cottura e servite decorati con erba cipollina tritata.

Fusi di pollo al pepe verde

TEMPO DI PREPARAZIONE:20 minuti
TEMPO DI COTTURA: 40-50 minuti
CALORIE: 350
MACRONUTRIENTI: CARBOIDRATI: 3 GR; PROTEINE:45 GR; GRASSI:8 GR

INGREDIENTI PER 2 PERSONE

- 4 fusi di pollo
- 1 rametto di timo
- 1 rametto di rosmarino
- 1 rametto di mirto
- 1 rametto di aneto
- 1 spicchio d'aglio
- Un limone
- Olio di oliva q.b.
- Sale e pepe q.b.
- Pepe verde in grani q.b.

PREPARAZIONE

1. Pulite i fusi. Togliete se presenti con una pinzetta le piume e poi lavateli sotto acqua corrente e asciugateli.
2. Spremete il limone e poi filtrate il succo in una ciotola. Aggiungete olio di oliva, sale e pepe e mescolate bene.
3. Lavate aneto, mirto, rosmarino e timo.
4. Prendete una teglia e spennellatela con dell'olio. Mettete all'interno i fusi e le erbe aromatiche.
5. Cospargete il tutto con l'emulsione al limone e poi mettete i grani di pepe verde.

6. Fate cuocere in forno a 200° per 40 minuti, aggiungendo, se è necessario ogni tanto un po' di acqua.
7. Controllate la cottura e se il pollo non è ancora cotto continuate per altri 10 minuti.
8. Appena sarà pronto, togliete la teglia dal forno e lasciate riposare 5 minuti.
9. Mettete i fusi adesso nei piatti da portata e serviteli cosparsi con il fondo di cottura.

Fusi di pollo alla cacciatora

TEMPO DI PREPARAZIONE:15 minuti
TEMPO DI COTTURA: 50 minuti
CALORIE: 360
MACRONUTRIENTI: CARBOIDRATI: 9 GR; PROTEINE:46 GR; GRASSI:7 GR

INGREDIENTI PER 2 PERSONE

- 4 fusi di pollo
- 1 spicchio d'aglio
- 1 rametto di rosmarino
- 1 rametto di timo
- 1 cucchiaio di concentrato di pomodoro
- Sale e pepe q.b.
- Olio di oliva q.b.

PREPARAZIONE

1. Lavate i fusi di pollo sotto acqua corrente e poi asciugateli.
2. Sbucciate l'aglio, lavatelo e asciugatelo.
3. Lavate e asciugate il rosmarino e l'aglio.
4. Mettete in una padella un filo di olio di oliva e appena sarà abbastanza caldo fate soffriggere l'aglio.
5. Appena l'aglio sarà ben dorato, toglietelo e mettete il rosmarino e il timo.
6. Fate insaporire le erbe un paio di minuti e poi aggiungete il pollo.
7. Fate saltare il pollo per un paio di minuti.
8. Nel frattempo, stemperate il concentrato di pomodoro in un bicchiere con dell'acqua calda.
9. Aggiungete il concentrato di pomodoro, regolate di sale e pepe e lasciate cuocere, a fiamma moderata, per 50 minuti.
10. Se il fondo di cottura dovesse restringersi troppo aggiungete un po' di acqua di tanto in tanto.
11. Appena il pollo sarà cotto, mettetelo subito nei piatti da portata e servite cosparso con il fondo di cottura.

Bocconcini di pollo e asparagi

TEMPO DI PREPARAZIONE:20 minuti
TEMPO DI COTTURA: 25minuti
CALORIE: 360
MACRONUTRIENTI:
CARBOIDRATI: 4 GR; PROTEINE: 53 GR;
GRASSI: 2 GR

INGREDIENTI PER 2 PERSONE

- Un petto di pollo intero da 400 gr
- 300 gr di asparagi freschi
- Un limone

- 2 cucchiai di aceto di mele
- Pepe verde e pepe rosa in grani q.b.
- Sale e pepe q.b.
- Olio di oliva q.b.

PREPARAZIONE

1. Prendete una ciotola abbastanza capiente e mettete all'interno l'aceto, un cucchiaio di olio di oliva, sale e pepe e il succo filtrato del limone. Mescolate con una forchetta e amalgamate bene.
2. Lavate e asciugate il petto di pollo, eliminate il grasso in eccesso e poi tagliatelo a cubetti.
3. Mettete il pollo nella ciotola con la marinatura e fate marinare per 30 minuti a temperatura ambiente.
4. Spuntate gli asparagi, lavateli asciugateli e poi tagliateli.
5. Mettete a bollire una pentola con acqua e sale poi scottate gli asparagi per 10 minuti.
6. Passati i 10 minuti, scolate gli asparagi e lasciateli raffreddare.
7. Prendete una padella e mettete a riscaldare un po' di olio. Appena sarà caldo aggiungete il pollo con tutto il liquido di marinatura.
8. Fate cuocere per 10 minuti e poi aggiungete gli asparagi. Mescolate, regolate di sale aggiungete il pepe rosa e quello verde e fate cuocere per altri 5 minuti.
9. Passato il tempo di cottura, mettete il pollo nei piatti di portata con il fondo di cottura, cospargeteli con i semi di sesamo e servite.

Petto di pollo con pomodorini e granella di pistacchi

TEMPO DI PREPARAZIONE:15 minuti
TEMPO DI COTTURA:20 minuti
CALORIE: 328
MACRONUTRIENTI: CARBOIDRATI: 4 GR; PROTEINE:48 GR; GRASSI: 5 GR

INGREDIENTI PER 2 PERSONE

- 300 gr di petto di pollo tagliato a fettine
- Un piccolo scalogno
- 50 gr di granella di pistacchi
- 6 pomodorini
- Sale e pepe q.b.
- Olio di oliva q.b.

PREPARAZIONE

1. Lavate e asciugate le fettine di pollo.
2. Sbucciate lo scalogno, lavatelo e poi tritatelo.
3. Lavate e tagliate a metà i pomodorini.
4. Mettete un filo di olio a riscaldare in una padella.
5. Aggiungete lo scalogno e fatelo appassire.
6. Mettete adesso le fettine di pollo e fatele rosolare un paio di minuti per lato, regolando di sale e pepe.
7. Togliete il pollo dalla padella e mettete adesso i pomodorini e il pistacchio.
8. Fate cuocere per 5 minuti, mescolando di continuo.
9. Aggiungete adesso di nuovo il pollo e fate cuocere per 15 minuti, aggiungendo di tanto in tanto un po' di acqua.

10. Appena il pollo sarà cotto, mettete le fettine nei piatti da portata assieme ai pomodori e cospargeteli con il fondo di cottura e servite.

Petto di pollo al cumino e lime

TEMPO DI PREPARAZIONE:20 minuti+ 60 minuti di marinatura in frigo
TEMPO DI COTTURA:30 minuti
CALORIE:290
MACRONUTRIENTI: CARBOIDRATI: 2 GR; PROTEINE: 26 GR; GRASSI:8 GR

INGREDIENTI PER 2 PERSONE

- Un petto di pollo da 400 gr
- 2 lime
- 1 cucchiaino di semi di cumino
- 1 cucchiaino di paprika piccante
- 1 peperoncino
- Olio di oliva q.b.
- Sale e pepe q.b.

PREPARAZIONE

1. Lavate e asciugate i lime, grattugiate la scorza, spremete il succo e filtratelo in una ciotola.
2. Aggiungete olio di oliva, sale e pepe e la scorza del lime.
3. Lavate e asciugate il petto di pollo, togliete l'eccesso di grasso, tagliatelo a metà, lavatelo e asciugatelo.
4. Mettete il pollo nella ciotola con l'emulsione, coprite con carta alluminio e mettete a marinare in frigo per 1 ora.
5. Prendete adesso una teglia e mettete all'interno il pollo con tutto il liquido di marinatura.
6. Aggiungete il peperoncino tritato, i semi di cumino e la paprika e fate cuocere in forno a 180° per 30 minuti.
7. Appena il pollo sarà cotto, sfornatelo, tagliatelo a fettine e mettetelo nei piatti da portata.
8. Cospargete con il fondo di cottura e servite.

Petto di pollo con cipollotti

TEMPO DI PREPARAZIONE:20 minuti
TEMPO DI COTTURA:30 minuti
CALORIE: 310
MACRONUTRIENTI: CARBOIDRATI: 5 GR; PROTEINE: 45 GR; GRASSI: 2 GR

INGREDIENTI PER 2 PERSONE

- 300 gr di petto di pollo
- 2 cucchiai di aceto di mele
- 2 finocchi
- 2 cipollotti
- Olio di oliva q.b.
- Sale e pepe q.b.

PREPARAZIONE

1. Lavate e asciugate il petto di pollo. Togliete se presenti grasso e ossicini e poi tagliatelo a cubetti.
2. Togliete dai cipollotti il gambo e le foglie più dure, poi lavateli e tagliateli a fettine.
3. Togliete le foglie esterne e la barbetta ai finocchi, poi lavateli e tagliateli a

fette.

4. Spennellate una teglia con un po' di olio, mettete all'interno i cipollotti, il pollo e i finocchi.
5. Condite con olio, sale, pepe e aceto di mele e poi con un cucchiaio di legno mescolate il tutto.
6. Fate cuocere in forno a 180° per 30 minuti, aggiungendo, se è necessario un bicchiere di acqua.
7. Togliete il pollo dal forno, mettetelo nei piatti da portata contornato con i cipollotti e i finocchi, irrorate con il fondo di cottura e servite.

Pollo in salsa verde

TEMPO DI PREPARAZIONE:20 minuti
TEMPO DI COTTURA:30 minuti
CALORIE: 320
MACRONUTRIENTI: CARBOIDRATI: 4 GR; PROTEINE:52 GR; GRASSI:1 GR

INGREDIENTI PER 2 PERSONE

- Un petto di pollo da 400 gr
- 2 ciuffi di prezzemolo
- 1 arancia
- Due foglie di menta
- 2 foglie di salvia
- Olio di oliva q.b.
- Sale e pepe q.b.

PREPARAZIONE

1. Lavate e asciugate il petto di pollo, togliete grasso e se presenti gli ossicini e poi tagliatelo a metà.
2. Lavate e asciugate il prezzemolo, la menta e la salvia.
3. Lavate e asciugate l'arancia, prelevate la scorza e filtrate il succo in una ciotola.
4. Mettete in un pentolino la scorza di arancia, la salvia e un ciuffo di prezzemolo. Portate ad ebollizione e poi aggiungete un po' di sale e i petti di pollo e fateli cuocere per 30 minuti.
5. Passati i 30 minuti, scolate il pollo e tenete da parte il fondo di cottura.
6. Mettete all'interno di un mixer l'altro ciuffo di prezzemolo, la menta, un mestolo di fondo di cottura, il succo di arancia e un po' di olio e frullate il tutto.
7. Tagliate il pollo a fettine e mettetelo nei piatti da portata. Cospargetelo con la salsa verde e servite.

Spiedini di tacchino speziato e mango

TEMPO DI PREPARAZIONE:20 minuti
TEMPO DI COTTURA:12-15 minuti
CALORIE: 180
MACRONUTRIENTI: CARBOIDRATI:7 GR; PROTEINE: 38 GR; GRASSI:1 GR

INGREDIENTI PER 2 PERSONE

- 250 gr di fesa di tacchino
- Un cucchiaino di cannella in polvere
- Un mango
- 2 chiodi di garofano
- Olio di oliva q.b.
- Sale e pepe q.b.

PREPARAZIONE

1. Togliete il grasso in eccesso al tacchino, poi lavatelo, asciugatelo e tagliatelo a cubetti.
2. Mettete i cubetti di tacchino in una ciotola e conditeli con olio, sale, pepe, i chiodi di garofano e la cannella.
3. Mescolate e amalgamate bene per insaporire il tacchino.
4. Fate cuocere il tacchino a vapore per 12 minuti.
5. Controllate la cottura e se non è ancora cotto continuate per altri 3 minuti.
6. Appena sarà cotto, mettete i cubetti di tacchino in un piatto.
7. Sbucciate il mango, lavatelo e tagliatelo a cubetti.
8. Prendete degli stecchini per spiedini e formate degli spiedini alternando i cubetti di mango con il tacchino.
9. Mettete gli spiedini nei piatti da portata contornati con insalata verde e servite.

Fettine di tacchino all'arancia

TEMPO DI PREPARAZIONE:10 minuti
TEMPO DI COTTURA:15 minuti
CALORIE: 250
MACRONUTRIENTI: CARBOIDRATI:6 GR; PROTEINE: 41 GR; GRASSI: 1 GR

INGREDIENTI PER 2 PERSONE

- 4 fettine di petto di tacchino
- 2 rametti di rosmarino
- 1 arancia
- 1 limone
- 30 ml di aceto di mele
- Sale e pepe q.b.
- Olio di oliva q.b.

PREPARAZIONE

1. Battete le fette di tacchino con un batticarne per renderle più sottili e omogenee e poi lavatele sotto acqua corrente e asciugatele
2. Spennellate una teglia con olio di oliva e mettete le fettine di tacchino all'interno, conditele con sale e pepe.
3. Spremete l'arancia e il limone e poi coprite il tacchino con il succo degli agrumi filtrato.
4. Lavate e asciugate il rosmarino e poi prelevate gli aghi e metteteli sul tacchino.
5. Finite di cospargere la carne con l'aceto di mele e fate cuocere in forno a 200° per 15 minuti.
6. Appena il tacchino sarà pronto, togliete la teglia dal forno e lasciate la carne riposare per un paio di minuti.
7. Mettete la carne nei piatti da portata, cospargetela con il fondo di cottura e servite.

Spezzatino di tacchino con i funghi

TEMPO DI PREPARAZIONE:20 minuti
TEMPO DI COTTURA:15 minuti
CALORIE: 210
MACRONUTRIENTI: CARBOIDRATI:14 GR; PROTEINE:29 GR; GRASSI: 1 GR

INGREDIENTI PER 2 PERSONE

- 300 gr di fesa si tacchino
- 1 pomodoro grande maturo
- 100 gr di funghi champignon
- 200 gr di pisellini
- Un ciuffo di prezzemolo
- Sale e pepe q.b.
- Olio di oliva q.b.

PREPARAZIONE

1. Lavate e asciugate la fesa di tacchino e poi tagliatela a cubetti.
2. Togliete la parte terrosa ai funghi, lavateli asciugateli e tagliateli a fettine.
3. Lavate il pomodoro e poi tagliatelo a cubetti.
4. Sgranate i pisellini, lavateli e poi scolateli.
5. Mettete un po' di olio in una casseruola e fate rosolare i funghi e il pomodoro. Mescolate e poi aggiungete i cubetti di tacchino.
6. Fate insaporire per 5 minuti e poi aggiungete i pisellini.
7. Aggiungete un bicchiere di acqua e fate cuocere per 15 minuti.
8. Nel frattempo, lavate e asciugate il prezzemolo e poi tritatelo.
9. Appena lo spezzatino sarà cotto, spegnete e aggiungete il prezzemolo tritato. Mescolate amalgamate bene e poi mettete nei piatti e servite.

Spezzatino di vitello con verdure

TEMPO DI PREPARAZIONE:15 minuti
TEMPO DI COTTURA:30 minuti
CALORIE: 380
MACRONUTRIENTI: CARBOIDRATI: 16 GR; PROTEINE: 38 GR; GRASSI:7 GR

INGREDIENTI PER 2 PERSONE

- 300 gr di polpa magra di vitello
- 1 carota di piccole dimensioni
- 1 zucchina
- 1 costa di sedano
- Mezza cipolla
- 50 gr di passata di pomodoro
- un cucchiaino di timo essiccato
- Sale e pepe q.b.
- Olio di oliva q.b.

PREPARAZIONE

1. Sbucciate la cipolla, lavatela e poi tritatela.
2. Togliete il gambo al sedano, i filamenti bianchi e poi lavatelo e tagliatelo a pezzettini.
3. Spuntate le carote e la zucchina, sbucciatele, lavatele e poi tagliate a cubetti.
4. Lavate e asciugate la polpa di vitello.
5. In un tegame fate riscaldare un filo di olio di oliva. Appena calda fate appassire la cipolla per un paio di minuti.
6. Aggiungete adesso il sedano e la carota e mescolate. Fate cuocere per 2 minuti e poi aggiungete la polpa di vitello.
7. Mescolate, regolate di sale e pepe e poi aggiungete la passata di pomodoro e il timo.
8. Aggiungete un bicchiere di acqua,

coprite con un coperchio e fate cuocere per 15 minuti.
9. Mettete adesso le zucchine, aggiungete un altro bicchiere di acqua e fate cuocere per altri 15 minuti.
10. Appena pronto, mettete lo spezzatino nei piatti da portata e servite subito.

Filetto di vitello alla pizzaiola

TEMPO DI PREPARAZIONE:15 minuti
TEMPO DI COTTURA: 25 minuti
CALORIE: 310
MACRONUTRIENTI: CARBOIDRATI: 6 GR; PROTEINE: 49 GR; GRASSI:2 GR

INGREDIENTI PER 2 PERSONE
- 2 filetti di vitello da 200 gr ciascuno
- 200 gr di pomodori pelati
- 1 spicchio d'aglio
- Origano essiccato q.b.
- Sale e pepe q.b.
- Olio di oliva q.b.

PREPARAZIONE
1. Lavate e asciugate il filetto di vitello.
2. Sbucciate l'aglio, lavatelo, asciugatelo e poi tagliatelo a fettine sottili.
3. Spennellate una teglia con dell'olio di oliva, adagiate sul fondo la carne e poi cospargetela con il pomodoro pelato.
4. Condite con olio, sale e pepe e poi mettete sopra il pomodoro le fettine di aglio e l'origano essiccato.
5. Fate cuocere a 180° per 25 minuti.
6. Una volta cotto, togliete la teglia dal forno, lasciate la carne riposare per 5 minuti e poi servite la carne cosparsa con il fondo di cottura.

Filetto di vitello con salsa ai porri

TEMPO DI PREPARAZIONE:15 minuti
TEMPO DI COTTURA: 20 minuti
CALORIE: 320
MACRONUTRIENTI: CARBOIDRATI: 8 GR; PROTEINE: 54 GR; GRASSI:2 GR

INGREDIENTI PER 2 PERSONE
- 2 filetti da 200 gr ciascuno
- 200 ml di brodo di carne
- 2 porri
- Sale e pepe q.b.
- Olio di oliva q.b.
- 2 rametti di timo
- 2 rametti di rosmarino

PREPARAZIONE
1. Lavate e asciugate il filetto di vitello.
2. Lavate e asciugate timo e rosmarino.
3. Togliete il gambo e le foglie esterne più dure, poi lavateli e tagliateli a rondelle.
4. Prendete una padella e mettete a riscaldare dell'olio. Fate rosolare il filetto due minuti per parte, regolate di sale e pepe e poi toglietelo.
5. Aggiungete adesso le erbe aromatiche e poi i porri.
6. Fate saltare il tutto per 3 minuti, regolate di sale e pepe e poi aggiungete il brodo di carne.
7. Fate cuocere per 15 minuti a fuoco medio.
8. Quando saranno passati i 15 minuti,

aggiungete il filetto e fate cuocere per altri 5 minuti, girando la carne una sola volta.
9. Prendete i piatti, mettete il filetto, cospargete con la salsa ai porri e servite.

Filetto di manzo con carciofi

TEMPO DI PREPARAZIONE: 30 minuti
TEMPO DI COTTURA: 20minuti
CALORIE: 245
MACRONUTRIENTI: CARBOIDRATI: 6 GR; PROTEINE: 31 GR; GRASSI:4 GR

INGREDIENTI PER 2 PERSONE

- 2 filetti di manzo da 150 gr ciascuno
- Un 'arancia
- 2 carciofi
- 3 foglie di salvia
- Sale e pepe q.b.
- Olio di oliva q.b.

PREPARAZIONE

1. Iniziate con i carciofi. Togliete il gambo e le foglie più dure. Tagliateli a metà togliete la barbetta, tagliateli a spicchi e metteteli a lavare in una ciotola con acqua e succo di limone.
2. Spennellate una teglia con dell'olio e poi mettete all'interno i carciofi. Conditeli con olio, sale e pepe e poi fate cuocere a 200° per 20 minuti.
3. Lavate e asciugate il filetto di manzo.
4. Lavate le foglie di salvia.
5. Mettete a scaldare un filo di olio di oliva e poi fate rosolare le foglie di salvia per un paio di minuti.
6. Mettete adesso i filetti e fateli cuocere un paio di minuti per parte.
7. Spremete il succo di arancia, filtratelo e poi mettetelo nella padella con la carne.
8. Regolate di sale e pepe, fate insaporire la carne per 5 minuti e poi spegnete.

Lonza di maiale con carote

TEMPO DI PREPARAZIONE:20 minuti
TEMPO DI COTTURA: 45 minuti
CALORIE: 214
MACRONUTRIENTI: CARBOIDRATI: 12 GR; PROTEINE: 29 GR; GRASSI: GR 5

INGREDIENTI PER 2 PERSONE

- 250 gr di lonza di maiale
- 2 carote
- 1 scalogno
- 2 rametti di rosmarino
- 250 ml di brodo di carne
- olio di oliva q.b.
- sale e pepe q.b.

PREPARAZIONE

1. Sbucciate le carote, lavatele, asciugatele e poi tagliatele a rondelle.
2. Sbucciate lo scalogno e poi tritatelo.
3. Lavate e asciugate il rosmarino.
4. Lavate e asciugate la lonza di maiale.
5. Spennellate una teglia con dell'olio e poi mettete all'interno lo scalogno, le carote e la lonza di maiale.
6. Condite con sale, pepe e olio di oliva,

aggiungete anche il rosmarino e il brodo e mettete in forno a 180° per 45 minuti, bagnando di tanto in tanto la lonza con il brodo.

7. Appena cotta, sfornate la lonza e lasciatela riposare su un tagliere per 5 minuti e poi tagliatela a fettine.
8. Mettete sul fondo dei piatti da portata le carote e lo scalogno e mettete sopra le fettine di lonza.
9. Cospargete il tutto con il fondo di cottura e servite.

Lonza di maiale a vapore con semi di finocchio

TEMPO DI PREPARAZIONE:15 minuti
TEMPO DI COTTURA: 20 minuti
CALORIE: 250
MACRONUTRIENTI: CARBOIDRATI:12 GR; PROTEINE: 34 GR; GRASSI:3 GR

INGREDIENTI PER 2 PERSONE

- Una lonza di maiale da 300 gr
- Semi di finocchio q.b.
- La scorza di un'arancia
- 1 rametto di timo
- 2 foglie di salvia
- Sale e pepe q.b.
- Olio di oliva q.b.

PREPARAZIONE

1. Togliete il grasso in eccesso alla lonza, poi lavatela sotto acqua corrente e asciugatela con carta assorbente.
2. Lavate e asciugate la scorza di arancia il timo e la salvia.
3. Prendete la base della vaporiera e riempitela con acqua. Mettete all'interno le erbe aromatiche, la scorza di arancia e il pepe.
4. Quando l'acqua giungerà ad ebollizione, mettete nel cestello della vaporiera la lonza, spolverizzatela con del sale e poi copritela con i semi di finocchio.
5. Fate cuocere la lonza, con il coperchio, per 20 minuti.
6. Passato il tempo di cottura, togliete la carne dal cestello e mettetela su un tagliere.
7. Tagliate la lonza a fettine, mettetela nei piatti da portata e servite cosparsa con un filo di olio di oliva a crudo.

Orata con zucchine

TEMPO DI PREPARAZIONE:20 minuti
TEMPO DI COTTURA:15-20 minuti
CALORIE: 198
MACRONUTRIENTI: CARBOIDRATI: 4 GR; PROTEINE: 25 GR; GRASSI:3 GR

INGREDIENTI PER 2 PERSONE

- 2 filetti di orata da 150 gr ciascuno
- 1 limone
- 1 ciuffo di prezzemolo
- 2 zucchine
- 20 gr di zenzero grattugiato
- Sale e pepe q.b.
- Olio di oliva q.b.

PREPARAZIONE

1. Togliete dai filetti di orata, se ancora presenti le lische, poi lavateli accuratamente e asciugateli con carta assorbente.
2. Mettete i filetti su un tagliere e con un coltello incidente la pelle del pesce.
3. Spuntate le zucchine, sbucciatele, lavatele, tagliatele a metà in senso verticale e poi privatele dei semi. Adesso tagliatele a cubetti.
4. Lavate e asciugate il prezzemolo e poi tritatelo.
5. Lavate e asciugate il limone, poi grattugiate la scorza e filtratene il succo in una ciotola.
6. Mettete nella ciotola con il succo di limone anche la scorza, le zucchine e il prezzemolo.
7. Mescolate e amalgamate bene.
8. Aggiungete adesso lo zenzero grattugiato e mescolate ancora. Regolate di sale e pepe.
9. Spennellate una teglia con dell'olio e mettete nel fondo della teglia le zucchine.
10. Adagiate sopra i filetti di orata. Condite il pesce con un po' di olio di oliva e un pizzico di sale e pepe e poi fate cuocere in forno a 180° per 15 minuti.
11. Controllate il pesce e se è cotto, sfornate, altrimenti continuate la cottura per altri 5 minuti.
12. Quando la cottura sarà terminata, sfornate, mettete le zucchine sul fondo del piatto e adagiate sopra l'orata. Potete servire.

Filetti di merluzzo a vapore con pomodorini

TEMPO DI PREPARAZIONE:15 minuti
TEMPO DI COTTURA:6-8 minuti
CALORIE: 186
MACRONUTRIENTI: CARBOIDRATI: 10 GR; PROTEINE: 23 GR; GRASSI:8 GR

INGREDIENTI PER 2 PERSONE

- 2 filetti di merluzzo da 200 gr ciascuno
- 2 rametti di rosmarino

- 2 rametti di timo
- 100 gr di pomodorini ciliegia
- 1 limone
- Sale e pepe q.b.

PREPARAZIONE

1. Togliete, se sono presenti le lische al merluzzo aiutandovi con una pinzetta per pesci.
2. Lavate i filetti di pesce sotto acqua corrente e poi asciugateli con carta assorbente.
3. Lavate il timo e il rosmarino.
4. Lavate e asciugate il limone e poi prelevatene la scorza.
5. Lavate e asciugate i pomodorini.
6. Preparate quindi la vaporiera, o in alternativa una pentola con uno scolapasta.
7. Riempite la vaporiera fino a metà con l'acqua e appena inizierà a fare le bollicine aggiungete, il pepe, i rametti di rosmarino e timo e la scorza di limone.
8. Appena l'acqua giunge a bollore, mettete nel cestello o sullo scolapasta, il merluzzo e i pomodorini.
9. Fate cuocere per 6 minuti. Controllate la cottura e se non ancora cotto, continuate fino a quando il pesce non sarà bianco e morbido.
10. Appena cotto, spegnete il fuoco, togliete il cestello e mettete il pesce e i pomodorini nei piatti da portata e servite.

Filetti di trota al vapore di tè

TEMPO DI PREPARAZIONE:20 minuti
TEMPO DI COTTURA:15-20 minuti
CALORIE: 190
MACRONUTRIENTI: CARBOIDRATI: 1 GR; PROTEINE: 26 GR; GRASSI: 7 GR

INGREDIENTI PER 2 PERSONE

- 2 filetti di trota salmonata da 200 gr ciascuna
- 1 limone verde
- 2 bustine di tè verde
- 5 foglie di limone
- 3 foglie di salvia
- Olio di oliva q.b.
- Sale e pepe q.b.

PREPARAZIONE

1. Lavate e asciugate il limone e poi tagliatelo a rondelle.
2. Togliete se presenti le lische ai filetti di trota, poi lavateli e asciugateli.
3. Lavate e asciugate la salvia e le foglie di limone.
4. Preparate la vaporiera. Mettete l'acqua fino a metà e fatela riscaldare.
5. Appena inizierà a fare le prime bollicine aggiungete le foglie di limone, la salvia, un po' di pepe e il contenuto delle due bustine di tè.
6. Portate a bollore e poi mettete nel cestello i filetti di trota e le rondelle di limone.

7. Coprite il cestello e fate cuocere per 15 minuti.
8. Controllate la cottura e se la trota non è ancora cotta continuate per un altro paio di minuti.
9. Appena cotta, togliete il cestello dalla vaporiera, condite il pesce con un po' di sale e olio a crudo e servite.

Insalata di calamari

TEMPO DI PREPARAZIONE:30 minuti+60 minuti di riposo delle vongole

TEMPO DI COTTURA:30 minuti

CALORIE: 319

MACRONUTRIENTI: CARBOIDRATI: 16 GR; PROTEINE: 29 GR; GRASSI:5 GR

INGREDIENTI PER 2 PERSONE

- 200 gr di calamari
- Uno scalogno
- Una carota
- Una foglia di salvia
- Un chiodo di garofano
- 50 ml di aceto di mele
- 400 gr di vongole
- 2 ciuffi di prezzemolo
- Un peperone rosso e uno verde
- Olio di oliva q.b.
- Sale e pepe q.b.

PREPARAZIONE

1. Pulite i calamari, togliendo la testa e i tentacoli, la penna cartilaginea e eliminando la pelle incidendo il mantello e poi tirando. Lavateli accuratamente sotto acqua corrente e poi tagliateli ad anelli.
2. Lavate le vongole in una ciotola colma di acqua e sale facendole spurgare per un'ora.
3. Lavate e asciugate i peperoni, tagliateli a metà ed eliminate il picciolo, i semi e i filamenti laterali, poi tagliateli a striscioline.
4. Sbucciate la carota e lo scalogno, lavateli e poi tritateli.
5. Lavate e asciugate la salvia.
6. Prendete una padella e fate soffriggere la carota e lo scalogno e poi aggiungete il chiodo di garofano, la salvia e infine gli anelli di calamaro.
7. Aggiungete un po' di acqua e l'aceto e fate cuocere a fiamma moderata, coperti con il coperchio per 30 minuti.
8. In un'altra padella fate soffriggere per un minuto il prezzemolo e poi aggiungete le vongole.
9. Quando si saranno tutte aperte, spegnete, eliminate i gusci e metteteli in una insalatiera assieme al fondo di cottura filtrato.
10. Appena i calamari saranno cotti, scolateli e lasciateli raffreddare. Mettete un cucchiaio del loro fondo di cottura nell'insalatiera con le vongole.
11. Appena si saranno raffreddati mettete i calamari nell'insalatiera con le vongole.
12. Aggiungete i peperoni e mescolate.
13. Condite con un po' di olio sale e

pepe, amalgamate bene e servite.

Filetti di merluzzo al prezzemolo

TEMPO DI PREPARAZIONE:20 minuti
TEMPO DI COTTURA:15 minuti
CALORIE: 149
MACRONUTRIENTI: CARBOIDRATI: 3 GR; PROTEINE:16 GR; GRASSI:2 GR

INGREDIENTI PER 2 PERSONE

- 300 gr di filetto di merluzzo
- 1 spicchio d'aglio
- 1 ciuffo di prezzemolo
- 2 foglie di alloro
- 1 rametto di timo
- Olio di oliva q.b.
- Sale e pepe q.b.

PREPARAZIONE

1. Preparate la vaporiera o in alternativa una pentola con uno scolapasta.
2. Mettete nella pentola dell'acqua e riempitela fino a metà.
3. Mettete l'acqua a riscaldare.
4. Nel frattempo, sbucciate l'aglio e poi lavatelo.
5. Lavate il limone e poi tagliatelo a rondelle.
6. Lavate alloro e timo.
7. Lavate e asciugate il prezzemolo e poi tritatelo.
8. Togliete se presenti le lische dal merluzzo e poi lavatelo e asciugatelo.
9. Appena inizieranno ad apparire le prime bollicine nell'acqua mettete all'interno l'aglio, il limone, il pepe, l'alloro e il rosmarino.
10. Adagiate il merluzzo nel cestello, spolverizzatelo con un po' di sale e poi cospargetelo con il prezzemolo tritato.
11. Appena l'acqua bolle mettete il cestello sopra la pentola e copritelo con un coperchio.
12. Fate cuocere per 15 minuti.
13. Appena sarà cotto, mettete il merluzzo in un piatto da portata, condite con un filo di olio e servite.

Pesce spada al vapore con zucchine e pomodori

TEMPO DI PREPARAZIONE:20 minuti
TEMPO DI COTTURA:15-20 minuti
CALORIE: 280
MACRONUTRIENTI: CARBOIDRATI:15 GR; PROTEINE: 21 GR; GRASSI: 2 GR

INGREDIENTI PER 2 PERSONE

- 2 tranci di pesce spada da 200 gr ciascuno
- 1 limone
- 1 zucchina
- 2 pomodori maturi
- 1 ciuffo di prezzemolo tritato
- 3 foglie di menta tritate
- 1 rametto di rosmarino
- Olio di oliva q.b.

- Sale e pepe q.b.

PREPARAZIONE

1. Lavate e asciugate i tranci di pesce spada e poi metteteli nel cestello della vaporiera.
2. Spuntate la zucchina, sbucciatela, tagliatela a metà, togliete i semi, poi lavatela, asciugatela e tagliatela a cubetti.
3. Lavate i pomodori e poi tagliateli a spicchi.
4. Lavate e asciugate il limone e poi tagliatelo a rondelle.
5. Lavate e asciugate il rosmarino.
6. Prendete la pentola della vaporiera, o in alternativa una pentola normale e riempitela per metà con acqua fredda.
7. Mettetela all'interno le rondelle di limone e il rosmarino.
8. Nel frattempo, mettete nel cestello anche la zucchina e i pomodori, spolverizzate con sale e pepe e cospargete il tutto con la menta e il prezzemolo tritati.
9. Appena l'acqua bolle, aggiungete il cestello e copritelo con un coperchio.
10. Fate cuocere per 15 minuti.
11. Passati i 15 minuti controllate la cottura del pesce e se non è ancora cotto proseguite per altri 5 minuti.
12. A cottura ultimata, trasferite il pesce nei piatti da portata, contornateli con le verdure condite con un filo di olio e servite.

Spiedini di pesce spada e salmone

TEMPO DI PREPARAZIONE:20 minuti

TEMPO DI COTTURA:15 minuti

CALORIE: 302

MACRONUTRIENTI: CARBOIDRATI: 8 GR; PROTEINE: 36 GR; GRASSI:12 GR

INGREDIENTI PER 2 PERSONE

- 1 fetta di pesce spada da 200 gr
- 1 peperone giallo
- 150 gr di filetto di salmone
- Mezza zucchina
- 1 rametto di timo
- 1 rametto di rosmarino
- 2 foglie di salvia
- 1 limone
- Sale e pepe q.b.
- Olio di oliva q.b.

PREPARAZIONE

1. Lavate e asciugate il pesce spada, togliete la pelle e poi tagliatelo a cubetti.
2. Togliete lische e pelle al salmone, poi lavatelo, asciugatelo e tagliatelo a cubetti.
3. Togliete il torsolo i semi e i filamenti bianchi al peperone, lavatelo e poi tagliatelo a quadratini.
4. Spuntate la zucchina, lavatela e poi tagliatela a rondelle.
5. Prendete gli stecchini per gli spiedini e mettete prima il pesce spada, poi il peperone, poi il

salmone e infine la zucchina e continuate così fino a quando non avrete esaurito gli ingredienti.
6. Prendete una teglia e spennellatela con olio di oliva
7. Lavate e asciugate salvia, timo e rosmarino e metteteli nella teglia.
8. Aggiungete adesso gli spiedini, conditeli con sale, pepe, olio di oliva e succo di limone filtrato e fate cuocere in forno a 180° per 15 minuti.
9. Appena saranno cotti, toglieteli dal forno, metteteli nei piatti da portata e servite ancora caldi.

Pesce spada in crosta di erbe e pistacchi

TEMPO DI PREPARAZIONE:15 minuti
TEMPO DI COTTURA:12 minuti
CALORIE: 300
MACRONUTRIENTI: CARBOIDRATI: 6 GR; PROTEINE: 35 GR; GRASSI:10GR

INGREDIENTI PER 2 PERSONE

- 2 tranci di pesce spada da 200 gr ciascuno
- 1 rametto di timo
- 1 rametto di rosmarino
- Un ciuffo di prezzemolo
- 2 foglie di salvia
- Un limone
- 40 gr di granella di pistacchi
- Sale e pepe q.b.
- Olio di oliva q.b.

PREPARAZIONE

1. Lavate e asciugate timo, rosmarino, prezzemolo e salvia. Prelevate gli aghi dal timo e dal rosmarino e poi tritateli il più finemente possibile.
2. Lavate e asciugate il limone e poi grattugiate la scorza in una ciotola.
3. Mettete nella ciotola anche le erbe aromatiche tritate. La granella di pistacchi, olio, sale e pepe e mescolate.
4. Lavate e asciugate il pesce spada.
5. Spennellate una teglia con dell'olio di oliva e poi mettete il pesce.
6. Conditelo con sale e pepe e poi distribuite sopra il trito di erbe e pistacchi.
7. Mettete in forno e fate cuocere a 180° per 12 minuti.
8. Appena il pesce sarà cotto, sfornatelo e servitelo subito.

Salmone al vapore in crosta di mandorle

TEMPO DI PREPARAZIONE:20 minuti
TEMPO DI COTTURA:8 minuti
CALORIE: 276
MACRONUTRIENTI: CARBOIDRATI:2 GR; PROTEINE:28 GR; GRASSI:10 GR

INGREDIENTI PER 2 PERSONE

- 300 gr di filetto di salmone

- 25 gr di mandorle
- La scorza di mezza arancia
- due ciuffi di prezzemolo
- Due rametti di aneto
- 1 rametto di timo
- Sale e pepe q.b.
- Olio di oliva q.b.

PREPARAZIONE

1. Lavate e asciugate il filetto di salmone, togliete se ancora presenti le lische, e poi tagliatelo in 4 pezzi.
2. Prendete una vaporiera o in alternativa una pentola normale e riempitela fino a metà con dell'acqua.
3. Lavate e asciugate la scorza di arancia, un ciuffo di prezzemolo, l'aneto e il timo e poi inseriteli nella pentola.
4. Nel frattempo, mettete i filetti di salmone nel cestello e conditeli con sale e pepe.
5. Appena l'acqua bolle mettete il cestello e copritelo con il coperchio.
6. Fate cuocere per 8 minuti.
7. Mentre il salmone cuoce tostate le mandorle.
8. Prendete una padella e fate tostare le mandorle per un paio di minuti, mescolandole per non farle bruciare.
9. Lavate l'atro ciuffo di prezzemolo, tritatelo e poi mettetelo in una ciotola con un cucchiaio di olio di oliva. Mescolate e amalgamate bene.
10. Appena il salmone sarà cotto, toglietelo dal cestello e mettetelo nei piatti da portata.
11. Mettete sopra le mandorle tostate e poi cospargete il tutto con l'olio al prezzemolo e servite.

Salmone marinato all'aceto di mele

TEMPO DI PREPARAZIONE:20 minuti+3 ore di marinatura

CALORIE: 370

MACRONUTRIENTI: CARBOIDRATI: 7 GR; PROTEINE: 21 GR; GRASSI:11 GR

INGREDIENTI PER 2 PERSONE

- 1 filetto di salmone da 400 gr
- 1 cipolla viola
- 2 ciuffi di prezzemolo
- 300 ml di aceto di mele
- sale e pepe q.b.
- olio di oliva q.b.

PREPARAZIONE

1. Togliete la pelle e le lische al filetto di salmone, poi lavatelo e asciugatelo. Tagliatelo adesso in tante fettine sottili.
2. Mettete le fettine in una pirofila, conditele con sale e pepe e poi ricopritele con l'aceto di mele.
3. Coprite la pirofila con carta alluminio e trasferite in frigo a marinare per 3 ore.
4. Passate le 3 ore togliete la pirofila

dal frigo.
5. Sbucciate la cipolla, lavatela e poi tagliatela a fettine.
6. Lavate il prezzemolo e poi tritatelo.
7. Mettete in un'altra pirofila un filo di olio e spennellatelo in modo da ricoprire tutta la superficie.
8. Mettete sul fondo uno strato di salmone, mettete sopra le cipolle e il prezzemolo e condite con un po' di marinatura.
9. Ripetete la stessa operazione fino ad esaurimento degli ingredienti.
10. Finita l'operazione, mettete la pirofila in tavola e servite.

Filetto di salmone in guazzetto

TEMPO DI PREPARAZIONE: 15 minuti
TEMPO DI COTTURA:15 minuti
CALORIE: 308
MACRONUTRIENTI: CARBOIDRATI: 7 GR; PROTEINE: 28 GR; GRASSI:18 GR

INGREDIENTI PER 2 PERSONE

- 2 filetti di salmone da 200 gr ciascuno
- 8 pomodorini
- 1 spicchio di aglio
- Un cucchiaino di capperi
- Peperoncino tritato q.b.
- Un ciuffo di prezzemolo
- Sale e pepe q.b.
- Olio di oliva q.b.

PREPARAZIONE

1. Controllate che non siano presenti lische nel salmone altrimenti eliminatele aiutandovi con una pinzetta da cucina.
2. Lavate i filetti sotto acqua corrente e poi asciugateli.
3. Sbucciate l'aglio, lavatelo e asciugatelo.
4. Lavate e asciugate i pomodorini e poi tagliateli a metà.
5. Prendete una padella e mettete a riscaldare un filo di olio di oliva.
6. Mettete a dorare l'aglio e appena sarà giunto a doratura eliminatelo e mettete i capperi strizzati e il peperoncino tritato.
7. Fate insaporire un paio di minuti e poi aggiungete il salmone.
8. Rosolate il salmone un paio di minuti per lato, partendo dal lato della pelle.
9. Mettete adesso i pomodorini e un po' di acqua. Fate cuocere per 10 minuti, regolate di sale e poi spegnete.
10. Lavate e asciugate il prezzemolo e poi tritatelo.
11. Adagiate il salmone nei piatti da portata, aggiungete i pomodorini, cospargete con il fondo di cottura e il prezzemolo tritato e servite.

Gamberoni e pomodorini

TEMPO DI PREPARAZIONE:15 minuti
TEMPO DI COTTURA:15 minuti

CALORIE: 180

MACRONUTRIENTI: CARBOIDRATI: 5 GR; PROTEINE: 14 GR; GRASSI:8 GR

INGREDIENTI PER 2 PERSONE

- 300 gr di gamberoni
- 1 peperoncino
- 200 gr di pomodorini
- 1 aglio
- 1 ciuffo di prezzemolo
- Sale e pepe q.b.
- Olio di oliva q.b.

PREPARAZIONE

1. Sgusciate i gamberoni, togliete il filamento nero e poi lavateli accuratamente sotto acqua corrente e asciugateli.
2. Lavate e asciugate i pomodorini e poi tagliateli a metà.
3. Sbucciate l'aglio, lavatelo e asciugatelo.
4. Mettete a riscaldare un filo di olio di oliva in una padella e poi fate dorare l'aglio.
5. Appena sarà dorato, toglietelo e mettete il peperoncino tritato, mescolate per insaporire bene e poi mettete i gamberoni.
6. Fateli rosolare un minuto per lato, e poi aggiungete i pomodorini e mezzo bicchiere di acqua.
7. Fate cuocere per 10 minuti, poi regolate di sale e pepe e spegnete.
8. Lavate e asciugate il prezzemolo e poi tritatelo.
9. Mettete i gamberoni e i pomodorini nei piatti, irrorateli con il fondo di cottura e poi cospargete il tutto con il prezzemolo e servite.

Insalata di gamberoni e mango

TEMPO DI PREPARAZIONE:20 minuti+ 60 minuti per la marinatura

TEMPO DI COTTURA:6 minuti

CALORIE: 165

MACRONUTRIENTI: CARBOIDRATI: 6 GR; PROTEINE: 21 GR; GRASSI: 1 GR

INGREDIENTI PER 2 PERSONE

- 6 gamberoni
- Mezzo mango
- 1 lime
- Erba cipollina q.b.
- 20 gr di zenzero in polvere
- Olio di oliva q.b.
- Sale e pepe q.b.
- 1 peperoncino
- aceto di mele q.b.

PREPARAZIONE

1. Sbucciate i gamberoni, togliete il filamento nero, e poi lavateli accuratamente sotto acqua corrente.
2. Metteteli in una ciotola e aggiungete lo zenzero, sale, pepe, olio di oliva e il succo filtrato del lime.
3. Mettete da parte a marinare per un'ora.
4. Nel frattempo, sbucciate il mango, togliete il nocciolo, lavatelo e poi

tagliatelo a cubetti.
5. Mettete il mango in una ciotola e conditelo con sale, peperoncino tritato, olio di oliva e aceto di mele. Mescolate per insaporire il tutto.
6. Passata l'ora, scaldate una griglia e poi grigliate i gamberoni per 6 minuti, girandoli una sola volta.
7. Appena saranno cotti trasferiteli nei piatti da portata, contornate con il mango e decorate con l'erba cipollina. Potete servire.

Filetto di salmone con trito aromatico

TEMPO DI PREPARAZIONE:20 minuti
TEMPO DI COTTURA:20 minuti
CALORIE: 335
MACRONUTRIENTI:
CARBOIDRATI:3 GR; PROTEINE: 34 GR; GRASSI:5 GR

INGREDIENTI PER 2 PERSONE

- 2 filetti di salmone da 200 gr ciascuno
- 100 gr di spinaci freschi
- 1 spicchio d'aglio
- 1 limone
- 1 rametto di rosmarino
- 1 rametto di timo
- 1 rametto di cerfoglio
- un ciuffo di prezzemolo
- Olio di oliva q.b.
- Sale e pepe q.b.

PREPARAZIONE

1. Togliete le lische ai filetti di salmone poi lavateli e asciugateli.
2. Sbucciate l'aglio e poi lavatelo. Tagliatelo a lamelle sottili.
3. Lavate e asciugate prezzemolo, rosmarino, timo e cerfoglio.
4. Mondate gli spinaci poi lavateli e asciugateli.
5. Tritate le foglie delle erbe aromatiche assieme agli spinaci.
6. Lavate e asciugate il limone, grattugiate la scorza e filtratene il succo in una ciotola.
7. Aggiungete nella ciotola un po' di scorza di limone e il trito di erbe aromatiche e spinaci.
8. Mescolate e amalgamate e poi aggiungete un cucchiaio di olio di oliva, sale e pepe e l'aglio tagliato a lamelle e mescolate ancora.
9. Spennellate una teglia, adagiate all'interno i filetti di salmone e poi coprite la superficie del pesce con il trito di erbe.
10. Fate cuocere in forno a 180° per 12 minuti.
11. Appena il pesce sarà cotto, sfornatelo, mettetelo nei piatti da portata, decorate con il resto della scorza di limone grattugiata e servite.

Gamberetti con salsa al melone

TEMPO DI PREPARAZIONE:10 minuti
TEMPO DI COTTURA: 5 minuti

CALORIE: 128

MACRONUTRIENTI: CARBOIDRATI: 6 GR; PROTEINE:20 GR; GRASSI:1 GR

INGREDIENTI PER 2 PERSONE

- Mezzo melone
- 500 gr di gamberetti
- 2 foglie di menta
- 2 foglie di salvia
- La scorza di un limone
- Un ciuffo di prezzemolo
- Sale e pepe q.b.
- Olio di oliva q.b.

PREPARAZIONE

1. Sgusciate i gamberetti, togliete il filamento nero e poi lavateli accuratamente sotto acqua corrente.
2. Metteteli nel cestello della vaporiera, o in uno scolapasta e spolverizzateli con un po' di sale.
3. Lavate la menta, la salvia, la buccia di limone e il prezzemolo.
4. Prendete la base della vaporiera, o in alternativa una pentola e mettete all'interno 300 ml di acqua. Mettete all'interno le erbe aromatiche, la buccia di limone e un po' di pepe e portate a bollore.
5. Mettete adesso il cestello con i gamberi e fateli cuocere per 5 minuti.
6. Nel frattempo, sbucciate il melone, lavate la polpa e poi tagliatela.
7. Mettete la polpa nel bicchiere del mixer, aggiungete un po' di olio, sale e pepe e frullatela.
8. Mettete sul fondo dei piatti la salsa al melone, distribuite sopra i gamberetti, decorate con erba cipollina tritata e servite.

Insalata con avocado, gamberetti e lime

TEMPO DI PREPARAZIONE:20 minuti

TEMPO DI COTTURA:5 minuti

CALORIE: 290

MACRONUTRIENTI: CARBOIDRATI: 4 GR; PROTEINE:26 GR; GRASSI: 15 GR

INGREDIENTI PER 2 PERSONE

- 200 gr di gamberetti
- 1 avocado piccolo
- 2 foglie di salvia
- 2 lime
- 60 gr di insalatina mista
- Olio di oliva q.b.
- Sale e pepe q.b.

PREPARAZIONE

1. Sgusciate i gamberetti, togliete il filamento nero e poi lavateli e asciugateli.
2. Lavate e asciugate le foglie di salvia.
3. Mettete una pentola con un dell'acqua, sale e salvia a bollire.
4. Appena bolle mettete i gamberetti a cuocere per 5 minuti, poi metteteli a scolare.
5. Tagliate a metà l'avocado, togliete il nocciolo, lavatelo asciugatelo e tagliatelo a cubetti.

6. Lavate e asciugate i lime, grattugiate la scorza e poi filtrate il succo nella ciotola con l'avocado.
7. Lavate e asciugate l'insalatina e mettetela nella ciotola con l'avocado.
8. Aggiungete i gamberi, condite con sale e pepe e poi mescolate per amalgamare bene.
9. Aggiungete la scorza di lime grattugiato e servite.

Vellutata di broccoli e scampi

TEMPO DI PREPARAZIONE:30 minuti
TEMPO DI COTTURA:15 minuti
CALORIE: 295
MACRONUTRIENTI:
CARBOIDRATI:11 GR; PROTEINE: 22 GR; GRASSI: 6 GR

INGREDIENTI PER 2 PERSONE

- 10 scampi
- 250 gr di broccolo romano
- 25 gr di pomodori secchi
- Uno spicchio d'aglio
- Olio di oliva q.b.
- Sale e pepe q.b.

PREPARAZIONE

1. Sbucciate l'aglio, lavatelo, tagliatelo a metà e mettetelo in una ciotola coperto di olio di oliva.
2. Togliete il gambo ai broccoli e tenete solo le cime. Lavatele sotto acqua corrente e poi cuocetele in acqua bollente salata per 15 minuti.
3. Nel frattempo, preparate gli scampi. Tagliateli a metà, e tenete solo le code. Lavate le code e asciugatele.
4. Riscaldate una griglia e grigliate le code di scampi per 5 minuti, condendole con un pizzico di sale e pepe.
5. Appena pronte mettetele da parte, tenendole comunque al caldo.
6. Quando le cime di broccoli saranno cotte, spegnete, regolate di sale e pepe e poi scolatele.
7. Mettete le cime in una ciotola con un po' di fondo di cottura e un filo di olio e con un mixer ad immersione, frullate fino a quando non otterrete una crema liscia e omogenea.
8. Scolate e asciugate i pomodorini secchi e poi tagliateli a pezzettini.
9. Mettete la vellutata di broccoli nei piatti da portata, aggiungete gli scampi e decorate con pezzettini di pomodori secchi.
10. Condite con un filo di olio che avete messo a marinare con l'aglio e servite.

Ricciola al vapore con verdure

TEMPO DI PREPARAZIONE:20 minuti
TEMPO DI COTTURA: 15 minuti
CALORIE: 302
MACRONUTRIENTI: CARBOIDRATI: 15 GR; PROTEINE: 26 GR;

GRASSI:2 GR

INGREDIENTI PER 2 PERSONE

- 2 tranci di ricciola da 150 gr ciascuno
- 2 carote
- 2 zucchine
- 1 rametto di timo
- 4 foglie di basilico
- Un ciuffo di prezzemolo
- 20 gr di zenzero in polvere
- Un limone
- Sale e pepe q.b.
- Olio di oliva q.b.

PREPARAZIONE

1. Lavate e asciugate i tranci di ricciola.
2. Spuntate le zucchine e le carote, sbucciatele e poi lavatele e tagliatele a cubetti.
3. Lavate e asciugate timo, basilico e prezzemolo.
4. Lavate il limone e poi tagliatelo a rondelle.
5. Prendete la base della vaporiera e riempitela fino a metà con acqua.
6. Aggiungete le erbe aromatiche, il limone e lo zenzero e portate ad ebollizione.
7. Mettete nel cestello il pesce e le verdure, conditeli con sale e pepe e quando l'acqua giunge ad ebollizione, fate cuocere per 15 minuti.
8. Appena il pesce sarà cotto, mettetelo nei piatti da portata insieme alle verdure, condite con olio di oliva a crudo e servite.

Sogliola al pepe rosa e lime

TEMPO DI PREPARAZIONE:20minuti
TEMPO DI COTTURA: 12 minuti
CALORIE: 260
MACRONUTRIENTI: CARBOIDRATI: 2 GR; PROTEINE:29 GR; GRASSI: 1 GR

INGREDIENTI PER 2 PERSONE

- 1 sogliola di 500 gr già pulita
- 2 lime
- Olio di oliva q.b.
- Sale q.b.
- Un ciuffo di prezzemolo
- Pepe rosa in grani q.b.

PREPARAZIONE

1. Lavate e asciugate la sogliola e se sono ancora presenti pelle e lische, provvedete ad eliminarle.
2. Lavate e asciugate il prezzemolo e tritatelo.
3. Prendete una teglia e spennellatela con olio di oliva.
4. Lavate e asciugate i due lime, grattugiate la scorza e spremete la polpa filtrando il succo all'interno della teglia.
5. Mettete sale e olio di oliva e mescolate con un cucchiaio di legno.
6. Mettete adesso la sogliola, spolverizzate con il prezzemolo e con il pepe rosa e fate cuocere in

forno per 12 minuti a 180°.
7. Appena la sogliola sarà cotta, tagliatela in due, mettetela nei piatti da portata e servite cosparsa con il fondo di cottura e la scorza dei lime grattugiata.

Carpaccio di branzino

TEMPO DI PREPARAZIONE:15minuti+60 minuti di riposo in freezer+ 30 minuti di marinatura
CALORIE: 190
MACRONUTRIENTI: CARBOIDRATI: 3 GR; PROTEINE: 25 GR; GRASSI:1 GR

INGREDIENTI PER 2 PERSONE

- Un filetto di branzino da 300 gr
- 1 limone
- 1 arancia
- Un ciuffo di prezzemolo
- Pepe verde in grani
- Olio di oliva q.b.
- Sale e pepe q.b.

PREPARAZIONE

1. Togliete la pelle e le lische al branzino. Lavate il filetto sotto acqua corrente
2. Fate abbattere in freezer per 60 minuti e poi tagliatelo a fettine sottili.
3. Lavate e asciugate il prezzemolo e poi tritatelo.
4. Mettete in una ciotola il succo filtrato del limone e dell'arancia.
5. Aggiungete olio, sale e pepe e il prezzemolo tritato e con una forchetta amalgamate bene.
6. Mettete i filetti di branzino in una pirofila e poi cospargeteli con l'emulsione e i grani di pepe verde.
7. Mettete in frigo a marinare per 30 minuti, poi toglietelo dal frigo, mettete nei piatti, cospargete con la marinatura e servite.

CAPITOLO 10- CONTORNI

Insalata di carote, pistacchi e limone

TEMPO DI PREPARAZIONE:10 minuti
CALORIE: 120
MACRONUTRIENTI:
CARBOIDRATI:5 GR; PROTEINE:10 GR; GRASSI: 6 GR

INGREDIENTI PER 2 PERSONE

- 1 limone
- 2 carote
- 30 gr di pistacchi tritati
- 4 cucchiai di yogurt greco
- Un cucchiaino di curcuma
- Sale e pepe q.b.
- Olio di oliva q.b.

PREPARAZIONE

1. Iniziate a preparare la salsa di accompagnamento.
2. Lavate e asciugate il limone, grattugiate la scorza dentro una ciotola, e poi tagliate a spicchi la polpa.
3. Mettete nella ciotola la scorza assieme alla curcuma, allo yogurt greco e un po' di olio, sale e pepe.
4. Mescolate e amalgamate bene tutti gli ingredienti con una forchetta.
5. Sbucciate adesso le carote, lavatele, asciugatele e poi tagliatele a rondelle.
6. Mettete le carote in un piatto, aggiungete gli spicchi di limone e condite con un filo di olio sale e pepe.
7. Cospargete con la granella di pistacchi, mettete al centro la salsa allo yogurt e servite.

Insalata con le uova sode

TEMPO DI PREPARAZIONE:10 minuti
TEMPO DI COTTURA:10 minuti
CALORIE: 208
MACRONUTRIENTI:
CARBOIDRATI:11 GR; PROTEINE: 14 GR; GRASSI:9 GR

INGREDIENTI PER 2 PERSONE

- 2 uova
- 10 foglie di lattuga
- 1 scalogno
- 1 cucchiaino di senape in polvere
- 2 cucchiai di aceto balsamico
- 2 pomodori maturi
- Sale e pepe q.b.
- Olio di oliva q.b.

PREPARAZIONE

1. Mettete un pentolino con un pieno di acqua a bollire e poi mettete le uova e fatele cuocere per 10 minuti.
2. Togliete le uova dal fuoco, raffreddatele sotto acqua corrente e poi sgusciatele.
3. Tagliate le uova a pezzettini e poi mettetele in un'insalatiera.

4. Lavate e asciugate le foglie di lattuga e poi tagliatele a pezzettini.
5. Lavate e asciugate i pomodori e poi tagliateli a cubetti.
6. Sbucciate lo scalogno, lavatelo e poi tritatelo.
7. Mettete la lattuga, i pomodori e lo scalogno nell'insalatiera con le uova.
8. In una ciotola amalgamate assieme la senape, l'aceto, sale e pepe e un cucchiaio di olio di oliva.
9. Mescolate l'insalata, conditela con l'emulsione alla senape e servite.

Insalata di radicchio e Quinoa

TEMPO DI PREPARAZIONE:15 minuti
TEMPO DI COTTURA:25 minuti
CALORIE: 345
MACRONUTRIENTI: CARBOIDRATI: 31 GR; PROTEINE:18 GR; GRASSI:7 GR

INGREDIENTI PER 2 PERSONE

- Mezzo cespo di radicchio
- 80 gr di Quinoa
- 30 gr di granella di pistacchi
- 20 ml di aceto di mele
- Sale e pepe q.b.
- Olio di oliva q.b.

PREPARAZIONE

1. Eliminate la base del radicchio e le foglie esterne, poi lavatelo, asciugatelo e tagliate le foglie a pezzetti.
2. Mettete un pentolino con acqua e sale e appena giunge a bollore, lessate la Quinoa seguendo le indicazioni riportate sulla confezione.
3. Appena la Quinoa è pronta scolatela e fatela raffreddare passandola sotto acqua corrente.
4. Mettete la Quinoa in una ciotola e poi aggiungete le foglie di radicchio. Mescolate e amalgamate bene il tutto.
5. In una ciotolina mettete l'aceto, l'olio, sale e pepe e mescolate il tutto con una forchetta.
6. Condite con l'emulsione l'insalata e poi cospargetela con la granella di pistacchi e servite.

Fagiolini e pisellini con granella di noci

TEMPO DI PREPARAZIONE:20 minuti
TEMPO DI COTTURA:30 minuti
CALORIE: 116
MACRONUTRIENTI: CARBOIDRATI: 12 GR; PROTEINE: 5 GR; GRASSI: 4 GR

INGREDIENTI PER 2 PERSONE

- 150 gr di fagiolini
- 100 gr di pisellini
- 1 spicchio d'aglio
- 30 gr di granella di noci
- Olio di oliva q.b.
- Sale e pepe q.b.

PREPARAZIONE

1. Spuntate i fagiolini, poi lavateli sotto acqua corrente.

2. Mettete acqua e sale in una pentola e quando giunge ad ebollizione, mettete all'interno i fagiolini.
3. Fate cuocere per 12 minuti.
4. Sgranate i pisellini, poi lavateli e quando saranno passati i 12 minuti aggiungeteli nella pentola con i fagiolini.
5. Fate cuocere per altri 5 minuti.
6. Appena sarà passato il tempo di cottura, scolate i pisellini e i fagiolini e tenete da parte un po' di acqua di cottura.
7. Sbucciate l'aglio e poi lavatelo.
8. Mettete a riscaldare un po' di olio di oliva e poi mettete a dorare l'aglio.
9. Appena sarà ben dorato aggiungete i pisellini e i fagiolini e togliete l'aglio.
10. Regolate di sale e pepe e dopo 2 minuti aggiungete un po' di liquido di cottura e la granella di noci.
11. Fate cuocere per 5 minuti, mescolando di tanto in tanto.
12. Mettete adesso i pisellini e i fagiolini nei piatti da portata e servite.

Asparagi al vapore con salsa all'uovo

TEMPO DI PREPARAZIONE:20 minuti
TEMPO DI COTTURA:12 minuti
CALORIE: 87
MACRONUTRIENTI: CARBOIDRATI: 2 GR; PROTEINE: 10 GR; GRASSI:7 GR

INGREDIENTI PER 2 PERSONE

- 200 gr di asparagi verdi
- 1 cipollotto
- 1 uovo sodo
- Un cucchiaino di senape
- 20 ml di aceto di mele
- Olio di oliva q.b.
- Sale e pepe q.b.
- Erba cipollina tritata q.b.

PREPARAZIONE

1. Prendete una vaporiera e riempitela a metà con dell'acqua, sale e pepe e portatela a bollore.
2. Mentre l'acqua si riscalda, togliete il gambo e la parte più dura degli asparagi e poi metteteli nel cestello della vaporiera.
3. Appena l'acqua bolle mettete il cestello con gli asparagi a cuocere per 12 minuti.
4. Mentre gli asparagi cuociono sgusciate l'uovo sodo e tagliatelo finemente.
5. Mettetelo in una ciotola e aggiungete sale, pepe, l'erba cipollina, la senape e l'aceto di mele.
6. Mescolate bene fino a quando tutti gli ingredienti non risultino ben amalgamati.
7. Appena cotti togliete gli asparagi dalla vaporiera e metteteli nei piatti da portata. Cospargeteli con la salsa all'uovo e servite.

Insalata di pomodori, avocado e scalogno

TEMPO DI PREPARAZIONE: 15 minuti
CALORIE: 365
MACRONUTRIENTI:
CARBOIDRATI:12 GR; PROTEINE:14 GR; GRASSI:22 GR

INGREDIENTI PER 2 PERSONE

- 1 avocado maturo
- 1 scalogno
- 1 limone
- 2 pomodori maturi
- 1 peperoncino
- Un cucchiaio di granella di pistacchio
- Sale q.b.
- Olio di oliva q.b.

PREPARAZIONE

1. Lavate i pomodori e poi tagliateli a cubetti e metteteli nell'insalatiera.
2. Sbucciate lo scalogno, lavatelo e poi tagliatelo a fettine sottili e mettetelo nell'insalatiera con il pomodoro.
3. Sbucciate l'avocado, dividetelo a metà, togliete il nocciolo e poi lavatelo e asciugatelo. Tagliatelo a dadini.
4. Mettete anche l'avocado con il resto delle verdure e poi aggiungete il peperoncino tritato.
5. Condite con sale, olio di oliva e il succo filtrato del limone.
6. Mescolate e amalgamate bene gli ingredienti, poi mettete nei piatti da portata e cospargete il tutto con la granella di pistacchi.

Melanzane alla pizzaiola

TEMPO DI PREPARAZIONE:10 minuti
TEMPO DI COTTURA:25 minuti
CALORIE: 143
MACRONUTRIENTI:
CARBOIDRATI:18 GR; PROTEINE: 10 GR; GRASSI:7 GR

INGREDIENTI PER 2 PERSONE

- Una melanzana di piccole dimensioni
- Mezza mozzarella
- 50 gr di passata di pomodoro
- Sale e pepe q.b.
- Olio di oliva q.b.
- Origano essiccato q.b.
- Qualche foglia di basilico per decorare

PREPARAZIONE

1. Lavate la melanzana, poi tagliatela a fettine e mettetela a scolare in uno scolapasta cosparsa di sale.
2. Prendete una teglia e spennellatela con olio di oliva.
3. Mettete le fette di melanzana all'interno, conditele con un filo di olio e pepe.
4. Fate cuocere le fette di melanzana in forno a 200° per 20 minuti.
5. Passati i 20 minuti, togliete la teglia

dal forno e mettetela su un piano.
6. Cospargete la superficie delle melanzane con la passata di pomodoro e poi mettete una fettina sottile di mozzarella su ogni fetta.
7. Cospargete con l'origano e rimettete in forno a cuocere per altri 5 minuti.
8. Appena sarà terminata la cottura, toglietele dal forno, mettetele nei piatti da portata e servite decorate con le foglie di basilico.

Zucchine e melanzane e peperoni con semi di sesamo

TEMPO DI PREPARAZIONE: 20 minuti
TEMPO DI COTTURA:20-25 minuti
CALORIE: 173
MACRONUTRIENTI:
CARBOIDRATI:11 GR; PROTEINE:5 GR; GRASSI:9 GR

INGREDIENTI PER 2 PERSONE
- 3 piccole zucchine
- 1 melanzane di piccole dimensioni
- 1 peperone giallo
- 1 peperoncino
- 100 ml di brodo vegetale
- Semi di sesamo q.b.
- Olio di oliva q.b.
- Sale e pepe q.b.

PREPARAZIONE
1. Spuntate le zucchine, lavatele e poi tagliatele a rondelle.
2. Lavate e asciugate la melanzana e poi tagliatela a cubetti.
3. Togliete semi, torsolo e filamenti bianchi al peperone, poi lavatelo, asciugatelo e tagliatelo a cubetti.
4. Prendete una teglia e spennellatela con olio di oliva.
5. Mettete all'interno le verdure, conditele con olio sale e pepe e mescolate con un cucchiaio di legno per insaporire bene.
6. Cospargete con il brodo vegetale e poi fate cuocere a 180° per 20 minuti.
7. Controllate la cottura e se non sono ancora ben cotte proseguite per altri 5 minuti.
8. Appena cotte, sfornate le verdure, mettetele nei piatti, aggiungete un po' di fondo di cottura e cospargetele con i semi di sesamo.

Zucchine ripiene di tonno

TEMPO DI PREPARAZIONE:20 minuti
TEMPO DI COTTURA:30 minuti
CALORIE: 130
MACRONUTRIENTI: CARBOIDRATI: 6 GR; PROTEINE:14 GR; GRASSI: 1GR

INGREDIENTI PER 2 PERSONE
- 2 zucchine
- 100 gr di tonno in scatola
- Un ciuffo di prezzemolo
- 2 pomodori
- Uno spicchio d'aglio
- Olio di oliva q.b.

- Sale e pepe q.b.

PREPARAZIONE

1. Lavate e asciugate i pomodori e poi tagliateli a cubetti.
2. Spuntate le zucchine, tagliatele a metà, lavatele e poi prelevate la polpa interna.
3. Sbucciate e lavate l'aglio.
4. Lavate e asciugate il prezzemolo.
5. Mettete nel bicchiere del mixer l'aglio e il prezzemolo e poi frullate.
6. Aggiungete adesso la polpa della zucchina, un po' di olio, sale e pepe e il tonno sgocciolato.
7. Frullate ancora fino a quando non otterrete un composto liscio e omogeneo.
8. Prendete una teglia e spennellatela con olio di oliva. Mettete all'interno la barchetta di zucchine.
9. Riempite le zucchine con il composto al tonno e poi cospargetele con i cubetti di pomodoro.
10. Fate cuocere le zucchine in forno a 180° per 30 minuti.
11. Appena cotte, sfornatele, mettetele nei piatti da portata e servite.

Misto di verdure a vapore

TEMPO DI PREPARAZIONE:15 minuti
TEMPO DI COTTURA:25/30 minuti
CALORIE: 160
MACRONUTRIENTI: CARBOIDRATI: 19 GR; PROTEINE: 11 GR; GRASSI: 2 GR

INGREDIENTI PER 2 PERSONE

- 4 carote baby
- 100 gr di pisellini
- 100 gr di fagiolini verdi
- 1 finocchio
- 1 limone
- 100 gr di yogurt magro
- Un ciuffo di prezzemolo
- 1 rametto di rosmarino
- 4 foglie di basilico
- Erba cipollina q.b.
- Sale e pepe q.b.
- Olio di oliva q.b.

PREPARAZIONE

1. Lavate e asciugate le carotine.
2. Sgranate i pisellini, poi lavateli e lasciateli scolare.
3. Spuntate i fagiolini e poi lavateli.
4. Togliete le foglie esterne del finocchio poi lavatelo e tagliatelo a fettine.
5. Lavate e asciugate il rosmarino.
6. Mettete dell'acqua nella vaporiera con sale e pepe e il rametto di rosmarino e portate a bollore.
7. Mettete a cuocere nel cestello prima i pisellini per 5 minuti.
8. Toglieteli e metteteli in una ciotola.
9. Adesso mettete nel cestello i fagiolini le carote e il finocchio e fate cuocere per 20 minuti.
10. Appena saranno pronte le verdure mettetele nella ciotola con i pisellini.
11. Mescolate delicatamente le verdure.

12. Preparate adesso la salsa allo yogurt. Spremete il limone e filtratene il succo in una ciotola.
13. Lavate e asciugate il prezzemolo e il basilico e metteteli nella ciotola con il succo di limone.
14. Aggiungete lo yogurt sale e pepe e un goccio di olio e poi con una forchetta mescolate e amalgamate bene.
15. Versate la salsina sulle verdure e mescolate. Decorate con l'erba cipollina tritata e servite.

Capitolo 11 - Piatti vegetariani

Zuppa di finocchi e carote

TEMPO DI PREPARAZIONE:30 minuti
TEMPO DI COTTURA:20 minuti
CALORIE: 240
MACRONUTRIENTI:
CARBOIDRATI: 20 GR; PROTEINE: 11 GR; GRASSI: 3 GR

INGREDIENTI PER 2 PERSONE

- 2 finocchi
- 2 carote
- 500 ml di brodo vegetale
- uno spicchio d'aglio
- 40 gr di crostini di pane integrale
- un ciuffo di prezzemolo
- olio di oliva q.b.
- sale e pepe q.b.

PREPARAZIONE

1. Spuntate le carote, sbucciatele, lavatele e poi tagliatele a rondelle.
2. Togliete la barbetta e le foglie più dure ai finocchi, poi lavateli e affettateli.
3. Sbucciate, lavate e asciugate lo spicchio di aglio.
4. Mettete un filo di olio in una padella e poi fate dorare l'aglio. Appena sarà ben dorato, toglietelo e fate saltare per 3 minuti i finocchi e le carote.
5. Regolate di sale e pepe, aggiungete il brodo vegetale e fate cuocere con un coperchio per 20 minuti, mescolando di tanto in tanto.
6. Lavate e asciugate il prezzemolo e poi tritatelo.
7. Appena i finocchi e le carote saranno pronti, dividete la zuppa nei piatti da portata, mettete 20 gr di crostini per ogni piatto, decorate con il prezzemolo tritato e poi servite.

Vellutata di zucchine

TEMPO DI PREPARAZIONE:15 minuti
TEMPO DI COTTURA:20 minuti
CALORIE: 135
MACRONUTRIENTI:
CARBOIDRATI:4 GR; PROTEINE: 15 GR; GRASSI:3 GR
INGREDIENTI PER 2 PERSONE

- 2 zucchine
- Mezza cipolla
- 150 ml di brodo vegetale
- 50 gr di robiola fresca
- Sale e pepe q.b.
- Olio di oliva q.b.

PREPARAZIONE

1. Sbucciate la cipolla, lavatela e poi tritatela.
2. Spuntate le zucchine, sbucciatele, lavatele e poi tagliatele a cubetti.
3. Mettete un po' di olio in una pentola e quando sarà caldo mettete a

rosolare la cipolla per un paio di minuti.
4. Aggiungete le zucchine, regolate di sale e pepe e fate cuocere per 5 minuti, mescolando di tanto in tanto.
5. Aggiungete adesso il brodo, coprite la pentola con un coperchio e fate cuocere per 15 minuti.
6. Passati i 15 minuti, spegnete e mettete all'interno della pentola la robiola.
7. Frullate il tutto con un frullatore ad immersione fino a quando non otterrete un composto liscio e omogeneo.
8. Mettete nei piatti da portata, condite con olio e servite.

Misto di funghi e pomodori

TEMPO DI PREPARAZIONE:20 minuti
TEMPO DI COTTURA:20 minuti
CALORIE: 72
MACRONUTRIENTI: CARBOIDRATI: 12 GR; PROTEINE: 5 GR; GRASSI: 1GR

INGREDIENTI PER 2 PERSONE

- 250 gr di funghi misti
- 1 spicchio di aglio
- Mezzo scalogno
- 2 pomodori maturi
- Un ciuffo di prezzemolo tritato
- Olio di oliva q.b.
- Sale e pepe q.b.
- Origano essiccato q.b.

PREPARAZIONE

1. Togliete la parte terrosa ai funghi, lavateli e asciugateli e poi tagliateli a fettine.
2. Sbucciate lo scalogno, lavatelo e tritatelo.
3. Sbucciate l'aglio e poi lavatelo.
4. Fate riscaldare un filo di olio di oliva in una padella e fate dorare l'aglio. Appena sarà giunto a doratura toglietelo e fate soffriggere lo scalogno e il prezzemolo.
5. Aggiungete i funghi, mescolate e regolate di sale e pepe.
6. Nel frattempo, lavate e asciugate i pomodori, e poi tagliateli a pezzettini.
7. Metteteli nella padella con i funghi, mescolate e fate cuocere per 10 minuti.
8. Regolate di sale e pepe, cospargete con l'origano essiccato, mescolate e poi spegnete.
9. Mettete il tutto in un piatto da portata e servite.

Insalata di mele verdi e noci

TEMPO DI PREPARAZIONE:20 minuti
CALORIE: 175
MACRONUTRIENTI: CARBOIDRATI: 14 GR; PROTEINE: 10 GR; GRASSI:3 GR

INGREDIENTI PER 2 PERSONE

- 10 foglie di lattuga

- 100 gr di insalatina novella
- 10 gherigli di noci
- 1 mela verde
- 60 gr di yogurt greco bianco
- Sale e pepe q.b.
- Olio di oliva q.b.
- Erba cipollina tritata q.b.

PREPARAZIONE

1. Lavate e asciugate le foglie di lattuga e poi tagliatela a pezzettini.
2. Lavate e asciugate l'insalata novella.
3. Lavate accuratamente la mela e poi asciugatela. Tagliatela a metà, togliete i semi e il torsolo e poi tagliatela a fettine.
4. Mettete in una ciotola lo yogurt, un po' di olio di oliva, sale e pepe e mescolate per amalgamare il tutto.
5. Disponete in un piatto da portata prima l'insalata novella, poi la lattuga infine le mele.
6. Cospargete con i gherigli di noci e poi condite con la salsa allo yogurt.
7. Decorate con l'erba cipollina e servite.

Insalata di arance e finocchi con salsa alla rucola

TEMPO DI PREPARAZIONE:20 minuti
TEMPO DI COTTURA:5 minuti
CALORIE: 60
MACRONUTRIENTI: CARBOIDRATI: 9 GR; PROTEINE: 8 GR; GRASSI: 2 GR

INGREDIENTI PER 2 PERSONE

- 1 finocchio da tavola
- 150 gr di rucola
- 1 arancia rossa
- Semi di finocchio q.b.
- Sale e pepe q.b.
- Olio di oliva q.b.

PREPARAZIONE

1. Lavate i finocchi, asciugateli e poi con l'aiuto di una mandolina affettateli.
2. Metteteli a riposare in acqua e ghiaccio per 10 minuti.
3. Lavate adesso la rucola e poi fatela cuocere in acqua bollente e sale per 5 minuti.
4. Scolate la rucola e poi mettetela in una ciotola con un po' di olio di oliva.
5. Frullate la rucola con un mixer ad immersione fino a quando non otterrete una crema liscia e densa.
6. Sbucciate l'arancia e raccogliete il succo che cola nella stessa ciotola con la rucola. Mescolate il succo e la rucola.
7. Tagliate la polpa a spicchi.
8. Mettete i finocchi e gli spicchi di arancia nei piatti, cospargete con la salsa alla rucola e decorate con i semi di finocchio.

Verdure stufate al tè verde

TEMPO DI PREPARAZIONE:25 minuti
TEMPO DI COTTURA:25 minuti

CALORIE: 290

MACRONUTRIENTI: CARBOIDRATI: 32 GR; PROTEINE:9 GR; GRASSI: 2 GR

INGREDIENTI PER 2 PERSONE

- 1 melanzana di piccole dimensioni
- 200 gr di polpa di zucca
- 70 gr di lenticchie lessate
- 4 cipollotti
- 100 gr di spinaci
- 1 cucchiaino di tè verde
- Olio di oliva q.b.
- Sale e pepe q.b.

PREPARAZIONE

1. Mettete in una teiera a bollire dell'acqua e poi tenete in infusione il tè verde per 15 minuti.
2. Nel frattempo, lavate la melanzana e poi tagliatela a fettine non troppo spesse.
3. Prendete una griglia e quando sarà rovente, fate grigliare la melanzana aggiungendo un pizzico di sale.
4. Appena cotte, spegnete e tenete la melanzana da parte.
5. Lavate i cipollotti, togliete le foglie più dure e poi tagliateli a metà.
6. Lavate e asciugate la polpa di zucca e poi tagliatela a cubetti.
7. Lavate e asciugate gli spinaci.
8. Scolate le lenticchie dal liquido di conservazione e poi sciacquatele sotto acqua corrente.
9. Scaldate in un tegame un filo di olio e poi unite la zucca e i cipollotti. Fate saltare per 1 minuto e poi bagnate le verdure con il tè.
10. Fate cuocere a fuoco medio per 10 minuti e poi aggiungete le lenticchie.
11. Lasciate evaporare il tè e infine aggiungete gli spinaci.
12. Mescolate bene, regolate di sale e pepe e fate cuocere per altri 2 minuti.
13. Mettete in due piatti da portata le melanzane grigliate e conditele con un filo di olio.
14. Mettete sopra le verdure stufate, cospargete il tutto con il fondo di cottura e servite.

Porri con aceto di mele

TEMPO DI PREPARAZIONE:15 minuti

TEMPO DI COTTURA:15-20 minuti

CALORIE: 50

MACRONUTRIENTI: CARBOIDRATI:6 GR; PROTEINE: 1 GR; GRASSI:1 GR

INGREDIENTI PER 2 PERSONE

- 2 porri
- 100 ml di aceto di mele
- Olio di oliva q.b.
- Sale e pepe q.b.

PREPARAZIONE

1. Eliminate dai porri la radichetta e la parte finale più dura. Togliete anche le foglie esterne più dure, poi lavateli, asciugateli e tagliateli a rondelle non troppo sottili.

2. Spennellate una teglia con olio di oliva e disponete all'interno i porri.
3. Conditeli con un filo di olio, sale e pepe e bagnateli con l'aceto di mele.
4. Fate cuocere a 180° per 15 minuti.
5. Passati i 15 minuti controllate la cottura. I porri non devono essere troppo morbidi e devono rimanere leggermente croccanti all'esterno. Se sono ancora troppo duri continuate la cottura altrimenti sfornateli.
6. Appena saranno cotti, quindi, sfornateli, lasciateli riposare un paio di minuti e poi metteteli nei piatti da portata cosparsi con il fondo di cottura.

Cavolfiore in salsa piccante

TEMPO DI PREPARAZIONE:30minuti
TEMPO DI COTTURA:25 minuti
CALORIE: 130
MACRONUTRIENTI: CARBOIDRATI: 11 GR; PROTEINE:7 GR; GRASSI:5 GR

INGREDIENTI PER 2 PERSONE

- 1 cavolfiore bianco di piccole dimensioni
- 1 peperone rosso
- 100 ml di brodo vegetale
- 2 rametti di timo
- 1 rametto di rosmarino
- 2 tuorli
- Un peperoncino
- Sale e pepe q.b.
- Olio di oliva q.b.

PREPARAZIONE

1. Togliete il gambo al cavolfiore, poi lavatelo accuratamente sotto acqua corrente.
2. Mettete il cavolfiore nel cestello della vaporiera e conditelo con sale e pepe.
3. Lavate e asciugate timo e rosmarino.
4. Mettete l'acqua alla base della vaporiera e aggiungete timo e rosmarino.
5. Portate l'acqua a bollore, poi aggiungete il cestello, mettete il coperchio e fate cuocere per 25 minuti.
6. Nel frattempo, preparate la salsa piccante.
7. Togliete il torsolo, i filamenti bianchi e i semi al peperone, lavatelo e poi tagliatelo a falde.
8. Portate ad ebollizione il brodo vegetale e poi fate cuocere il peperone per 15 minuti, regolando di sale e pepe.
9. Spegnete e aggiungete il peperoncino tritato.
10. Prendete un frullatore ad immersione e frullate il tutto.
11. In una ciotola sbattete i tuorli e poi incorporateli al sugo di peperoni.
12. Rimettete sul fuoco e mescolando di continuo con una frusta manuale fate cuocere fino a quando non avrete una consistenza liscia e omogenea.
13. Appena sarà cotto, togliete il cavolfiore dalla vaporiera, tagliatelo a

pezzi, mettetelo nei piatti da portata e servitelo cosparso con la salsa piccante.

Carciofi aromatizzati con arancia e limone

TEMPO DI PREPARAZIONE:20 minuti
TEMPO DI COTTURA: 35 minuti
CALORIE: 180
MACRONUTRIENTI: CARBOIDRATI: 14 GR; PROTEINE: 9 GR; GRASSI:6 GR

INGREDIENTI PER 2 PERSONE

- 4 carciofi
- 1 arancia
- 1 limone
- 1 spicchio d'aglio
- Sale e pepe q.b.
- Olio di oliva q.b.

PREPARAZIONE

1. Togliete il gambo e le foglie esterne più dure ai carciofi. Eliminate anche la parte finale delle foglie ed eliminate il fieno interno con uno scavino.
2. Mettete adesso i carciofi in una ciotola piena di acqua e succo di limone.
3. Portate a bollore dell'acqua con sale e mettete a lessate i carciofi per 25 minuti.
4. Scolate i carciofi e lasciateli intiepidire.
5. Lavate e asciugate l'arancia e il limone.
6. Prelevate la scorza e filtrate il succo degli agrumi e poi metteteli in un pentolino.
7. Portate a bollore, poi filtrate il succo in una ciotola.
8. Sbucciate l'aglio e tagliatelo a lamelle e mettetelo assieme ad olio, sale e pepe nella ciotola con il succo degli agrumi.
9. Mescolate e amalgamate bene il tutto e poi versate i carciofi all'interno della ciotola.
10. Prendete adesso due piatti, dividete i carciofi in ogni piatto e irrorateli con l'emulsione e servite.

Zucca arrosto aromatizzata

TEMPO DI PREPARAZIONE:10 minuti
TEMPO DI COTTURA: 30 minuti
CALORIE: 80
MACRONUTRIENTI: CARBOIDRATI: 9 GR; PROTEINE: 2 GR; GRASSI:1 GR

INGREDIENTI PER 2 PERSONE

- 400 gr di polpa di zucca
- 2 foglie di salvia
- 1 cucchiaino di timo essiccato
- 1 cucchiaino di rosmarino essiccato
- 1 cucchiaino di paprika dolce
- Olio di oliva q.b.
- Sale e pepe q.b.

PREPARAZIONE

1. Lavate e asciugate la polpa di zucca e poi tagliatela a fettine.
2. Spennellate una teglia con olio di oliva e adagiate all'interno le fette di zucca.
3. Conditele con olio sale e pepe, poi spolverizzate le erbe aromatiche e la paprika.
4. Mettete la teglia in forno e fate cuocere a 200° per 40 minuti.
5. Controllate la cottura con uno stuzzicadenti e se ancora la zucca non risulti essere morbida proseguite per altri 5 minuti.
6. Appena sarà cotta, sfornatela, mettetela nei piatti da portata, condite con un filo di olio di oliva e servite.

Capitolo 12- Desserts

Prugne a vapore con lamelle di mandorle

TEMPO DI PREPARAZIONE:10 minuti
TEMPO DI COTTURA:10 minuti
CALORIE: 185
MACRONUTRIENTI: CARBOIDRATI:15 GR; PROTEINE:6 GR; GRASSI: 4 GR

INGREDIENTI PER 2 PERSONE

- 4 prugne rosse
- 50 gr di mandorle tagliate a lamelle
- 2 foglie di alloro
- Un rametto di timo
- 2 foglie di limone
- Un cucchiaino di stevia

PREPARAZIONE

1. Mettete un mezzo litro di acqua in una pentola o nella vaporiera e fatela riscaldare.
2. Lavate le foglie di alloro, il timo e le foglie di limone.
3. Lavate e asciugate le prugne, tagliatele a metà, togliete il nocciolo e poi adagiatele nel cestello della vaporiera. Spolverizzatele con la stevia.
4. Appena l'acqua inizierà a fare le prime bolle mettete all'interno, timo, alloro e foglie di limone.
5. Appena l'acqua inizierà a bollire, mettete il cestello con le prugne.
6. Fate cuocere, coperte con un coperchio per 10 minuti.
7. Passati i 10 minuti, togliete il cestello, mettete le prugne nei piatti da portata e servite cosparse con le lamelle di mandorle.

Carpaccio di frutta

TEMPO DI PREPARAZIONE:15 minuti
CALORIE: 180
MACRONUTRIENTI: CARBOIDRATI: 25 GR; PROTEINE:1 GR; GRASSI: 1 GR

INGREDIENTI PER 2 PERSONE

- 250 gr di ananas
- 1 papaya
- 1 mango
- 8 fragole
- 1 kiwi
- 1 cucchiaino di stevia
- il succo spremuto di un'arancia

PREPARAZIONE

1. Sbucciate l'ananas, poi lavatelo e tagliatelo a fettine.
2. Sbucciate anche il mango, i kiwi e la papaya, lavateli e tagliateli a fette.
3. Lavate e asciugate le fragole e poi

tagliatele a fettine.

4. Mettete in una ciotola il succo di arancia e la stevia, mescolate e amalgamate bene.
5. Disponete in un piatto le fettine di ananas, poi quelle di papaya, quelle di mango, i kiwi e infine le fragole.
6. Irrorate il tutto con il succo di arancia e poi mettete in frigo per 20 minuti prima di servire.

Mele cotte a vapore

TEMPO DI PREPARAZIONE:10 minuti
TEMPO DI COTTURA: 25 minuti
CALORIE: 70
MACRONUTRIENTI: CARBOIDRATI: 16 GR; PROTEINE: 1 GR; GRASSI:1 GR

INGREDIENTI PER 2 PERSONE

- 2 mele
- 1 cucchiaino di cannella in polvere
- la scorza di un'arancia
- la scorza di un limone
- 1 cucchiaino di stevia
- 1 rametto di timo

PREPARAZIONE

1. Tagliate le mele a metà, togliete il torsolo e i semi e poi lavatele e asciugatele.
2. Lavate e asciugate la scorza di arancia e il limone e il rametto di timo.
3. Mettete nella vaporiera, o in una pentola 300 ml di acqua e aggiungete le due scorze e il timo.
4. Mettete le mele nel cestello e cospargetele con la stevia.
5. Appena l'acqua inizia a bollire mettete il cestello con le mele e fate cuocere con il coperchio per 25 minuti.
6. Appena cotte, toglietele dal cestello, mettetele nei piatti e servite.

Mousse al limone

TEMPO DI PREPARAZIONE:15 minuti
TEMPO DI COTTURA:20 minuti
CALORIE: 120
MACRONUTRIENTI: CARBOIDRATI:4 GR; PROTEINE:18 GR; GRASSI:2 GR

INGREDIENTI PER 2 PERSONE

- 160 gr di ricotta fresca di vaccina
- 1 limone
- 1 cucchiaino di estratto di vaniglia
- 1 cucchiaino di stevia

PREPARAZIONE

1. Lavate e asciugate il limone, grattugiate la scorza e filtrate il succo in un pentolino.
2. Mettete un bicchiere di acqua nel pentolino e fateli cuocere con la stevia fino a quando non avrete ottenuto una sorta di sciroppo.
3. Mettete la ricotta in una ciotola e aggiungete l'estratto di vaniglia.
4. Mescolate e amalgamate bene e poi aggiungete lo sciroppo di limone.
5. Con l'aiuto di una frusta manuale

mescolate gli ingredienti fino a quando non avrete ottenuto un composto abbastanza liscio e compatto.

6. Mettete la mousse nei bicchieri, decoratela con la scorza di limone grattugiata e tenete le mousse in frigo fino al momento in cui dovrete servirle.

Pere al tè con salsa allo yogurt

TEMPO DI PREPARAZIONE:20minuti
TEMPO DI COTTURA:40 minuti
CALORIE: 140
MACRONUTRIENTI: CARBOIDRATI: 21 GR; PROTEINE: 6 GR; GRASSI:4 GR

INGREDIENTI PER 2 PERSONE

- 2 pere di grosse dimensioni
- 2 bustine di tè alla vaniglia
- Uno yogurt greco
- Un cucchiaino di cannella in polvere

PREPARAZIONE

1. Sbucciate le pere, lavatele asciugatele e lasciatele intere.
2. Mettete nella base della vaporiera 300 ml di acqua e le bustine di tè alla vaniglia.
3. Portate l'acqua ad ebollizione.
4. Mettete le pere nel cestello della vaporiera e quando l'acqua inizierà a bollire, mettete le pere a cuocere per 20 minuti.
5. Passato il tempo di cottura, togliete il cestello e lasciate le pere intiepidirsi.
6. Nel frattempo, mettete in una ciotola lo yogurt e la cannella e con una forchetta mescolate e amalgamate bene.
7. Mettete la salsa allo yogurt in fondo al piatto da portata e mettete sopra la pera e servite.

Frutti tropicali allo zenzero

TEMPO DI PREPARAZIONE:25minuti
TEMPO DI COTTURA:10 minuti
CALORIE: 105
MACRONUTRIENTI: CARBOIDRATI: 19 GR; PROTEINE: 1 GR; GRASSI: 1 GR

INGREDIENTI PER 2 PERSONE

- 1 papaia di piccole dimensioni
- 1 mango
- 1 lime
- Mezza melagrana
- 1 arancia
- 20 gr di zenzero grattugiato
- 2 cucchiaini di stevia

PREPARAZIONE

1. Spremete l'arancia e filtratene il succo in una ciotola.
2. Spremete il limone e filtrate il succo nella stessa ciotola con l'arancia.
3. Aggiungete la stevia e lo zenzero grattugiato e mescolate bene.
4. Mettete il composto in un pentolino, aggiungete un bicchiere d'acqua e fatelo ridurre per circa 30 minuti, mescolando di continuo.
5. Appena assumerà l'aspetto di uno

sciroppo spegnete e lasciatelo raffreddare.
6. Sbucciate il mango, lavatelo, asciugatelo e poi tagliatelo a cubetti.
7. Tagliate a metà la papaya, eliminate i semi, sbucciatela, lavatela e poi tagliatela a cubetti.
8. Sgranate la melagrana e raccogliete i chicchi.
9. Mettete i frutti divisi equamente in due coppette, cospargeteli con lo sciroppo e servite.

Ghiaccioli fragole e limone

TEMPO DI PREPARAZIONE: 10 minuti
CALORIE: 38
MACRONUTRIENTI: CARBOIDRATI: 3 GR; PROTEINE: 1 GR; GRASSI:1 GR

INGREDIENTI PER 2 PERSONE
- 40 ml di latte di mandorla non zuccherato
- 1 limone
- 6 fragole
- 2 cucchiaini di stevia in polvere

PREPARAZIONE
1. Lavate e asciugate le fragole e poi tagliatele a metà.
2. Lavate e asciugate il limone, grattugiate la scorza e filtrate il succo all'interno del bicchiere di un frullatore.
3. Aggiungete anche il latte di mandorle, le fragole, la stevia e la scorza.
4. Frullate tutto alla massima velocità fino a quando non otterrete un composto liscio e omogeneo.
5. Prendete le formine per ghiaccioli e trasferite il composto all'interno.
6. Mettete in freezer e fate riposare per 4 ore.
7. Passate le 4 ore potete prendere i ghiaccioli e servirli.

Macedonia di agrumi

TEMPO DI PREPARAZIONE:20 minuti
CALORIE: 40
MACRONUTRIENTI: CARBOIDRATI: 14 GR; PROTEINE: 0 GR; GRASSI: 0GR

INGREDIENTI PER 2 PERSONE
- 2 arance
- 1 pompelmo
- 1 lime
- 1 limone
- 1 cucchiaino di stevia
- 20 gr di zenzero grattugiato fresco

PREPARAZIONE
1. Lavate e asciugate tutti gli agrumi, prelevate da tutti gli agrumi la scorza e dividete la polpa in spicchi.
2. Mettete un pentolino con 50 ml di acqua, lo zenzero la stevia e le scorze degli agrumi.
3. Portate ad ebollizione e poi fate restringere fino a quando non otterrete una sorta di sciroppo.

4. Spegnete, filtrate lo sciroppo e tenete da parte.
5. Mettete gli spicchi degli agrumi divisi in due ciotole per macedonia, cospargetele con lo sciroppo e mettetele a riposare in frigo fino al momento di servirle.

Capitolo 13- Smoothies

Smoothie fragola e melone

TEMPO DI PREPARAZIONE:10 minuti
CALORIE: 78
MACRONUTRIENTI: CARBOIDRATI: 12 GR; PROTEINE: 4 GR; GRASSI:1 GR

INGREDIENTI PER 2 PERSONE

- 200 gr di polpa di melone
- 20 gr di zenzero grattugiato
- 1 lime
- 100 gr di fragole
- 6 cubetti di ghiaccio

PREPARAZIONE

1. Lavate e asciugate la polpa del melone e poi tagliatela a cubetti.
2. Lavate e asciugate le fragole e poi tagliatele a metà.
3. Mettete le fragole e il melone nel bicchiere del frullatore, aggiungete lo zenzero, il succo di lime e i cubetti di ghiaccio.
4. Azionate il frullatore e frullate tutto ad alta velocità.
5. Frullate fino a quando non avrete ottenuto un composto liscio e omogeneo.
6. Mettete il composto in due bicchieri, decorate con qualche fragola intera e con cannucce colorate e servite.

Smoothie arancia, mela e pompelmo

TEMPO DI PREPARAZIONE:10 minuti
CALORIE: 160
MACRONUTRIENTI: CARBOIDRATI:11 GR; PROTEINE: 4 GR; GRASSI:2 GR

INGREDIENTI PER 2 PERSONE

- 2 arance
- mezzo limone
- 1 mela
- 1 pompelmo
- un cucchiaino di cannella in polvere
- 100 gr di yogurt greco
- 6 cubetti di ghiaccio

PREPARAZIONE

1. Sbucciate la mela, togliete il torsolo e i semi, lavatela, asciugatela e tagliatela a pezzi.
2. Mettete la mela nel bicchiere del frullatore.
3. Spremete il pompelmo e le arance e filtrate il succo all'interno del frullatore.
4. Aggiungete lo yogurt, la cannella e il ghiaccio e avviate alla massima velocità.
5. Frullate fino a quando non avrete ottenuto un composto liscio e omogeneo.
6. Adesso lavate e asciugate il limone e grattugiate la scorza.

7. Mettete lo smoothie nei bicchieri, cospargete con la scorza di limone e servite.

Smoothie ananas, cocco e mirtilli

TEMPO DI PREPARAZIONE:10 minuti
CALORIE: 195
MACRONUTRIENTI: CARBOIDRATI:15 GR; PROTEINE: 5 GR; GRASSI: 6 GR

INGREDIENTI PER 2 PERSONE
- 200 gr di polpa di ananas
- 150 ml di latte di cocco
- 100 gr di yogurt greco
- 100 gr di mirtilli
- 20 gr di zenzero grattugiato
- 6 cubetti di ghiaccio
- farina di cocco q.b.

PREPARAZIONE
1. Lavate e asciugate la polpa di ananas e poi tagliatela a pezzi.
2. Lavate e asciugate i mirtilli.
3. Mettete l'ananas e i mirtilli nel bicchiere del frullatore.
4. Aggiungete il latte di cocco, lo yogurt e il ghiaccio.
5. Avviate il frullatore ad alta velocità e frullate fino a quando non avrete ottenuto un composto liscio e omogeneo.
6. Mettete lo smoothie nei bicchieri e decorate con la farina di cocco e con cannucce colorate.

Smoothie mela verde e fragole

TEMPO DI PREPARAZIONE:10 minuti
CALORIE: 158
MACRONUTRIENTI: CARBOIDRATI: 17 GR; PROTEINE: 8 GR; GRASSI:1 GR

INGREDIENTI PER 2 PERSONE
- 100 ml di succo di arancia senza zucchero
- 1 mela verde
- 100 gr di fragole
- 20 gr di zenzero grattugiato
- 6 cubetti di ghiaccio
- 100 gr di yogurt greco
- Granella di pistacchio per decorare

PREPARAZIONE
1. Sbucciate la mela, togliete il torsolo e i semi e poi lavatela e asciugatela.
2. Tagliate la mela a pezzi e mettetela nel bicchiere del mixer.
3. Lavate e asciugate le fragole, tagliatele a metà e mettetele nel mixer.
4. Aggiungete il succo di arancia, lo zenzero, lo yogurt e i cubetti di ghiaccio e azionate il mixer.
5. Frullate il tutto ad alta velocità fino a quando non otterrete un composto, liscio, denso e omogeneo.
6. Mettete lo smoothie nei bicchieri, decorate con la granella di pistacchi e con cannucce colorate e servite.

Smoothie di fragole, kiwi e pesche

TEMPO DI PREPARAZIONE:10 minuti

CALORIE: 152

MACRONUTRIENTI: CARBOIDRATI: 15 GR; PROTEINE: 5 GR; GRASSI:2 GR

INGREDIENTI PER 2 PERSONE

- 2 pesche
- 200 gr di fragole
- 2 kiwi
- 100 gr di yogurt greco
- 6 cubetti di ghiaccio
- farina di cocco per decorare

PREPARAZIONE

1. Sbucciate le pesche, tagliatele a metà, togliete il nocciolo e poi lavatele e asciugatele.
2. Sbucciate i kiwi, togliete la parte centrale bianca, lavateli, asciugateli e poi tagliateli a pezzi.
3. Lavate e asciugate le fragole, poi tagliatele a metà.
4. Mettete la frutta all'interno del bicchiere del mixer, aggiungete lo yogurt e i cubetti di ghiaccio e azionate il mixer.
5. Frullate il tutto ad alta velocità fino a quando non avrete ottenuto un composto denso e omogeneo.
6. Mettete lo smoothie nei bicchieri, decorate con cannucce colorate e con la farina di cocco e poi servite.

Smoothie melone e pesche

TEMPO DI PREPARAZIONE:10 minuti

CALORIE: 71

MACRONUTRIENTI: CARBOIDRATI: 12 GR; PROTEINE:3 GR; GRASSI:2 GR

INGREDIENTI PER 2 PERSONE

- 200 gr di polpa di melone
- un lime
- 2 pesche
- 100 gr di yogurt greco
- un cucchiaino di estratto di vaniglia
- 6 cubetti di ghiaccio
- granella di nocciole per decorare

PREPARAZIONE

1. Lavate e asciugate la polpa di melone e poi tagliatela a pezzi.
2. Sbucciate le pesche, tagliatele a metà, togliete il nocciolo e poi lavatele e asciugatele.
3. Mettete le pesche e la polpa di melone nel bicchiere del frullatore.
4. Aggiungete il succo filtrato del lime, lo yogurt, la vaniglia e il ghiaccio.
5. Azionate il frullatore e frullate il tutto ad alta velocità, fino a quando non otterrete un composto liscio e omogeneo.
6. Versate lo smoothie nei bicchieri, decorate con cannucce e la granella di nocciole e servite.

Smoothie mele e pere

TEMPO DI PREPARAZIONE:10 minuti
CALORIE: 112
MACRONUTRIENTI: CARBOIDRATI: 17 GR; PROTEINE:2GR; GRASSI:2 GR

INGREDIENTI PER 2 PERSONE

- 2 mele rosse di origine biologica
- 2 pere abate
- 100 gr di yogurt greco
- 6 cubetti di ghiaccio
- Un cucchiaino di cannella in polvere
- Due anici stellati per decorare

PREPARAZIONE

1. Sbucciate le mele e le pere, togliete il torsolo e i semi, lavatele, asciugatele e poi tagliatele a pezzi.
2. Mettete i pezzi di frutta nel bicchiere del mixer, aggiungete il ghiaccio, la cannella e lo yogurt, azionate il mixer e frullate il tutto ad alta velocità.
3. Frullate fino a quando non otterrete un composto denso e omogeneo.
4. Mettete gli smoothie nei bicchieri, decorate con l'anice stellato, mettete le cannucce e servite.

Smoothie avocado sedano

TEMPO DI PREPARAZIONE:10 minuti
CALORIE: 190
MACRONUTRIENTI: CARBOIDRATI: 11 GR; PROTEINE:7 GR; GRASSI:14 GR

INGREDIENTI PER 2 PERSONE

- 3 gambi di sedano
- 1 avocado
- 1 lime
- 6 cubetti di ghiaccio
- 100 gr di yogurt greco
- foglie di menta per decorare

PREPARAZIONE

1. Togliete la parte finale del sedano e i filamenti bianchi, poi lavatelo e asciugatelo.
2. Sbucciate l'avocado, togliete il nocciolo, lavatelo, asciugatelo e tagliatelo a pezzi.
3. Mettete il sedano e l'avocado nel bicchiere del frullatore.
4. Aggiungete il succo di lime filtrato, lo yogurt e il ghiaccio e azionate il frullatore.
5. Frullate il tutto ad alta velocità fino a quando non otterrete un composto liscio e omogeneo.
6. Versate lo smoothie nei bicchieri, mettete le cannucce, decorate con foglie di menta e servite.

Smoothie pompelmo e cetriolo

TEMPO DI PREPARAZIONE:10 minuti
CALORIE: 160
MACRONUTRIENTI: CARBOIDRATI: 11 GR; PROTEINE:5 GR; GRASSI:6 GR

INGREDIENTI PER 2 PERSONE

- 1 pompelmo

- 1 cetriolo
- 100 gr di yogurt greco
- 6 cubetti di ghiaccio
- 4 foglie di menta
- Granella di pistacchi per decorare

PREPARAZIONE

1. Sbucciate il cetriolo, lavatelo, asciugatelo e tagliatelo a pezzetti.
2. Lavate e asciugate le foglie di menta.
3. Mettete nel bicchiere del mixer il cetriolo e le foglie di menta.
4. Unite il succo di pompelmo filtrato.
5. Aggiungete lo yogurt e i cubetti di ghiaccio e azionate il mixer.
6. Frullate il tutto ad alta velocità fino a quando non otterrete un composto liscio e omogeneo.
7. Mettete lo smoothie nei bicchieri, aggiungete le cannucce, decorate con la granella di pistacchi e servite.

Smoothie carote e spinaci

TEMPO DI PREPARAZIONE:20 minuti

CALORIE:90

MACRONUTRIENTI: CARBOIDRATI: 9 GR; PROTEINE:5 GR; GRASSI: 1 GR

INGREDIENTI PER 2 PERSONE

- una carota
- 100 gr di spinaci anche surgelati
- 100 ml di succo di arancia senza zucchero
- 6 cubetti di ghiaccio
- scorza di arancia grattugiata per decorare

PREPARAZIONE

1. Portate a bollore una pentola con acqua e sbollentate gli spinaci per 10 minuti.
2. Scolateli, strizzateli e poi metteteli nel bicchiere del mixer.
3. Spuntate la carota, sbucciatela, lavatela e poi tagliatela a pezzettini.
4. Mettete la carota nel mixer, aggiungete il ghiaccio e il succo di arancia e azionate il mixer.
5. Frullate ad alta velocità fino a quando non otterrete un composto denso e omogeneo.
6. Mettete lo smoothie nei bicchieri, mettete le cannucce, decorate con la scorza di arancia grattugiata e servite.

PARTE 4 - PIANI ALIMENTARI E FAQ

CAPITOLO 14- PIANI ALIMENTARI SULLA DIETA RISVEGLIA METABOLISMO

Dopo avervi mostrato 100 ricette da sperimentare, adesso vogliamo fornirvi un piano alimentare completo che riguarda la dieta risveglia metabolismo. È un piano alimentare basato sui principi e i cibi di cui si è parlato precedentemente su questa trattazione.
Piccola nota: vi ricordiamo che è possibile consumare caffè (massimo 1) e tè o tisane durante il giorno. Sono consentiti rigorosamente senza zucchero (al massimo qualche goccia o un po' di stevia, che sia liquida o in polvere).
Ecco qui uno schema riguardante il piano alimentare:

Prima settimana

LUNEDÌ
COLAZIONE: frullato di frutta fresca con fiocchi di avena
SPUNTINO: 100 grammi di fragole
PRANZO:250 grammi di insalata di pollo con pomodoro, avocado e lattuga, condita con olio di oliva e limone
SPUNTINO: 2 mele
CENA: pesce spada con olive e pomodorini più un'insalata di lattuga

MARTEDÌ
COLAZIONE: Omelette di 3 albumi con spinaci
SPUNTINO: un mango
PRANZO: insalata con 200 gr di tonno, una mela e spinaci
SPUNTINO: 1 arancia
CENA: 200 gr di cavolfiore e 150 grammi di pollo lessato

MERCOLEDÌ
COLAZIONE: 1 omelette ai funghi
SPUNTINO: 1 smoothie detox a scelta
PRANZO:120 gr di filetto di manzo con 200 gr di funghi

SPUNTINO: 30 grammi di frutta secca
CENA: un peperone farcito con tonno e cetrioli 30 grammi di pane integrale

GIOVEDÌ

COLAZIONE: Pane integrale tostato (50 grammi) e fragole
SPUNTINO: 100 gr di frutti di bosco misti
PRANZO: filetto di maiale con broccoli e ananas
SPUNTINO: 30 gr di parmigiano
CENA: una insalata fatta con 1 mozzarella, 100 gr di tonno, 50 grammi di cetriolo e 100 gr di pomodorini

VENERDÌ

COLAZIONE: Omelette di 3 albumi con spinaci
SPUNTINO: 1 smoothie detox a scelta
PRANZO: 200 gr di salmone e 200 gr di broccoli
SPUNTINO: gr di cioccolato fondente al 90%
CENA: insalata di 200 grammi gamberetti, 6 pomodorini e 1 avocado, 30 grammi di pane integrale

SABATO

COLAZIONE: frullato di frutta fresca e fiocchi d'avena
SPUNTINO: 30 grammi di mandorle
PRANZO:150 gr di pollo e 200 gr di spinaci e 30 grammi di pane integrale
SPUNTINO: 1 yogurt greco e 10 gr di semi di Chia
CENA: 1 zuppa di gamberi e 200 gr di finocchi da cucina conditi con olio e limone

DOMENICA

COLAZIONE: omelette ai funghi
SPUNTINO: 1 yogurt greco
PRANZO: 50 grammi di pasta integrale con le verdure
SPUNTINO: 1 smoothie detox a scelta
CENA: 150 grammi di lonza di maiale e 200 gr di spinaci

Seconda settimana

LUNEDÌ

COLAZIONE: 2 uova strapazzate

SPUNTINO: 30 grammi di pistacchi

PRANZO:250 gr di insalata di pollo con pomodoro, e lattuga, 30 grammi di pane integrale

SPUNTINO: 2 mele

CENA: 200 grammi di filetto salmone marinato con contorno di asparagi

MARTEDÌ

COLAZIONE: frullato di frutta fresca con fiocchi di avena

SPUNTINO: 30 grammi di mandorle

PRANZO: 40 grammi di riso con verdure di stagione

SPUNTINO: 1 smoothie detox a scelta

CENA: 200 grammi di tonno e 200 grammi di insalata mista

MERCOLEDÌ

COLAZIONE: 2 crespelle fatte con uova e farina di grano saraceno

SPUNTINO: 100 grammi di fragole

PRANZO: insalata di Quinoa con verdure di stagione

SPUNTINO: 4 fette di bresaola e 20 grammi di frutta secca

CENA: 150 gr di filetto di manzo con funghi

GIOVEDÌ

COLAZIONE: frullato di frutta fresca con fiocchi di avena

SPUNTINO: 30 grammi di mandorle

PRANZO:200 gr di salmone e 200 gr di broccoli

SPUNTINO: 30 gr di grana padano

CENA: 200 grammi di fesa di tacchino con insalata di verdura foglia verde (es. rucola)

VENERDÌ

COLAZIONE: 1 omelette con 3 albumi e spinaci

SPUNTINO: 1 mango

PRANZO: insalata di vitello fatta con 150 gr di vitello, 50 gr di avocado e 100 gr di peperoni, 30 grammi di pane integrale

SPUNTINO: 1 smoothie detox a scelta

CENA: 200 gr di nasello cotto a vapore e 200 gr di asparagi

SABATO

COLAZIONE: omelette di albumi e verdure a scelta

SPUNTINO: 2 mele

PRANZO:150 grammi di pollo e 200 grammi di spinaci, 30 grammi di pane integrale

SPUNTINO: 30 grammi di frutta secca

CENA: 120 grammi di lonza di maiale e 200 grammi di broccoli

DOMENICA

COLAZIONE: 2 crespelle fatte con uova e farina di grano saraceno

SPUNTINO: 1 smoothie detox a scelta

PRANZO: zuppa di gamberi e 200 grammi di finocchi da cucina

SPUNTINO: 30 grammi di grana padano

CENA: 50 grammi di pasta integrale con pomodori

Terza settimana

LUNEDÌ

COLAZIONE: omelette di albumi e verdure a scelta

SPUNTINO: 30 grammi di grana padano

PRANZO: 120 grammi di filetto di manzo con 200 grammi di funghi e 100 grammi di pomodorini

SPUNTINO: 1 pesca

CENA: 250 grammi di insalata di pollo con avocado e lattuga, 30 grammi di pane integrale

MARTEDÌ

COLAZIONE: frullato di frutta fresca con fiocchi di avena

SPUNTINO: 30 grammi di mandorle

PRANZO: pesce spada con olive e pomodorini più un'insalata di lattuga

SPUNTINO: 20 grammi di cioccolato fondente al 90%

CENA: 1 vellutata con carote, zucchine e 150 grammi di petto di pollo alla griglia

MERCOLEDÌ

COLAZIONE: 2 crespelle fatte con uova e farina di grano saraceno

SPUNTINO: 1 smoothie detox a scelta

PRANZO: 200 grammi di formaggio cremoso senza grassi aggiunti, una carota grande, un uovo sodo.

SPUNTINO: 2 mele

CENA: 150 grammi di pollo e 200 grammi di spinaci (o bietole) e 30 grammi di pane integrale

GIOVEDÌ

COLAZIONE: 1 omelette ricotta e spinaci

SPUNTINO: 100 grammi di frutti di bosco

PRANZO:200 grammi di salmone e 150 grammi di spinaci, 30 grammi di pane integrale

SPUNTINO: 30 grammi di grana padano

CENA: insalata di vitello fatta con 150 grammi di vitello, 50 grammi di pomodorini e 100 gr di peperoni

VENERDÌ

COLAZIONE: 2 crespelle fatte con uova e farina di grano saraceno

SPUNTINO: 1 smoothie detox a scelta

PRANZO: 50 grammi di riso integrale con 100 grammi di pollo e verdure

SPUNTINO: 1 pera

CENA: 200 grammi di salmone alla griglia e 200 grammi di asparagi

SABATO

COLAZIONE: omelette di albumi e verdure a scelta

SPUNTINO: 1 smoothie detox a scelta

PRANZO: 150 grammi di pollo, 200 grammi di spinaci e 30 grammi di pane integrale

SPUNTINO: 30 grammi di grana padano

CENA: 1 zuppa di gamberi e 200 grammi di finocchi da cucina (o altra verdura verde a scelta)

DOMENICA

COLAZIONE: 1 yogurt greco e 10 gr di semi di chia

SPUNTINO: 30 grammi di mandorle

PRANZO:120 gr di lonza di maiale e 200 gr di broccoli, 30 grammi di pane integrale

SPUNTINO: 100 grammi di ananas

CENA: 200 grammi di formaggio cremoso senza grassi aggiunti, una carota grande, un uovo sodo.

Quarta settimana

LUNEDÌ

COLAZIONE: 3 biscotti integrali,1 yogurt greco, 1 kiwi

SPUNTINO: 1 smoothie detox a scelta

PRANZO: 80 grammi bresaola, un'insalata verde, 30 grammi di pane integrale

SPUNTINO: 30 grammi di grana padano

CENA: pesce spada con olive e pomodorini più un'insalata di lattuga

MARTEDÌ

COLAZIONE: frullato di frutta fresca con fiocchi di avena

SPUNTINO: 20 grammi di cioccolato fondente al 90%

PRANZO: 200 grammi di salmone e 200 gr di broccoli (o spinaci)

SPUNTINO: 100 grammi di ananas

CENA: 120 grammi di filetto di manzo con 200 grammi di funghi, 20 grammi di pane integrale

MERCOLEDÌ

COLAZIONE: 1 omelette alle fragole cheto, 1 caffè con panna spray non zuccherata

SPUNTINO: 30 grammi di grana padano

PRANZO: 50 grammi di riso integrale con 100 grammi di pollo e verdure

SPUNTINO: 1 smoothie detox a scelta

CENA: insalata con 200 gr di tonno, 1 avocado, lattuga e 6 pomodorini

GIOVEDÌ

COLAZIONE: 1 omelette di albumi e verdure

SPUNTINO: 100 grammi di frutti di bosco misti

PRANZO: 200 gr di salmone e 200 gr di asparagi, 30 grammi di pane integrale

SPUNTINO: 30 gr di parmigiano

CENA: 200 grammi di formaggio cremoso senza grassi aggiunti, una carota grande e una zucchina grigliata

VENERDÌ

COLAZIONE: 1 yogurt greco e 10 gr di semi di chia

SPUNTINO: 30 grammi di grana padano

PRANZO: 50 grammi di riso integrale con 100 grammi di pollo e verdure

SPUNTINO: 100 grammi di ananas

CENA: 1 zuppa di pesce e 200 grammi di spinaci

SABATO

COLAZIONE: omelette di albumi e verdure a scelta

SPUNTINO: 30 grammi di mandorle

PRANZO: 200 grammi di filetto di maiale, accompagnato con broccoli e due fette di ananas.

SPUNTINO: 1 smoothie detox a scelta

CENA: 250 grammi di gamberi e 200 di insalata verde mista

DOMENICA

COLAZIONE: 2 biscotti integrali,1 yogurt greco, 1 kiwi

SPUNTINO: 20 grammi di cioccolato fondente al 90%
PRANZO:120 grammi di lonza di maiale e 200 grammi di cavolfiore
SPUNTINO: 1 smoothie detox a scelta
CENA: 200 gr di salmone e 200 gr di finocchi (o spinaci)

CAPITOLO 15- 15 FAQ SULLA DIETA RISVEGLIA METABOLISMO

In quest'ultimo capitolo ci occuperemo di rispondere ad una serie di domande e dubbi che vengono spesso posti di fronte alla dieta risveglia metabolismo.
Cercheremo di chiarire i maggiori dubbi che potrebbero affliggervi durante questo percorso, per aiutarvi ancora di più nella riuscita di questo percorso alimentare.
Vediamo insieme quali sono i maggiori dubbi riguardanti la dieta risveglia metabolismo, con le risposte al seguito:

1. ***Mangiare velocemente rallenta il metabolismo?***

Come avevamo consigliato nell'approccio a questa dieta, mangiare lentamente potrebbe essere di aiuto per accelerare il metabolismo. Quindi, la risposta è affermativa. Vi ribadiamo che la prima digestione avviene proprio mentre si mastica.
Se si mangia troppo velocemente, dunque, e gli alimenti non vengono masticati correttamente, le difficoltà digestive aumentano e si ingoia aria che causa gonfiore all'addome. Vi ribadiamo anche di fare circa 40 masticazioni a boccone, di non riempire più di 1/3 i rebbi della forchetta e di consumare i pasti in non meno di 20 minuti. Passato questo tempo arriverà il senso di sazietà al vostro cervello, pertanto, sarete portati anche a mangiare meno.

2. ***Cosa significa risvegliare il metabolismo?***

Con risvegliare il metabolismo, intendiamo un processo nel quale si cerca di nutrire ed idratare il corpo affinché si abbia una sorta di re-settaggio di esso. Quindi il primo passo da fare è disintossicare il corpo da anni di eccessi. Seguire le linee guida di questo libro, le ricette e i piani alimentari vi aiuterà a risvegliare il metabolismo. Ma, mangiare correttamente e bere abbastanza potrebbe essere non sufficiente. Anche con l'attività fisica riattiverete il processo metabolico.
Perciò, come vi avevamo consigliato nei capitoli precedenti, fare attività di cardio e aumento della massa magra, risveglierà ancora di più il vostro metabolismo.

3. ***Da cosa dipende il metabolismo veloce o lento?***

Il metabolismo veloce e lento dipende da tanti fattori come l'età (più si è avanti con l'età minore sarà la velocità del metabolismo), l'utilizzo dei farmaci, la comparsa di patologie metaboliche, il tipo di alimentazione e il quantitativo di attività fisica. Per quanto riguarda l'ultima, abbiamo visto che una persona che fa attività fisica, e che quindi ha un dispendio maggiore di energia, ha più possibilità di avere un metabolismo effettivamente più veloce.
Inoltre, con l'attività fisica si ottiene un conseguente aumento di massa magra.
L'aumento della massa magra richiede in automatico un dispendio calorico maggiore.

4. *In quanto tempo il metabolismo rallenta o aumenta?*

È noto che l'età influenza il metabolismo: ogni 10 anni, a partire dai 20 anni fino ai 70, il tasso del metabolismo basale rallenta dell'1-2%. Questo calo è attribuito alla diminuzione della massa muscolare che fisiologicamente decresce con gli anni, soprattutto negli individui sedentari.
Abbiamo visto però, che anche in età adulta si può aumentare il metabolismo: i parametri incrementabili mantengono la loro validità ad ogni età e la loro efficacia sia nelle donne che negli uomini.
Se si inizia, un passo alla volta, a cambiare le abitudini e diventare più attivo sicuramente si noterà un vantaggio metabolico.
Seguendo un regime alimentare risveglia metabolismo, con annessa attività fisica, nel giro di un mese si potrebbe notare un aumento del metabolismo.

5. *Perché lo zenzero accelera il metabolismo?*

Quando abbiamo parlato di alimenti termo genici, e cioè di quegli alimenti che una volta ingeriti, richiedono un consumo di energia maggiore da parte del corpo, abbiamo citato anche lo zenzero.
Si ritiene che esso sia un alimento che accelera il metabolismo proprio perché svolge questa funzione termo genica. Attenzione: non si deve incorrere nell'errore di pensare che lo zenzero faccia effettivamente dimagrire, ma che aiuti il metabolismo ad avere una marcia in più grazie al dispendio calorico che questo alimento richiede per migliorare la motilità intestinale. Inoltre, ha proprietà antinfiammatorie, analgesiche, calmanti che sono sicuramente di aiuto per il nostro organismo.

6. *Cos'è la sindrome metabolica?*

Nei Paesi sviluppati, la sindrome metabolica è un problema abbastanza serio. Si tratta, in sostanza, dell'insieme di diversi problemi di salute che possono manifestarsi di volta in volta o in sequenza in una stessa persona. Questi problemi di salute possono costituire un fattore di rischio per lo sviluppo del diabete di tipo 2 e di una patologia cardiaca. Le condizioni della sindrome metabolica che possono influire sono:

- ipertensione
- Alti livelli di trigliceridi nel sangue
- Alti livelli di glucosio nel sangue
- Bassi livelli di HDL nel sangue
- Eccesso di grasso intorno alla vita.
- Resistenza all'insulina

Una patologia di questo tipo potrebbe anche compromettere il metabolismo stesso, facendo in modo che una persona metta peso molto facilmente.

7. *Come individuare le malattie metaboliche?*

La visita per le malattie metaboliche è un inquadramento utile per individuare possibili patologie che riguardano il metabolismo dei nutrienti, normalmente contenuti negli alimenti.
Le cosiddette malattie metaboliche possono essere:

- Malattie del metabolismo dei lipidi (grassi), quali ipercolesterolemie e ipertrigliceridemia.
- Malattie del metabolismo degli acidi urici (la gotta).
- Malattie del metabolismo degli zuccheri (carboidrati), come iperglicemie, diabete e insulino resistenza.
- Le malattie metaboliche comprendono anche le malattie inerenti agli eccessi alimentari (obesità e sovrappeso).

Il diabete e le altre malattie metaboliche spesso non presentano sintomi nella prima fase e per questo un controllo medico e le analisi cliniche sono il miglior modo per prevenire ulteriori complicanze.

8. *La dieta risveglia metabolismo è adatta a tutti?*

Certamente. Perché questa dieta è una disciplina alimentare che è stata studiata appositamente per tutti. Non trattandosi di un regime super restrittivo che non prevede sacrifici o limitazioni di macronutrienti, può essere tranquillamente seguita da chiunque.
Inoltre, trattandosi di un regime che rispetta le condizioni del nostro organismo, ci porterà a mano a mano che la seguiremo ad aggiustare la composizione corporea. Di conseguenza, ci sentiremo meglio e saremo in grado noi stessi di essere perfettamente educati nel nutrirci.

9. *Come si calcola il metabolismo basale?*

Il metabolismo basale viene calcolato in Kilocalorie. Può essere misurato calcolando il calore generato come effetto di reazioni biochimiche che avvengono all'interno dell'organismo attraverso la calorimetria.
Per conoscere i valori del proprio metabolismo basale bisogna effettuare i calcoli la mattina a digiuno, in un ambiente a temperatura confortevole e in condizioni di assoluto riposo.
Il calcolo si effettua mediante un calorimetro che va a misurare quanto ossigeno viene impiegato in funzione delle kilocalorie di cibo assunto e metabolizzato.
Questo se si vuole, ovviamente il calcolo preciso.
Esistono delle formule che aiutano nel calcolo, ma forniscono risultati approssimativi.
Queste formule sono conosciute come "formule Harris & Benedict"
Tramite queste formule potrete calcolare, in questo modo, il vostro metabolismo basale:

- **uomo**: 66,5 + (13,75 x kg) + (5,003 x cm) – (6,775 x anni)
- **donna**: 65,1 + (9,563 x kg) + (1,850 x cm) – (4,676 x anni)

10. Il digiuno intermittente diminuisce il tuo metabolismo?

Come avevamo detto precedentemente, bisogna evitare di digiunare e saltare i pasti per risvegliare il metabolismo. Quindi, la risposta è affermativa. Questo perché il nostro organismo per bruciare energia deve essere nutrito, di cibi adeguati al momento giusto, in modo da poter comunicare al cervello che l'eccesso può essere bruciato in quanto vi sono adeguate riserve energetiche; se, invece, mangiamo poco o digiuniamo, il corpo tende a conservare tutto ciò che è riserva energetica per cui non ci fa dimagrire, anzi altera i parametri base del nostro metabolismo. Le diete di restrizione, come i digiuni intermittenti, quindi, non proteggono il nostro organismo, anzi rallentano il metabolismo, infatti, a lungo andare i primi effetti che si verificano sono l'amenorrea (totale scomparsa del ciclo) ed il rallentamento della funzionalità tiroidea.

11. Come faccio a tenere il metabolismo attivo e a seguire questa dieta quando sono in viaggio?

Viaggiare può essere stressante e rendere difficile l'accesso a cibi buoni sani e genuini. Può essere davvero complicato seguire questa dieta o fare sport. Perciò diventa difficile anche tenere il metabolismo attivo. In questo caso, esistono delle soluzioni. Per quando riguarda l'alimentazione, cercate di fare comunque una spesa salutare al supermercato, dove potrete trovare frutta fresca, proteine pure (come, per esempio, bresaola o cubetti di grana padano) e grassi sani come frutta secca. Bere molto in viaggio è fondamentale per sentirsi bene, specialmente in aereo. Quindi cercate sempre di idratarvi. Per quanto riguarda l'attività fisica, appena avete la possibilità, provate a fare almeno una passeggiata.

12. Fare questa dieta costa molto?

Questo è un dubbio piuttosto frequente. Purtroppo, è risaputo che mangiare sano è solitamente molto più dispendioso che mangiare cibi scadenti e dannosi per il metabolismo.
Il consiglio che vi possiamo dare è cercare le migliori offerte nei supermercati, o acquistare frutta e verdura nei mercati rionali.
Sarebbe ancora più economico e sicuro che predisponeste, se avete ovviamente spazio e possibilità, di un proprio orto. In questo modo non solo risparmierete ma sarete sicuri di quello che mangiate.

13. Come si può migliorare il metabolismo dei lipidi?

Il modo migliore per aumentare il metabolismo dei grassi, oltre ad un regime alimentare di questo tipo è aumentare l'attività fisica. Questo perché, più l'attività fisica è intensa e più c'è disponibilità di carboidrati più l'organismo tende ad utilizzare il glucosio e il glicogeno come fonte di energia.
Al contrario, quando si fa attività fisica più blanda o a riposo vengono preferiti i grassi.
Questo in pratica significa che il corpo non ragiona a compartimenti stagni e consuma o solo lipidi o solo esclusivamente glucosio: sfrutta una miscela dei due, in cui una frazione o l'altra è preponderante a seconda della condizione.
Perciò con deficit calorico e attività fisica andrete ad intaccare le riserve lipidiche del vostro corpo.

14. Quando è meglio iniziare questa dieta?

Questa dieta può essere iniziata in qualsiasi momento. Non esiste un momento preciso, ma prima inizierete ad alimentarvi in maniera sana, prima otterrete dei benefici concreti.

15. Esistono integratori che possono aumentare il metabolismo?

L'unico integratore naturale che accelera il metabolismo è rappresentato dai cibi termo genici (vedere capitolo 5). Ma non bastano solo quelli. Questi cibi, così come abbiamo spiegato per lo zenzero sopra, aiutano ad attivare il metabolismo, ma non sono solo loro a permettere il dimagrimento vero e proprio. Detto questo, non esistono quindi integratori naturali in grado di velocizzare il processo di dimagrimento, in quanto al massimo, prendendo come esempio la caffeina, essa ha un effetto blando sull'alimentazione stessa.
Ancora peggio se si parla di integratori artificiali o beveroni. Riguardo a quest'ultimi ne sconsigliamo vivamente l'uso. Uno, perché al massimo aiutano indirettamente a perdere peso, secondo perché andrebbero contro al principio base di questa disciplina che prevede una naturale ricomposizione corporea e di disintossicare il corpo dagli eccessi e dalle tossine. E la maggior parte delle volte non sappiamo nemmeno cosa andremo effettivamente ad ingerire con questi integratori o simili.

CONCLUSIONI

Con le FAQ, si è conclusa la nostra trattazione.
Abbiamo spiegato nel dettaglio come funziona il metabolismo, magari con una spiegazione un po' più tecnica.
Abbiamo capito l'importanza di riconoscere un metabolismo lento per poter agire sulla base del problema.
Vi abbiamo indicato, inoltre, un metodo per approcciarvi al meglio in questa disciplina alimentare e vi abbiamo fornito dei consigli per avere successo con essa.
Adesso siete in grado di comprendere i meccanismi, gli strumenti e i benefici di questa dieta.
Avete perfettamente compreso che non si tratta di una dieta vera e propria, nel senso di una dieta restrittiva.
E che è proprio questa la ragione principale del suo successo: niente conteggio calorico, niente stress e in più vi ritroverete con il metabolismo aggiustato.
Una cosa importantissima che vogliamo però ricordarvi, prima di concludere la vostra lettura è quella di non mollare: non mollate prima e soprattutto non mollate dopo.
Questo significa di non circoscrivere questo regime alimentare solo per poche settimane, ma di farlo vostro e di comprenderlo nel vostro stile di vita quotidiano.
Solo in questo modo potete continuare ad essere in forma, sicuri di voi stessi e soprattutto, non meno importante, in salute.
Perché una sana alimentazione e un'adeguata attività sportiva sono le basi fondamentali del nostro stare bene.
E abbiamo visto che questo è tutto ciò che ci insegna la dieta risveglia metabolismo.

Lightning Source UK Ltd.
Milton Keynes UK
UKHW020652030322
399505UK00002B/45